Para

com votos de paz.

/ /

DIVALDO FRANCO
PELO ESPÍRITO
MANOEL PHILOMENO DE MIRANDA

TRANSTORNOS PSIQUIÁTRICOS E OBSESSIVOS

EDITORA LEAL

Salvador
2. ed. – 2024

COPYRIGHT © (2008)
CENTRO ESPÍRITA CAMINHO DA REDENÇÃO
Rua Jayme Vieira Lima, 104
Pau da Lima, Salvador, BA.
CEP 412350-000
SITE: https://mansaodocaminho.com.br
EDIÇÃO: 2. ed. (9ª reimpressão) – 2024
TIRAGEM: 3.000 exemplares (milheiro: 35.900)
COORDENAÇÃO EDITORIAL
Lívia Maria C. Sousa

REVISÃO
Luciano Urpia
CAPA
Cláudio Urpia
MONTAGEM DE CAPA
Ailton Bosco
EDITORAÇÃO ELETRÔNICA
Ailton Bosco
COEDIÇÃO E PUBLICAÇÃO
Instituto Beneficente Boa Nova

PRODUÇÃO GRÁFICA
LIVRARIA ESPÍRITA ALVORADA EDITORA – LEAL
E-mail: editora.leal@cecr.com.br

DISTRIBUIÇÃO
INSTITUTO BENEFICENTE BOA NOVA
Av. Porto Ferreira, 1031, Parque Iracema. CEP 15809-020
Catanduva-SP.
Contatos: (17) 3531-4444 | (17) 99777-7413 (WhatsApp)
E-mail: boanova@boanova.net
Vendas on-line: https://www.livrarialeal.com.br

Dados Internacionais de Catalogação na Publicação (CIP)
(Catalogação na fonte)
BIBLIOTECA JOANNA DE ÂNGELIS

F825 FRANCO, Divaldo Pereira. (1927)

Transtornos psiquiátricos e obsessivos. 2. ed. / Pelo Espírito Manoel Philomeno de Miranda [psicografado por] Divaldo Pereira Franco. Salvador: LEAL, 2024.
330 p.
ISBN: 978-85-61879-53-2

1. Espiritismo 2. Transtornos psiquiátricos 3. Obsessão
I. Franco, Divaldo II. Título

CDD: 133.93

Bibliotecária responsável: Maria Suely de Castro Martins – CRB-5/509

SUMÁRIO

Apresentação

Os avanços das doutrinas que estudam a mente e as emoções têm contribuído de maneira expressiva para decifrar os problemas psiquiátricos e os de comportamento, oferecendo terapias valiosas que os diminuem ou que libertam os pacientes das aflições de angústia e de desespero que os alienam.

Nada obstante, em face dos muitos conflitos gerados pela tecnologia e pelas comunicações virtuais, assim como pelos fatores defluentes do processo da evolução, expressando-se na hereditariedade e nas enfermidades infectocontagiosas, o número de portadores de transtornos mentais e psicológicos prossegue com estatística ampliada.

Tormentos de vária ordem violentam o bem-estar dos cidadãos contemporâneos, atormentando-os de maneira avassaladora, que os levam à drogadição, à sexolatria, ao tabagismo, ao alcoolismo, em mecanismos sensacionais de fugas da realidade, sem que encontrem porto emocional de paz e de alegria de viver.

Por outro lado, o vazio existencial defluente do materialismo e do consumismo, das ilusões do poder e do prazer sempre fugidios, das ambições desordenadas e das insatisfações íntimas, embora as aparências festivas, responde por muitos desvios de conduta, que sempre infelicitam.

Sob outro aspecto, a culpa que decorre do orgulho doentio, corroendo intimamente, principalmente sem que seja aliviada pelo autoperdão, empurra para o abismo das depressões profundas, auspiciando a perda do autoamor e o desejo veemente do suicídio covarde.

No processo da evolução espiritual, as heranças do passado, caracterizadas pelo despautério, pelo abuso e extravagância, não raro pela crueldade e desrespeito à própria como à vida do próximo, respondem por inúmeros fatores genéticos que dão lugar aos transtornos psicóticos, assim como a neurológicos degenerativos que desvariam os Espíritos.

Concomitantemente, as obsessões de caráter espiritual enxameiam na sociedade, dando lugar a aberrações de diversos portes e fenômenos de loucura que se confundem com as psicopatologias academicamente classificadas.

Desse modo, são múltiplas as manifestações do desequilíbrio mental e emocional, cujas causas estão sempre fixadas no cerne do Espírito, por ser o responsável pelos pensamentos, palavras e atos que constituem a existência.

Herdeiro de si mesmo, transfere de uma para outra etapa as conquistas e os prejuízos de que se faz possuidor, sendo-lhe impostos os deveres da reabilitação e do refazimento quando erra, tanto quanto do progresso quando se porta com equilíbrio. Mesmo quando sob a ocorrência das provas e expiações, encontra-se em processo de crescimento interior e na busca da meta iluminativa, que é a fatalidade da qual ninguém consegue evadir-se.

A jornada carnal é um laboratório de experiências valiosas para a felicidade real, e por isso mesmo a reencarnação é imposta a todos os Espíritos, a fim de que possam desenvolver a essência divina que neles jaz, aguardando os valiosos recursos que lhe facultem a expansão.

A dor, por consequência, é fenômeno natural na trajetória ascensional em que todos se encontram colocados.

Com a função específica de despertar a consciência humana adormecida, é o estímulo para a busca da harmonia e da alegria de viver que deixaram de existir no comportamento humano.

Preocupados com o imediatismo, os homens e as mulheres deixam-se embair pelos fogos de artifício do prazer momentâneo, investindo todos os bens de que dispõem para fruí-lo, inevitavelmente se comprometendo com os prejuízos morais que passarão a atormentá-los depois.

Beneficiados com as conquistas modernas das ciências e da tecnologia, arrojam-se à tresloucada corrida do possuir mais, a fim de mais desfrutar, utilizando em demasia a organização física prematuramente, ou, quando envelhecidos, mergulhando no ressentimento que decorre da insatisfação de não haverem fruído o máximo que agora está ao alcance das gerações novas, ou porque esse benefício chegou-lhes tarde demais.

O equívoco em torno da existência planetária, que é de educação de valores, de aquisição de bens espirituais, é o responsável pelo terrível engodo de querer-se alucinadamente extrair do corpo todas as sensações que ele pode proporcionar, sem a lucidez necessária para compreender-se que, dessa forma, se o exaure mais rapidamente, portanto, diminuindo o tempo disponível para a sua fruição.

As mentirosas promessas do gozar até a exaustão seduzem e passam rapidamente, sendo substituídas pela realidade do cansaço, do desencanto, das novas necessidades de continuar experimentando o prazer fugaz que se transforma em revolta e ressentimento.

O cardápio da mesa farta do gozo, embora a beleza exterior, oculta acepipes venenosos e líquidos alucinantes que envilecem o caráter e intoxicam a vida.

Uma existência saudável é o único meio para futuras reencarnações plenificadoras.

Sofrendo-se o efeito daquelas comprometedoras que ficaram na retaguarda, os impositivos do sofrimento constituem as abençoadas terapias renovadoras para a real conquista do bem-estar e da paz.

Por isso ocorrem os transtornos psiquiátricos, psicológicos e obsessivos, cada dia mais numerosos, em alerta claro quanto insofismável para todas as criaturas.

Expressam-se em alienações mentais, em transtornos emocionais, em obsessões puras e simples, agravando-se quando se mesclam as problemáticas fisiológicas, psíquicas com as espirituais, complicando o quadro da psicopatologia difícil de ser erradicada.

Em todas elas o paciente desempenha um papel relevante, sendo a sua cura o resultado de imprescindível contribuição pessoal, ao lado da assistência que deve receber, tanto a especializada quanto a afetiva dos familiares e amigos aos quais se encontra vinculado.

Ninguém que se encontre a sós em qualquer processo alienatório. Isto, porque os comprometimentos negativos igualmente têm lugar com parcerias identificadas com o fenômeno.

Por essa razão, quando alguém tomba nas malhas dos desequilíbrios mentais e espirituais, no seio de qualquer família, gerando sofrimento para outrem, não se trata de ocorrência casual, mas causal. Naquele grupo, encontram-se outros Espíritos que participaram das mesmas infames refregas ora em recomposição.

As Divinas Leis são inexoráveis, porquanto funcionam com estável critério de justiça e sem qualquer privilégio para quem quer que seja.

A cada ação corresponde uma reação de idêntico efeito.

O grupo familiar é santuário de renovação coletiva, onde todos os membros se encontram para crescer juntos, reconciliar-se, aprender a servir e a ampliar a capacidade de amar.

O calceta de hoje é o líder do crime de ontem que arrastou outros inconsequentes para as suas fileiras perversas. Reunidos novamente, devem-se ajudar no processo de libertação em que se encontram comprometidos.

Na atualidade, a solidão abraça o desespero, o vício confraterniza com o crime, a perversidade envolve-se com a violência em demonstração de loucura coletiva que toma conta do planeta no seu momento de mudança moral e espiritual para melhor.

Felizmente, os missionários do bem nas ciências mentais ampliam o elenco de terapias oportunas, incluindo o amor, o respeito pelo paciente, pela sua dignidade, envolvendo-o em compreensão e bondade, sacerdotes que são da saúde, irmãos gentis do sofrimento...

Ao mesmo tempo, a extraordinária contribuição da Doutrina Espírita em favor dos seres humanos faculta a compreensão dos fatores causais dos sofrimentos, particularmente das problemáticas mentais, emocionais e comportamentais, esclarecendo quem é o enfermo, as razões por que se encontra em padecimento, assim como as interferências dos parceiros de ontem, ora revoltados e transformados em inimigos em acerbas lutas de vingança e odiosidade...

Unindo-se as duas doutrinas – a da mente e a espiritual –, muito mais fácil torna-se entender o doente e a doença, compreendendo-se que essa última somente existe por causa do primeiro ser delinquente.

Aprofundando-se a sonda da investigação dos problemas humanos no cerne do ser, encontra-se a vida exuberante em longa jornada de renascimentos nem sempre felizes, que deram lugar às ocorrências da atualidade.

Como se multiplicam as clínicas psiquiátricas em moldes humanos e dignificadores, muitas delas com programação espiritual, com departamentos de assistência espírita, apresentamos este livro que trata do formoso labor de instalação de um setor especializado em atendimento espiritual aos pacientes obsidiados ou não, em venerável instituição brasileira dedicada à saúde mental.

Procuramos relatar as providências tomadas pelo plano espiritual em conformidade com as aspirações dos membros reencarnados que se dedicam ao ministério de socorro aos alienados mentais.

Certamente, como se pode compreender, não conseguimos expressar de maneira mais clara os cuidados e empenhos de ambos os grupos de trabalho – materiais e espirituais –, sintetizando quanto podemos observar, acompanhar e mesmo participar.

O nosso interesse é demonstrar que as atividades de todo e qualquer porte, quando se fixam em objetivos nobres, são minuciosamente programadas, executadas sem pressa nem atraso, obedecendo aos impositivos da sua necessidade.

Como sempre todos nos encontramos em sintonia com as forças que se movimentam nas faixas em que fixamos o pensamento e nos comportamentos mantidos, nunca nos faltam o apoio e o socorro providencial dos Céus, através dos nobres mensageiros da Luz, infatigáveis trabalhadores de Jesus na construção do mundo melhor.

Fazemos votos que o nosso tentame possa contribuir para esclarecer algumas mentes e animar os sentimentos que se entregam à faina do bem sem limite, em todo lugar e a todo instante, facultando aos Espíritos bons a possibilidade de a todos utilizar na programação da felicidade geral.

Londres, 15 de junho de 2008.
MANOEL PHILOMENO DE MIRANDA

CONCEITO DE OBSESSÃO NA ÓPTICA ESPÍRITA

Pululam em torno da Terra os maus Espíritos, em consequência da inferioridade moral de seus habitantes. A ação malfazeja desses Espíritos é parte integrante dos flagelos com que a Humanidade se vê a braços neste mundo. A obsessão que é um dos efeitos de semelhante ação, como as enfermidades e todas as atribulações da vida, deve, pois, ser considerada como provação ou expiação e aceita com esse caráter.

Chama-se obsessão à ação persistente que um Espírito mau exerce sobre um indivíduo. Apresenta caracteres muito diferentes, que vão desde a simples influência moral, sem perceptíveis sinais exteriores, até a perturbação completa do organismo e das faculdades mentais. Ela oblitera todas as faculdades mediúnicas [...].

(*A Gênese*. Allan Kardec. Cap. 14, item 45. 36. ed. FEB.)

1

Morte e imortalidade

O zimbório celeste encontrava-se recamado de estrelas como se fossem diamantes luminosos encravados no veludo azul-escuro da noite, faiscantes e belos, tornando-a menos sombria.

Perpassava no ambiente uma suave brisa perfumada, enquanto se ouviam as onomatopeias da Natureza em festa primaveril.

Pulsavam-me as emoções de compreensível ansiedade em relação ao evento que logo mais se iniciaria, no imenso anfiteatro da Comunidade espiritual que nos hospedava desde a véspera.

Ali me encontrava, a fim de participar de uma atividade que fora desenhada por nobres mensageiros da Luz, objetivando os sofredores terrestres vitimados por alienações mentais e obsessivas, recuperando-se de clamorosos erros de existências pretéritas no eito de aflições severas.

Uma suave claridade, que se derramava de imensos projetores de luz, dava ao recinto festivo uma visão agradável em tonalidades azul-claras diáfanas, mescladas com tênue alvura que invadia todos os recantos e não projetava sombra ao enfrentar quaisquer tipos de obstáculos.

Doce melodia de harpa dedilhada com destreza invadia o recinto do anfiteatro, confraternizando com os sons delicados naturais que chegavam pelo ar como se fossem um acompanhamento de quase inarticuladas vozes angélicas.

Uma verdadeira multidão acorrera ao imenso recinto entre júbilos e esperanças, manifestando as surpresas de encontros e reencontros agradáveis em festiva comunhão de bênçãos.

Pude observar que muitos Espíritos reencarnados eram trazidos pelos seus abnegados guias, alguns deles perfeitamente lúcidos, enquanto outros, menos despertos, movimentavam-se também com algum desembaraço e relativa agilidade.

Diversos amigos do nosso plano de acolhimento foram igualmente invitados, destacando-se o querido benfeitor José Petitinga e o nobre Dr. Juliano Moreira, que me fora apresentado, há pouco, pelo dedicado instrutor.

A conversação que mantínhamos, no momento, enquanto aguardávamos o início do ato especial, dizia respeito às atividades do ilustre psiquiatra baiano, que contribuíra destemidamente, no seu tempo, para que os pacientes psiquiátricos recebessem tratamentos e cuidados especiais, dignificadores, na condição de criaturas humanas que eram, com o merecido respeito pelas psicopatologias de que se faziam portadores. Tratados, naquela ocasião, como animais desprezíveis, viviam amontoados, praticamente ao abandono nos hospícios, sem receberem significativa ajuda, seja dos médicos, quase em geral, seja da sociedade...

Encontrava-me encantado com a palavra fluente do culto mestre, que deixara, na Terra, expressivo número de tratados e artigos sobre a psicogênese e as causas exógenas dos terríveis transtornos psicóticos, evocando os dias quando trabalhou no Hospício São João de Deus, em Salvador, Bahia, e mais tarde à frente da Academia Brasileira de Ciências...

Naquela oportunidade, teríamos a satisfação imensa de reencontrar o respeitável psiquiatra uberabense Dr. Ignácio Ferreira, que fora convidado a entretecer considerações em torno do intercâmbio de consequências enfermiças entre os desencarnados e os transeuntes no carro físico, tendo em vista a imortalidade do Espírito.

À hora aprazada, o auditório, para um público de aproximadamente mil convidados, encontrava-se repleto, e o doce perfume das flores que adornavam o estrado central, onde se encontrava a mesa diretora, tomava todos os espaços.

Uma comissão de recepção convidou o psiquiatra baiano e o encaminhou ao supedâneo onde estavam outros Espíritos de escol, entre os quais o orador destacado para o cometimento.

Iniciada a reunião, o mestre de cerimônias, que reconheci ser o ilustre divulgador do Espiritismo na Terra Ivon Costa, convidou, nominalmente, aqueles que iriam constituir a mesa de honra.

Presidida pelo caroável Espírito Dr. Adolfo Bezerra de Menezes Cavalcanti, Ivon Costa referiu-se ao significado especial do evento, informando que, de início, haveria uma apresentação de canto coral em homenagem a Jesus, o Sublime Psicoterapeuta da Humanidade, o que, de imediato, teve lugar.

Na mais perfeita ordem levantaram-se os membros do conjunto, formando um semicírculo à frente da mesa honorável, na sua parte inferior, entoando com mestria a comovedora peça *Jesus, Alegria dos Homens*, de Johann

Sebastian Bach, produzindo grande emoção em todos que ali nos encontrávamos.

Logo depois, foi proferida uma oração pelo caroável diretor dos trabalhos, suplicando o amparo do Mestre Jesus, a todos sensibilizando-nos.

Ato contínuo, o mestre de cerimônias entreteceu algumas considerações sobre o convidado especial, destacando-lhe os valores morais e intelectuais, sem elogios supérfluos, com o objetivo de torná-lo conhecido por grande parte do auditório que ignorava as conquistas expressivas do eminente batalhador, inscrito entre os pioneiros dos estudos psicopatológicos dos distúrbios mentais, particularmente aqueles de natureza obsessiva.

Sereno e consciente da responsabilidade, o respeitável psiquiatra assomou à tribuna, transparecendo alegria e emoções superiores.

Após a saudação cristã, evocando os primeiros servidores de Jesus, agradeceu, sensibilizado, o convite, passando a considerar:

– *Não fui orador enquanto na romagem carnal, havendo-me dedicado mais ao estudo e à reflexão em torno da Psiquiatria e do Espiritismo.*

Isto posto, conto com a compreensão e bondade dos nobres Espíritos presentes, tendo em vista a minha incipiência, já que me considero sem as condições mínimas necessárias para cometimento de tal magnitude.

Atendo ao convite dos benfeitores espirituais que me facultam esta oportunidade, assim me preparando para futuros labores em nome da veneranda Doutrina de Jesus.

A prevenção ainda hoje mantida por eminentes cientistas e pensadores em relação à imortalidade do Espírito é resultado do prolongado ressentimento contra algumas doutrinas religiosas do passado, que impunham a fé distanciada do raciocínio e da lógica. Essa ditadura irracional, que tanto perturbou o processo de desenvolvimento intelectual da sociedade, produziu mais antagonistas do que simpatizantes em relação à proposta espiritualista.

A revolução cultural e científica iniciada por Sir Isaac Newton ensejou que Espíritos esclarecidos, como Pierre Gassendi, sustentassem a necessidade dos estudos experimentais nas ciências físicas, no século XVII. Ao mesmo tempo, Thomas Hobbes, depois de profundas investigações médicas e políticas, declarou a sua convicção materialista e a sua conduta utilitarista, que posteriormente muito influenciaram Rousseau e Spinoza, culminando com as propostas de John Locke, lançando as bases do empirismo, que iria estimular fortemente o pensamento francês e inglês a aceitá-lo de imediato, especialmente no período em que o feudalismo se encerrava, no fim do século XVII e logo depois, no século XVIII, quando essas ideias exerceram ação demolidora em relação à fé cega.

Foram eles que, de alguma forma, restauraram o conceito do atomismo grego, exposto por Leucipo, Lucrécio e Demócrito, em oposição ao idealismo de Sócrates e Platão, que as futuras investigações integrariam de maneira adequada e profunda, quando por ocasião do aparecimento da Física Quântica...

Essa atitude, portanto, dos denominados materialistas era resultado de uma natural aversão à predominância do dogma religioso sobre a razão, da intolerância sobre o desenvolvimento das ciências, fenômeno impossível de ser evitado, por fazer parte da Lei de Progresso.

Nada pode fazer estacionar a marcha do conhecimento, mantendo as criaturas na ignorância, no obscurantismo.

O expositor relanceou o olhar sobre a multidão atenta, que absorvia as explicações, logo prosseguindo:

– *Como consequência imediata, os séculos seguintes caracterizaram-se pela rebeldia dos investigadores positivistas diante das religiões, do espiritualismo em geral, tentando reduzir o ser humano a um amontoado de moléculas, a fenômenos naturais e automatistas, no seu fatalismo biológico em marcha inexorável para a consumpção.*

Logo depois, diante das inabordáveis conquistas dos séculos XVIII e XIX, nos diversos ramos da Ciência, graças às investigações que alcançavam as causas naturais do que antes era considerado miraculoso e sobrenatural, estabeleceu-se, por definitivo, o preconceito contra a fé religiosa, em face da sua incapacidade de oferecer respostas mais seguras àquelas defendidas pelo Iluminismo, *logo seguido pelo* Positivismo, *por fim, pelo materialismo mecanicista acadêmico...*

Um dos momentos definidores dessas especulações teve lugar no dia 24 de novembro de 1859, quando o eminente naturalista inglês Charles Robert Darwin publicou a sua hoje célebre teoria sobre a origem das espécies pelos processos da seleção natural, *que alcançou grande repercussão, em face do poder de desmistificar a ancestral e mitológica informação a respeito da criação da vida, particularmente dos seres vegetais, animais e humanos, demonstrando o inevitável processo evolutivo, confirmado pelas demonstrações paleontológicas... Antes, um pouco, ele recebera do eminente Alfred Russel Wallace, também admirável naturalista, que mais tarde se tornou espírita, um manuscrito, no qual era apresentado, coincidentemente, um resumo completo da sua teoria, sem que ambos houvessem tido qualquer contato ou discussão a esse respeito.*

Os fatos foram-se acumulando nas diversas áreas do conhecimento, culminando com as observações irônicas de Carl Vogt, o notável naturalista alemão, partidário e divulgador da doutrina de Darwin, assim como de outros eminentes estudiosos, cujos conhecimentos não eram compatíveis com as doutrinas da ortodoxia religiosa.

Logo, os laboratórios de pesquisas anatomopatológicas aprofundaram o bisturi das investigações no organismo humano, zombeteiramente procurando encontrar a alma, nos despojos carnais de onde se afastara pelo fenômeno da morte biológica.

O resultado não poderia ser diferente, tendo-se em vista os camartelos utilizados pelo pensamento filosófico através de Espíritos, iluminados ou não, que ora se apoiavam na Ciência, em momentos outros nas próprias reflexões, combatendo com certa ferocidade mesmo, os dogmas e os frágeis postulados da fé irracional, elaborando novos paradigmas em torno da vida, porém, centrados na matéria...

Novamente o erudito psiquiatra fez um oportuno silêncio, a fim de permitir que fossem absorvidas as suas considerações, dando continuidade:

– *Nesse báratro, no qual a fé religiosa estertorava e a Ciência robustecia-se, enquanto a Filosofia ampliava os horizontes do pensamento através de diferentes escolas de reflexão, os Imortais fizeram-se presentes, aliás, como sempre ocorreu, porém, nesse momento, com maior vigor, em razão de haver chegado o instante próprio para que pudessem ser compreendidas as suas propostas e as criaturas dispusessem dos instrumentos hábeis do conhecimento capazes de comprovar os seus ensinamentos.*

Os fenômenos mediúnicos, que constituem rutilante página do desenvolvimento espiritual da Humanidade, tornaram-se retumbantes, e o gênio de Allan Kardec, o vaso escolhido, apresentou o Espiritismo, demonstrando, pela experiência positivista, a sobrevivência à morte e a continuidade da vida.

Argumentos e teorias complexos foram utilizados pelos adversários naturais do progresso, para anular a tese espírita, todavia, incapazes de demolir a estrutura lógica e demonstrativa em que ela se apoiava.

Agressões e diatribes foram lançadas contra Allan Kardec e a Doutrina Espírita, sem sustentação ética para enfrentá-los.

Perseguições insanas fizeram-se programadas e executadas, redundando inócuas, diante das adesões de cientistas sinceros e numerosos, ao lado de pensadores, de artistas, de religiosos e do povo em geral que, nos postulados espíritas, encontraram tudo quanto lhes faltava para a consolação pessoal e o esclarecimento em torno dos enigmas existenciais.

A imortalidade passou a representar as aspirações conscientes de todos aqueles que pensam e que lutam, sustentada nos inegáveis fenômenos mediúnicos que lhe servem de base.

Lentamente, o conceito em torno da morte, com o significado de destruição, de aniquilamento da vida, cedeu lugar à esperança dos reencontros formosos, da continuação dos sentimentos e das emoções, da possibilidade de fruir-se felicidade... Nada obstante, passou também a significar o despertar da consciência, da lucidez e da responsabilidade em torno dos pensamentos, das palavras e dos atos, da compreensão do significado existencial e do sentido das experiências humanas...

Graças à nova ciência – a espiritista –, passou-se a ter certeza da imortalidade do Espírito, não mais através da fé tradicional, porém, da lógica racional, dando lugar a uma filosofia existencial rica de possibilidades para o entendimento, com instrumentos iluminativos para a consciência e a razão, desaguando numa Religião cósmica de amor, em face da sua ética-moral encontrar-se fixada nos ensinamentos de Jesus, conforme Ele e os seus primeiros discípulos os viveram.

O fenômeno da morte orgânica, gerador de transtornos de comportamento existencial, que antes significava o encerramento do ciclo mental e emocional, agora assumia a condição de portal de acesso a outra dimensão pulsante e real, de onde tudo se origina e para onde tudo retorna.

Concomitantemente, as doutrinas biológicas, as psicológicas, as neurociências, em face da formidanda abertura proporcionada pela Física Quântica, pela Biologia Molecular, penetrando mais audaciosamente nas origens dos fenômenos, defrontaram-lhes a grande causa: a imortalidade!

Foi constatado pelos investigadores modernos, nos seus laboratórios de perquirição, o ponto de Deus, *onde estaria uma das sedes da alma no corpo físico, o* gene de Deus, *responsável pela crença natural na Divindade, a comunicabilidade dos Espíritos, a reencarnação, os fenômenos de perturbação emocional e psíquica através das obsessões...*

É natural, entretanto, que ainda permaneçam alguns bastiões de intolerância e de resistência em relação às novas conquistas, todavia, o conceito sobre a imortalidade continua ganhando terreno nos corações humanos e contribuindo para o entendimento dos mecanismos existenciais, explicando todas as ocorrências aflitivas, todos os enigmas que inquietam o indivíduo, o seu destino, as suas aflições...

O ser humano adquire, com esses sublimes conhecimentos, dignidade e o sentido espiritual que lhe dizem respeito, tornando-se-lhe o grande desafio a vencer.

Acompanhávamos os raciocínios brilhantes do orador, num misto de júbilo e de gratidão, quando, novamente, ele fez uma pausa oportuna, para, de imediato, continuar:

A questão da imortalidade deixou de ser objeto de reflexões metafísicas, tornando-se fator de análise e de constatações, tendo em vista a tragédia cotidiana da morte dos seres amados e da aparente destruição da vida.

No silêncio do santuário doméstico e nos grupamentos espiritistas, o conforto moral defluente da sobrevivência do Espírito, a partir de então, vem-se fazendo abençoado, quando retornam aqueles desencarnados queridos confirmando a imortalidade, trazendo inegável documentação probante de que são eles mesmos, enxugando as lágrimas da saudade, orientando o comportamento dos que ficaram na indumentária carnal, oferecendo esperanças em relação aos futuros reencontros ditosos, auxiliando na preservação dos ideais e na continuação das lutas libertadoras...

Vencida pelo sopro da realidade, a morte, na sua feição destruidora e punitiva das religiões do passado, lentamente abandona os arraiais da sociedade, onde imperou soberana por milênios, para tornar-se fenômeno inevitável da constituição orgânica, portal, porém, de acesso à vida plena.

O corpo, nesta nova concepção, é um instrumento para a evolução do Espírito, uma concessão divina para o desabrochar dos valores que nele dormem ínsitos, aguardando a oportunidade superior do renascimento carnal.

Todo um elenco de bênçãos abre-se convidativo, proporcionando a conquista de patamares morais elevados e de realizações interiores inabordáveis, como consequência da contribuição dos Espíritos nobres, em momentosas comunicações mediúnicas.

A cortina, que parecia densa, interposta entre os dois planos da vida – o físico e o espiritual – vem-se diluindo, facultando uma ampla visão da realidade, ao mesmo tempo que enseja o intercâmbio consciente entre os homens, as mulheres e os Espíritos desencarnados, familiar e dignificante, graças ao qual se passa a ter conhecimento lúcido a respeito da vida real e dos seus objetivos elevados.

O aspecto apavorante da morte, os fantasmas medievais em torno desse fenômeno, as punições infernais, o cruel julgamento final, as humanas bênçãos e maldições cederam lugar ao discernimento pessoal em torno dos compromissos morais em favor da autoiluminação e da construção da felicidade futura.

A cada dia, mais amplas informações têm sido oferecidas aos seres humanos, a respeito do mundo causal, da Justiça Divina, das responsabilidades pessoais intransferíveis, dos socorros que procedem da Espiritualidade, confirmando que ninguém transita a sós durante o carreiro físico.

Nenhuma abordagem aparvalhante, muito do gosto dos insensatos, é feita pelos Espíritos nobres, nenhumas revelações de natureza mágica, privilegiando uns em detrimento de outros, sendo oferecidas informações sensatas, de acordo com o nível de consciência e de inteligência da sociedade contemporânea, dignificando o cidadão que deve buscar a autoiluminação...

Inefável alegria toma conta da existência humana ante as notícias que procedem do mundo espiritual, das informações em favor das terapias libertadoras do sofrimento, do destrinçar das enfermidades de toda ordem, especialmente as de natureza obsessiva – físicas, emocionais e mentais –, oferecendo satisfação e coragem para os enfrentamentos inevitáveis.

O triunfo da vida sobre a morte é a glória do Amor de Deus em nós.

Tenhamos em conta o profundo significado deste momento, quando visitantes do corpo físico e nós outros, desencarnados, estreitamos os laços do afeto e ampliamos o entendimento em torno das questões fundamentais da vida, em exaltação à plena compreensão da imortalidade.

O psiquiatra lúcido, outra vez, silenciou com brevidade, ensejando-nos reflexionar em torno dos seus enunciados.

Quase não me dando conta, viajei na direção do passado, revivendo esperanças e aspirações mantidas quando reencarnado, constatando depois, com inexcedível júbilo, o triunfo da vida, que me faculta, como a todos nos oferece, o reencontro com o amor que ilumina e com os erros que nos pedem reparação, impulsionando-nos ao avanço na marcha do progresso.

Percebi que tinha lágrimas nos olhos, que não se encorajavam a escorrer das comportas...

De imediato, ele prosseguiu:

– *O seguro caminho a percorrer apresenta-se-nos como o amor em todas as suas expressões.*

Ele é o alfa e o ômega do alfabeto divino, que nos cabe conhecer e passar a viver em profundidade.

Em toda parte respiramo-lo, em forma de exteriorização do Divino Psiquismo que nos sustenta e nos impulsiona em direção do futuro.

Desse modo, vencedores da morte, avancemos no rumo da perfeição que nos está destinada, sem nos olvidarmos daqueles que nos seguem na retaguarda, nossos irmãos em sofrimento, com os quais mantemos o compromisso da caridade, a fim de estimulá-los ao avanço e ao autoencontro, de forma que compreendam a necessidade do crescimento íntimo apoiado em Jesus, que prossegue amparando-nos sem cansaço nem enfado.

Ante a majestade cósmica, contemplando os astros que lucilam ao longe, alguns dos quais por onde transitaremos, exultemos de justo contentamento, em razão de havermos sido convidados para trabalhar na vinha do Senhor, esforçando-nos para sermos escolhidos para atividades mais amplas e formosas.

A hora é esta, sem nenhuma postergação, nem tormento, nem tristeza, antes, com alegria e gratidão a Deus, nosso Pai Generoso.

Que permaneça em nossos corações e em nossas mentes a paz que vem de Jesus Cristo, nosso Mestre e Senhor, são os nossos votos mais efusivos.

Ao silenciar, a emoção era geral. Lágrimas brilhavam nos olhos da multidão. O próprio dissertante não conseguira esconder a emotividade.

Acolhido, carinhosamente, por Dr. Bezerra de Menezes, que se levantou e acercou-se da tribuna, abraçando-o e levando-o à mesa, ato contínuo, o mestre de cerimônias anunciou o retorno do coral, que entoou, magistralmente, o *Aleluia*, da célebre obra *O Messias*, de Händel.

Em seguida, após uma prece ungida de emoção e reconhecimento aos Céus, a reunião foi encerrada, enquanto delicadas pétalas de rosas cintilantes e perfumadas caíam sobre a multidão, diluindo-se no contato com os Espíritos.

2

Convivência saudável

Enquanto os presentes formavam diferentes grupos por afinidades vibratórias e de interesses pessoais, alguns se aproximaram da mesa diretora, a fim de saudar os seus membros, enquanto Petitinga e nós outro, igualmente, acercamo-nos do venerável Dr. Bezerra, mantendo breve contato, logo nos aproximando do querido psiquiatra baiano, a fim de parabenizá-lo pela brilhante palestra.

A veneranda médium dona Maria Modesto, que o acompanhava, sorridente, demonstrou grande contentamento com o nosso reencontro, mantendo agradável diálogo em torno do tema de alta relevância que fora abordado.

O médico gentil, por sua vez, conversava com o colega baiano Dr. Juliano Moreira e outros amigos, entre os quais um casal portador de aura cativante e enternecedora, que nos foi apresentado, no momento, como trabalhadores espíritas de escol, que viveram em próspera cidade do interior do Estado de São Paulo, e que se houveram dedicado à assistência psiquiátrica e desobsessiva aos irmãos atormentados, mental e espiritualmente, aos quais muito amavam.

Graças a um grupo de abnegados servidores de Jesus, ergueu-se, com o esforço de denodado trabalhador da Doutrina Espírita, que também se encontrava presente, o irmão

Jacques Verner, um hospital psiquiátrico, atualmente com a designação de clínica psiquiátrica, de acordo com os novos padrões propostos para a saúde mental.

Naquela oportunidade, o casal Antonelli, em face de novas programações que estavam em delineamento na clínica atual, necessitava de apoio seguro de amigos devotados na Espiritualidade, a fim de ampliar o atendimento desobsessivo aos enfermos, especialmente às vítimas do alcoolismo e da drogadição, que enxameavam em estarrecedora estatística, especialmente por causa das recidivas...

Convidado, nominalmente, o Dr. Ignácio Ferreira para participar da organização do novo desafio, após alguma reflexão, anuiu, generoso, informando que dispunha de alguns dias que poderiam ser aplicados nessa programação.

Sorridente e jovial, convidou-nos, a Petitinga e a nós, convocando também o Dr. Juliano Moreira, com quem gostaria de conviver um pouco, a fim de haurir parte dos seus valiosos conhecimentos técnicos, para que também participássemos da empresa em delineamento.

O júbilo foi geral. Todos nos entreolhamos, e, depois de alguma análise, na qual cada um examinou a sua agenda de deveres, combinou-se que se manteria uma reunião inicial com o administrador espiritual da clínica, logo que lhe fosse possível atender-nos, após o que, seriam tomadas as providências compatíveis com tempo necessário para o atendimento à solicitação.

É compreensível que se entenda que o improviso é sempre gerador de muitos insucessos. Os Espíritos responsáveis são muito cautelosos e, conhecedores das leis que regem a vida, sempre têm o cuidado de agir com equilíbrio e reflexão, considerando os impositivos estabelecidos pela ordem que vige em toda parte.

Assim sendo, após agradável conversação com os demais amigos, acerquei-me do caro Verner, a fim de ouvir-lhe o relato das dificuldades iniciais enfrentadas, quando programara a construção do hospital psiquiátrico, nos recuados anos cinquenta, no século passado. Com entusiasmo incomum, o novo companheiro narrou-me as experiências adquiridas como resultado dos esforços para serem conseguidos os recursos próprios para a concretização daquele projeto muito audacioso para os padrões da época.

– *Graças às inesquecíveis reuniões de tiptologia* – deu prosseguimento, gentil – *que eram realizadas na residência da família Antonelli e, mais tarde, no Grupo Espírita local, os idealistas sentíamo-nos encorajados para os enfrentamentos naturais, culminando na materialização do acalentado sonho que fora delineado na Erraticidade muito antes da reencarnação da nossa família espiritual.*

A senhora Antonelli, portadora da faculdade de ectoplasmia ou efeitos físicos, tornara-se dócil instrumento dos nobres mensageiros espirituais, para as comunicações momentosas que constituíam alento e força, para que fosse conseguida a meta ambicionada. Afável e meiga, fora mãe devotada e esposa carinhosa, amiga gentil e extremamente caridosa, consciente das suas responsabilidades na condição de médium dos Espíritos.

Todo o tempo de que dispunha, sabia aplicá-lo a serviço do Bem, tornando-se verdadeiro exemplo de medianeira espírita, humilde e responsável, cativando a simpatia e o afeto de todos quantos dela se acercavam.

Quando fez uma pausa, porque participando emocionalmente da sua narrativa, acompanhei-lhe a jubilosa evocação, nele reconheci um servidor de Jesus, que também deixara, na Terra, pegadas luminosas, na feliz condição de verdadeiro trabalhador do Espiritismo.

Observei, nesse ínterim, que a referida senhora conversava animadamente com dona Maria Modesto sobre os escolhos à prática da mediunidade, e as nobres médiuns, recordando-se daqueles dias heroicos, agradeciam a Deus a bênção de que haviam sido objeto, especialmente por se haverem desincumbido a contento em relação ao ministério que lhes fora confiado.

Sem nenhuma censura de nossa parte, comparei-as, mesmo sem o desejar, com a precipitação de alguns médiuns inexperientes da atualidade, que se encontram à cata de louvaminhas e de glórias enganosas através do exercício da faculdade de que se fazem instrumento, realizando verdadeiro campeonato de exibicionismo, distantes da seriedade e da responsabilidade que deveriam ter primazia na sua conduta.

A reflexão fez-me recordar uma frase atribuída a Santo Eusébio de Cesareia, aliás, grande admirador de Constantino, que vendo o Cristianismo popularizar-se e começar a perder a grandeza moral derivada do sacrifício dos seus mártires, exclamou: – *Enquanto experimentávamos as perseguições mais cruentas, éramos muito mais fiéis a Jesus...*

De certo modo, com as honoráveis exceções, à medida que a mediunidade passou a desfrutar de respeitabilidade, em face daqueles que por ela se sacrificaram, mantendo-se dignos em relação ao mandato, começaram a surgir pessoas imaturas que, não encontrando ressonância no mundo dos prazeres para o exibicionismo que as caracteriza, e sendo portadoras de faculdades medianímicas, utilizam-nas, descuidadas, para fins personalistas, para o comércio das vaidades, levianamente indiferentes à gravidade de que as mesmas se devem revestir, o que é muito lamentável.

Voltando à narração do devotado servidor, pude compreender-lhe os sentimentos de alegria, ante as novas programações perfeitamente atuais em relação às conquistas das doutrinas psíquicas e da utilização das práticas espíritas que, aliás, nunca foram esquecidas naquele nosocômio.

Demoramo-nos, ainda, por mais um pouco de tempo, convivendo com os novos amigos afeiçoados ao trabalho na Vinha do Senhor, após o que, retornamos ao alojamento onde nos encontrávamos, desde a véspera, a fim de aguardarmos as instruções do respeitável Dr. Ignácio, que se encarregaria de estabelecer as diretrizes para a reunião com o mentor da clínica psiquiátrica, onde deveríamos experienciar novos programas socorristas.

Porque nos encontrássemos ditosos em face da convivência com esses novos amigos, com o êxito da conferência do Dr. Ignácio, sentamo-nos sob a copa de frondosa árvore e, banhados pela suave claridade do luar, entretecemos considerações em torno dos distúrbios de conduta e transtornos psiquiátricos que tanto afligem a Humanidade.

José Petitinga, que fora contemporâneo do Dr. Juliano Moreira, mas que não o conhecera pessoalmente na Terra, não ocultava a satisfação de tê-lo conosco, como parte do nosso pequeno grupo de atividades.

Como seria inevitável, reconhecendo o valor extraordinário desse revolucionário psiquiatra brasileiro no atendimento aos alienados mentais, cuja existência terrena fora assinalada por grandes conquistas, em face do brilhantismo da sua inteligência, demonstrou interesse em conhecer-lhe a visão em torno das problemáticas mentais na atualidade.

Percebendo o desejo saudável do amigo, Dr. Juliano referiu-se ao conceito vigente sobre as doenças mentais, no fim do século XIX e começo do XX.

Salientou, com muita naturalidade, os enfrentamentos a que foi submetido, esclarecendo:

– *Deus concedeu-me a honra de ser afrodescendente, num período em que a discriminação racial era conduta comum entre os cidadãos. Nada obstante, eu sentia, nos refolhos d'alma, que me encontrava na Terra para algo de especial, em razão do discernimento com que encarava os acontecimentos à minha volta.*

Muito cedo, adentrei-me na Faculdade de Medicina da Bahia, em Salvador, com menos de 15 anos de idade, conforme era possível na época, doutorando-me aos 22 janeiros. De imediato compreendi a aflição que dominava os enfermos, especialmente os portadores de alienação mental, e, em particular, os pobres, os negros, os mulatos, os mestiços, que eram considerados como rebotalhos humanos, e aos quais nenhuma ou quase nenhuma assistência especializada era concedida. Percebi, com facilidade, que entre os fatores endógenos e exógenos da loucura, predominavam a hereditariedade, as enfermidades infectocontagiosas, especialmente a sífilis, que me mereceu acurados estudos, permitindo-me publicar alguns trabalhos a esse respeito.

Era, no entanto, o abandono a que se encontravam relegados os doentes, nos manicômios, especialmente naquele em que eu trabalhava, na cidade do Salvador, denominado Hospício São João de Deus,[1] *o que mais me comovia, exigindo maior atenção, a fim de minorar, pelo menos, a calamitosa situação.*

---

[1] Posteriormente, passou a ser chamado Hospital Juliano Moreira (nota do autor espiritual).

Tocado, profundamente, pelo problema, que parecia insolúvel, travei verdadeira batalha com os responsáveis, clamando por algum tipo de respeito e de consideração pelos internados. Era natural que, na ocasião, a minha voz não encontrasse ressonância, o que, de forma alguma, desanimou-me. Nesse período, em razão do preconceito racial, eminente estudioso defendeu a tese de que a raça negra é inferior, ensejando-me uma batalha cultural muito desgastante, com o objetivo de eliminar essa terrível infâmia, demonstrando que a inferioridade *existe, sim, como defluência da falta de recursos sociais, econômicos, educacionais, reservados aos negros e aos seus descendentes miscigenados, que habitavam em verdadeiros guetos de miséria, vivendo em promiscuidade e abandono, distantes de qualquer apoio das autoridades administrativas e dos seus compatriotas.*

Certamente, com essa atitude, foi-me possível despertar a atenção de algumas pessoas sensatas, e, trabalhando afanosamente, consegui sensibilizar alguns governantes e grande parte do povo, para um exame de caráter mais humano em relação ao problema da loucura e das absurdas terapias então aplicadas.

O narrador fez uma pausa, para melhor concatenar as ideias, no imenso arquipélago das recordações, e com simplicidade, explicitou:

– *Transferindo-me para a cidade do Rio de Janeiro, dediquei-me ao atendimento dos pacientes mentais, no Hospício Nacional de Alienados ou Hospital Dom Pedro II, podendo melhor estudar-lhes o comportamento, as reações afetivas, as ansiedades e incertezas e o grave problema da falência mental...*

Participando de congressos nacionais e internacionais, procurei oferecer a contribuição das experiências de amor aos enfermos, da convivência fraternal, da compaixão e da assistência moral, escrevendo obras e publicações diversas que não deixaram de ter repercussão considerável para os padrões da época. O preconceito, no entanto, em relação ao mulato era tão expressivo que me recordo de um momento hilariante, quando convidado a participar de um congresso internacional de Psiquiatria, e, chegando ao local, o porteiro, muito gentilmente barrou-me a entrada, por não ser factível a presença de um negro em evento de tal magnitude... Compreendendo-lhe os cuidados e a obediência a instruções que certamente lhe haviam sido apresentadas, expliquei-lhe quem eu era e a condição em que me encontrava, apontando-lhe uma cadeira na sala, na qual eu me sentaria, a fim de presidir o congresso, o que muito o embaraçou, logo apresentando escusas...

O afrodescendente, o mulato, o mestiço eram tidos como inferiores, e teses haviam sido levantadas, no sentido de confirmá-lo sob os aspectos antropológico, morfológico e mental. Porque houvesse predominância de pacientes com tuberculose e sífilis, resultado da situação de promiscuidade social, econômica e moral em que se encontravam, atribuía-se-lhes a inferioridade e não a esses fatores defluentes da miséria...

Confesso que, de forma alguma, senti-me molestado ou indisposto com esse comportamento, que mais de uma vez acontecera em relação a mim, tanto no Brasil como no exterior...

A Divindade premiara-me com a ditosa oportunidade de aprender a conviver com os desafios pessoais e as injunções disso decorrentes, a fim de melhor entender a incompreensão que sempre acompanhava, e ainda acompanha, o paciente mental...

Felizmente, quando o anjo da morte convidou-me de retorno ao Grande Lar, a visão em torno dos problemas da loucura já era bem mais ampla e compassiva, através dos tempos os recursos médicos tornaram-se mais humanos e as terapias dignificantes, enquanto os antigos e sombrios manicômios cediam lugar aos nosocômios, aos hospitais psiquiátricos, às clínicas de saúde mental, e sucessivamente...

Hodiernamente, a situação é muito mais progressista, quando se insurgem homens e mulheres de escol para profligar contra os internamentos de pacientes que podem ser tratados em ambulatórios ou apenas passarem o dia na clínica, convivendo com a sociedade a que pertencem, livres da cruel discriminação que perdurou por tantos séculos...

Vêm-se esbatendo as sombras da ignorância, e, graças aos avanços das ciências psicológicas e psiquiátricas, amparadas pelas neurociências, chega-se, por fim, à conclusão de que não existem doenças, mas sim doentes. É o ser em si mesmo, o Espírito, que traz os fatores predisponentes e preponderantes para as enfermidades, aliás, de todo e qualquer porte, não apenas as de natureza psicótica, em razão dos conflitos e desajustes que se permitiu em existências transatas.

Felizmente, como contribuição valiosa, o Espiritismo dignificou o ser eterno, nele situando as causas das aflições de todo jaez, nele também se encontrando os recursos preservadores da saúde, assim como da sua recuperação.

Recordo-me, envergonhado, que na minha postura de psiquiatra, no passado, tornei-me um adversário do Espiritismo e dos médiuns, considerando o primeiro como um dos fatores que desencadeiam a loucura e os segundos como nevropatas, generalizando-os e confundindo-os. Era o preconceito então vigente e a leviandade de opinar em torno do que nunca pudera investigar com a seriedade necessária, em comportamento, portanto, anticientífico...

Graças, hoje, ao imenso conhecimento em torno dos neurônios, da memória das células, das células-espelho, das células-tronco, *das grandiosas contribuições dos neurotransmissores, dos neuropeptídeos, que vêm facultando com segurança melhor entender-se o doente e a doença, trabalhando-se em favor do indivíduo como* mente/corpo *e não mais através do conceito da antiga dicotomia cartesiana como* corpo e mente, *ou da unicista, somente como corpo...*

Novamente silenciou. Notava-se-lhe a emoção de contentamento, facultando-lhe continuar:

A cada dia, mais amplo elenco de identificação dessas secreções *neuronais faculta entender-se melhor o* milagre *da vida, especialmente a humana, avançando-se no rumo da Medicina holística, da Medicina quântica, da Medicina espiritual.*

É claro que as conquistas encontram-se apenas no seu início, porquanto as avenidas da investigação a perlustrar são muitas e imensas. Nada obstante, haver-se chegado a essas conclusões modernas, já nos permite antever o dia em que o paciente mental, o portador de câncer, de Aids, de sífilis, de tuberculose, de hanseníase, de disfunções cardiovasculares, da síndrome de Parkinson *e do* mal de Alzheimer, *poderão respirar o oxigênio saudável da esperança, conscientes de que neles mesmos se encontram as causas geradoras das enfermidades, trabalhando-se e renovando-se, a fim de reconquistarem a saúde...*

Anelo pelo ensejo de retornar ao corpo carnal, em oportunidade vindoura, a fim de prosseguir contribuindo em favor dos Espíritos sofredores, na condição de médico e de irmão, de forma a ajudá-los na aquisição da saúde fisiológica e psicológica, mas, sobretudo, espiritual, na qual estão as raízes dos padecimentos de toda natureza.

Preparo-me, portanto, nestes páramos espirituais abençoados, estudando e convivendo com nobres mestres da Medicina do passado que volverão ao planeta no futuro, a fim de equipar-me de recursos hábeis para o desempenho da tarefa em delineamento.

Sorriu, generoso, e desculpou-se pelo entusiasmo.

Eu me encontrava feliz em relação ao que acabara de ouvir, considerando que também me encontrava profundamente interessado na transformação moral para melhor, para quando me for permitido retornar ao corpo físico oferecer igualmente a minha contribuição ao ministério desobsessivo, que muito me fascina.

Parecendo penetrar-me o pensamento, o amigo Petitinga, solicitando escusas por ampliar as considerações, indagou ao ilustre psiquiatra:

– *E como o amigo vê as obsessões, nessa paisagem das alienações mentais, desde quando se encontra desencarnado, com uma amplitude de observação em torno dessas patologias afligentes?*

O Dr. Juliano Moreira não se fez de rogado, logo respondendo:

– *Não posso negar que um conforto moral esplêndido me tomou de todo, quando, após desencarnar, pude constatar a interferência dos Espíritos no comportamento humano, esclarecendo-me em profundidade as questões pertinentes às* personalidades múltiplas, *à esquizofrenia, ao autismo, à idiotia e a tantos outros transtornos mentais e de humor.*

Embora não professasse nenhum culto religioso específico, enquanto no corpo físico, um sentimento de respeito ao Criador e à Vida sempre esteve presente no meu mundo interior. À semelhança de Albert Einstein, a quem tive a honra de receber e assessorar, em 1925, quando da sua visita ao Brasil, e me encontrava presidindo a Academia de Ciências, eu sentia que a Ciência, para ser completa, não pode prescindir da Religião, tanto quanto esta não pode desempenhar o seu papel com sabedoria e plenitude sem a cooperação daquela. Entretanto, ignorava completamente as parasitoses de natureza espiritual, apesar do convívio com grande número delas. Não desconhecia as experiências de Charcot, utilizando-se da hipnose nas suas célebres aulas na Salpêtrière, em Paris, nem as de Babinski, quando ambos se defrontaram com fenômenos paranormais, que não se interessaram em aprofundar, mas seguiam vinculados aos contributos dos eminentes psiquiatras da época, totalmente materialistas. Igualmente, houvera ampliado os meus conhecimentos psiquiátricos com eminentes mestres entre os quais Leyden, Richard von Krafft-Ebing, Jolly, Nothnagle, absorvendo as teses materialistas em que se apoiavam...

Nas minhas reflexões, por mais que tentasse, não podia compreender o caos gerando a ordem e o nada produzindo tudo, embora filiado ao materialismo mecanicista... No entanto, rejeitava a tese do conceito bíblico sobre a Criação, conforme o Gênesis, na sua formulação literal, em que o Universo fora arrancado das trevas predominantes e das águas, o que já significavam efeitos de algo preexistente...

Estudando o cérebro humano, sempre me fascinava com os seus hemisférios separados pelo corpo caloso e as inextricáveis circunvoluções onde se encontram fixados os sentimentos, a memória, os movimentos, a consciência, o discernimento, todo o mecanismo acionador do organismo, da emoção e da mente, invisíveis a olho nu e até mesmo aos microscópios de então.

Compreendendo, um pouco, as neurocomunicações, não podia aceitar que fossem apenas o resultado de um fluxo e de um impulso momentâneo, tudo harmonizando e alcançando um patamar de extraordinária perfeição.

Assim, pois, raciocinando, atinha-me aos conceitos do Transformismo *como os do* Evolucionismo, *que me pareciam mais compatíveis com a lógica e de fácil demonstração através dos estudos dos fósseis. A obra de Charles Darwin e as suas investigações fascinaram-me como ocorreu a quase todos que lhes tomaram conhecimento. Nada obstante, nascido e criado na cidade do Salvador, onde proliferavam os cultos africanistas, confesso que os fenômenos do animismo religioso chamavam-me a atenção, especialmente na prática dos cultos e rituais propiciatórios à saúde, realizados pelos seus aficionados. É claro que, analisando-os, chegava sempre à conclusão de serem frutos da autossugestão, da crendice, numa função placebo. Entretanto, os transes profundos que tive ocasião de observar fugiam completamente a esses conceitos, em particular quando os sensitivos assumiam personalidades estranhas, com total modificação fisiológica, psicológica, avançada percepção extrassensorial, ingestão de substâncias alcoólicas em exagero, alimentação inadequada, sem qualquer prejuízo orgânico, quando de retorno à consciência objetiva.*

Estancando a narração, para melhor coordenar o pensamento, deu continuidade:

– *Muitas vezes, pessoas* enfeitiçadas, *conforme o jargão popular, que se encontravam em alienação mental, assumiam personificações vampirescas, lupinas, em processos de zoantropia, que me deixavam aturdido. Alguns pacientes, que se me afiguravam irrecuperáveis, em algumas raras ocasiões retornavam à lucidez, enquanto os seus familiares me informavam estar* trabalhando *em seu benefício, em* terreiros *especialmente dedicados à prática do bem. A verdade indiscutível é que, sob o mesmo tratamento que antes não lograra qualquer benefício, de súbito refaziam-se...*

Mantive memoráveis diálogos com essas parasitoses espirituais, *que me deixavam intrigado, sem que, no entanto, me houvesse aprofundado na investigação da sua realidade ou não.*

Confesso, porém, que não era totalmente refratário à crença da imortalidade da alma e suas manifestações, por incrível que pareça, em face da conduta materialista, embora, vez que outra, procurasse colher informações que me pudessem aclarar o assunto, nem sempre, porém, com o êxito anelado.

Conhecia algumas publicações dos Dr. Afrânio Peixoto, César Zama, Nina Rodrigues, este último, eminente antropólogo, que se embrenharam na observação dos fenômenos referidos, mas todos eles, como portadores de granítico materialismo, apresentavam conclusões pessimistas, sempre caracterizando e enquadrando toda manifestação paranormal como de natureza patológica, seguindo as severas escolas europeias de negação da imortalidade... Eu terminava por anuir à tese que era acadêmica, satisfazendo-me quase totalmente. De certo modo, ainda permanece a mesma conceituação em torno dos fenômenos extrafísicos, na maioria nos círculos acadêmicos, em teimosa postura de negá-los. Como a explicação de transtorno mental ou comportamental parece ajustar-se às ideias preconcebidas, com facilidade alguns investigadores, mesmo constatando a excelência dos resultados, quando os pacientes recebem tratamento espiritual, preferem recorrer à explicação estabelecida, evitando mudança de conceituação, e, por consequência, a revolução mental para o aprofundamento nas questões desconhecidas e de maior alcance do ser imortal.

Vivendo, repito, numa cidade caracterizada pela herança africanista e todo o seu culto animista, onde era e é comum a crença na interferência de seres de outra dimensão no comportamento humano, especialmente quando defluentes dos denominados trabalhos de magia negra, *com todo o seu forte conteúdo de superstição e de sugestão, influenciando os pacientes mais sensíveis a tais ocorrências, de alguma forma, não poderia ficar à margem do comportamento sociológico da comunidade. Observando a possibilidade de existir em alguns pacientes a presença de* forças estranhas *aos compêndios de Anatomofisiologia, que me chamavam a atenção, facultei-me proceder a anotações especiais nos seus prontuários, para análise mais cuidadosa oportunamente, o que, infelizmente, não consegui realizar...*

A tuberculose, que me exauria o organismo desde há alguns anos, arrancou-me do corpo antes que me pudesse aprofundar nos estudos dessa natureza, com apenas 60 janeiros...

Havendo estudado com muito cuidado a hereditariedade como fator endógeno da loucura e a sífilis como grande responsável pela sua ocorrência, era inevitável que atribuísse a grande maioria dos casos a esses fatores, à época, ainda não muito bem explicados. Ao mesmo tempo, percebia a influência pessoal junto à maioria dos alienados, particularmente os portadores dessas parasitoses, *que se acalmavam com a minha presença e um breve contato verbal, afirmando, quase todos, o bem-estar que disso experimentavam. Noutras circunstâncias, alguns, em crises alucinatórias incontestáveis, referiam-se ao que diziam ser* acompanhantes *que me assessoravam e com os quais pareciam dialogar... A época era de intolerância e, portanto, as pesquisas, nesse campo, faziam-se reduzidas ou propositalmente objetivavam desmerecê-los, conforme também eu me conduzia...*

Calou-se, momentaneamente, e concluiu as considerações:

– Defrontando a imortalidade, de que não tinha notícias coerentes enquanto no casulo orgânico, deslumbro-me agora com as infinitas possibilidades de compreensão da vida e dos fenômenos que a envolvem, tanto no que diz respeito aos transtornos neuróticos, psicóticos, desvios de conduta, anomalias e degenerescências de vária ordem, como no tocante aos demais, caracterizados pelos problemas morais, econômicos, sociais, de relacionamentos humanos... Sem essa compreensão essencial, tudo se reduz ao estúpido conceito do acaso, a ocorrências inexplicáveis que devem ser aceitas simplesmente porque assim sucedem, agredindo a lógica e a razão...

3

Encontro com o mentor

Encontrava-me pessoalmente fascinado com os conceitos emitidos pelo nobre psiquiatra, que tivera coragem e valor moral para os enfrentamentos, numa época de ignorância cultural e espiritual, de ideias negativas, preconcebidas e injustificáveis, conseguindo impor-se pela capacidade intelectual e desassombro espiritual. Em face disso, conseguiu oferecer valiosas contribuições científicas, que ainda são dignas de aceitação, algumas delas ainda hoje aplicadas como terapêuticas valiosas.

Agradeci, interiormente, a Deus, pela oportunidade de poder estar ao seu lado, nas atividades que se estavam programando para os dias porvindouros.

Despedindo-nos, rumamos para os nossos aposentos, a fim de repousarmos por algumas horas, quando seríamos esclarecidos sobre os compromissos por firmar.

Na manhã seguinte, o amigo Bruno Antonelli informou ao respeitável Dr. Ignácio Ferreira que deveríamos ser recebidos pelo mentor espiritual da clínica psiquiátrica, em determinado horário daquela manhã, quando se dispunha a ouvir-nos e a entretecer considerações em torno da programação dos trabalhos que seriam desenvolvidos.

Posteriormente, reunimo-nos todos sob agradável pérgula adornada com trepadeiras abertas em perfumadas flores que embalsamavam o ar, comentando as excelentes oportunidades de autoiluminação e de trabalho espiritual que a Divindade nos concede em todos os momentos, onde quer que nos encontremos.

Dr. Ignácio, lógico e sereno, informou-nos com leve sorriso nos lábios:

– *Quando me encontrava na Terra, além dos compromissos no sanatório, não me pude furtar ao dever de dedicar-me ao labor de educação das gerações novas, participando com interesse profundo pela criação de um lar para meninas sem pais ou órfãs sociais, em decorrência do abandono e da miséria econômica.*

Logo que foram traçados os primeiros projetos, não faltaram a cooperação e a participação de pessoas generosas, interessadas em construir o bem, em autorrenovar-se pela prática da caridade, terçando armas conosco até o momento da materialização da obra, que permanece, embora as dificuldades da época que se vive na Terra, perseverando nos objetivos iniciais.

Por ali passaram Espíritos nobres, que se elevaram pela dedicação, entregando-se com total abnegação ao trabalho educacional, abrangendo as áreas morais e espirituais, essenciais a qualquer programa iluminativo de consciências, o que, para todos nós, constitui verdadeira bênção.

A educação permanece como a mais eficiente ferramenta para a construção da dignidade espiritual do ser. Lamentavelmente ainda não recebeu o respeito de que se faz credora, nem os investimentos necessários à realização do seu ministério, o que será revertido, quando os homens e as mulheres melhor compreenderem a sua missão libertadora. O mais importante, neste capítulo, é formação dos educadores, imprescindível, em qualidade, para que se atinjam os objetivos a que se destina. Principalmente, aquela que diz respeito à moral, não somente à que se adquire através dos livros, *conforme esclarece o emérito codificador Allan Kardec.*

A educação é filha dileta do amor elevado, que se encarrega de inspirar as pessoas desinformadas a respeito dos métodos pedagógicos e psicológicos mais próprios para o desempenho de tarefas enobrecedoras que desejem desempenhar. Vemos pais, simples e modestos, no entanto, ricos de afetividade bem direcionada, operarem intuitivamente com nobreza a metodologia educacional, logrando o êxito que outros, mais afortunados e menos afetuosos, não conseguem. Logo se depreende que se trata de Espíritos lúcidos e dignos em reencarnações humildes, sem que hajam perdido o patrimônio superior de que se encontram investidos. A educação, portanto, é tarefa pertinente a seres enobrecidos pelo amor e interessados na edificação dos sentimentos das demais criaturas humanas.

Nesse sentido, convém recordar-nos que o Espiritismo é essencialmente uma Doutrina educativa, e não foi por outra razão que a Divindade encaminhou o Espírito Denizard Rivail à convivência com o missionário Heinrich Pestalozzi, o emérito educador, a fim de tornar-se também mestre, seguindo a trilha sublime do Excelso Pedagogo, que é Jesus...

Ele fez uma pausa oportuna, dando-nos ensejo de melhor acompanhar-lhe o raciocínio, o que me sensibilizou imensamente, logo, dando prosseguimento:

– Em se considerando a situação na qual se encontra o nosso amado planeta, na sua condição de mundo de provas e de expiações, *os lares coletivos para a educação infantil, especialmente para crianças socialmente órfãs ou realmente sem pais físicos que a morte arrebatou, constituem uma necessidade. No*

entanto, no futuro, quando se viva o período de regeneração, *essas instituições estarão totalmente superadas, porque o amor não permitirá que haja abandono de qualquer espécie, e todos aqueles que experimentarem as vicissitudes da orfandade de uma ou de outra natureza, serão recebidos por famílias afetuosas, que lhes minimizarão os sofrimentos, educando-os com bondade e dedicação. Em face dessa necessidade, que permanece, nem sempre os resultados têm sido positivos, principalmente por falta de educadores preparados e amorosos, que se dediquem ao ministério por vocação e não somente pela remuneração de que, compreensivelmente, necessitam. Infelizmente, muitos desses lares transformam-se em depósitos de vidas na infância, fanadas, desde muito cedo, em promiscuidade, descuidadas, padecendo reações de pessoas atormentadas e perversas, que não as amam, e ali se encontram apenas por necessidade. Há numerosas exceções que, no entanto, são insuficientes para o atendimento correto ao número colossal de candidatos em penúria e padecimento.*

Argumentam algumas pessoas indiferentes ao amor, que transitam na seara espírita, que o sofrimento dessas crianças decorre da conduta que tiveram noutras existências, aqui se encontrando para a indispensável recuperação... Não padecem dúvidas quanto ao conceito emitido. Mas não se justifica que sejam tratadas com indiferença, com perversidade, com abandono... À Divindade cumpre eleger os meios melhores para a dignificação dos Espíritos, e não a nós, permitindo-nos justificações inválidas para nos tornarmos os braços da Lei em cobrança do que desconhecemos.

Como consequência, o número dos educandos infelizes que buscam fugir desses lares é muito grande, por se sentirem desprezados, somando-se este conflito aos instintos e impulsos que lhes permanecem, não havendo logrado superá-los, por falta de orientação adequada. Simultaneamente, há muitos que, embora hajam recebido todo o carinho e orientação, por problemas psíquicos, fazem-se rebeldes, difamadores, ingratos... Apesar desses inconvenientes e outros mais, ainda executam uma tarefa respeitável, que merece ajuda e apoio, antes que censura, reproche. Se não forem capazes de recuperar dignamente os Espíritos que aí se encontram, retardam-lhes a chegada de muitos sofrimentos ou os impedem de mais complicar-se, tendo-se em consideração os investimentos de amor e de caridade de muitos dos seus responsáveis e dedicados trabalhadores.

Na interrupção natural que se permitiu, pude considerar mentalmente a validade dos seus conceitos. Novas técnicas psicopedagógicas vêm sendo propostas por eminentes educadores, convocando à responsabilidade, ao desenvolvimento dos valores ético-morais e não apenas à transmissão de ensinamentos, somente instruindo-se, e quando aplicadas corretamente, resolvendo muitos dos desafios existenciais que prosseguem ameaçadores.

– *Aprendi a compreender* – deu continuidade ao raciocínio – *nesse formoso labor quão grave é a responsabilidade educacional, tendo em vista as ocorrências que tiveram lugar, ao longo do trabalho no lar. Da mesma forma, no sanatório, não me eram poucos os convites à reflexão e à perseverança, trabalhando-me interiormente, a fim de superar as* más inclinações, *objetivo essencial da reencarnação. Assim, nada deploro, sempre reconhecido ao Senhor da Vida pelas concessões com que me enriqueceu a jornada terrestre, desenhando-me os programas de autoiluminação para o futuro.*

Ao concluir, de forma simpática e espírita, facultou que o nosso convidado, Dr. Juliano, também apresentasse algumas considerações:

– Reconhecendo-me de origem modesta, carregando o peso da discriminação racial nos dias em que me encontrava no seio da Mãe-Terra, a princípio, na juventude, acreditei que seria impossível uma existência saudável, ante os obstáculos que deparava a cada momento. Inspirado, certamente, hoje compreendo, pelo benfeitor espiritual que se encarregara de conduzir-me no tentame evolutivo, dei-me conta que, somente através do estudo, do comportamento digno, desmentiria o velho refrão: "Negro somente avança quando cai ou foge da polícia"... Compreendi que, sem oportunidade de encontrar o seu lugar ao sol, o afrodescendente descambava para a servidão inferior, o alcoolismo, a corrupção, porque as portas do progresso estavam-lhe fechadas. Infelizmente ainda permanecem alguns bolsões de intolerância entre as criaturas terrestres, mantendo a discriminação racial... Empreendi, no entanto, a tarefa de demonstrar o erro que permanecia, e o estudo, para mim, era o caminho inicial. Dedicando-me à atividade que me exigia muito esforço e luta silenciosa, às vezes, com lágrimas, embora as bênçãos do meu protetor, o barão de Itapuã, para quem minha genitora negra trabalhava, foi-me possível apresentar, por ocasião da conclusão do curso médio, aos 18 anos de idade, uma tese sobre a Etiologia da sífilis maligna precoce, *com referências e citações em seis idiomas, inclusive em latim, conseguindo chamar a atenção de grandes estudiosos no estrangeiro, onde a obra foi publicada.*

Logo mais, com esforço inaudito, foi-me possível passar a ensinar na faculdade onde fora aluno, aos 23 anos de idade, na condição de mais jovem professor da universidade reconhecidamente racista e preconceituosa naqueles dias... Este foi apenas o início... Combates acerbos foram travados para demonstrar que todos os seres humanos são iguais geneticamente e que a decantada inferioridade não é privilégio de uma raça, assim como não o é a considerada superioridade, decorrentes, esses fenômenos, somente de condições socioeconômicas, de fatores genéticos defluentes das enfermidades que os maltratam e que afligem mais os desprotegidos do que os mimoseados pela opulência, na qual também proliferam anomalias incontáveis...

Hoje constato que as matrizes reais do processo encontram-se no Espírito e não no corpo. O ser espiritual é o responsável pelas aquisições positivas e negativas resultantes das experiências do processo evolutivo, no qual todos nos encontramos situados. Ademais, constatei, na Grande Pátria do Espírito, onde agora me encontro, que fora, eu próprio, quem solicitara a oportunidade de renascimento na etnia negra, que desdenhara em ocasião pretérita, acumpliciando-me com outros desvairados, assim recuperando-me da própria insânia. Felizmente, pude desincumbir-me a contento em relação ao compromisso espiritual de autoedificação.

Quando todos compreendermos o significado do amor e a responsabilidade em relação à vida pessoal, familiar, social, dar-nos-emos todos as mãos, ajudando-nos reciprocamente, e avançando no rumo da real felicidade que nos aguarda... Por enquanto, façamos o melhor ao nosso alcance, sempre reconhecendo que seria possível realizar um pouco mais, caso nos houvéssemos empenhado pelo conseguir...

Nesse momento, recebemos os amigos Matilde, Bruno Antonelli e Jacques, que vinham reunir-se conosco, a fim de seguirmos em direção da comunidade onde se encontra o venerável mentor da clínica psiquiátrica, à qual deveríamos integrar-nos em breve tempo.

O gentil amigo Bruno explicou-nos que o responsável espiritual pelo nosocômio fora, quando na Terra, espírita de elevado quilate que, sendo convidado à seara de luz, no fim do século XIX, não trepidara em arrotear o solo do coração e, ao lado dos grandes apóstolos Bittencourt Sampaio, Dr. Bezerra de Menezes e outros, trabalhou com denodo para a implantação do Espiritismo nas formosas terras brasileiras, lutando com afã e amor pela unificação dos espiritistas, já naqueles dias passados...

– *Quando nos encontrávamos delineando os planos de edificação do hospital, em memorável reunião de tiptologia* – esclareceu-nos o caro Bruno –, *fomos informados do interesse da nobre Entidade, que muito ajudara, com os recursos espíritas, os portadores de alienação mental e obsessiva que o buscavam, aplicando passes e socorrendo-os com carinho e bondade, dando continuidade ao mister, no plano espiritual.*

Não demoramos em rogar-lhe o patrocínio espiritual para a obra, intercedendo junto ao Divino Médico, para que pudéssemos servir sem titubeios, sem reclamações, com devotamento. Amparados pela sua intercessão generosa, fomos abençoados por companheiros de grande valor que se integraram ao trabalho, oferecendo o melhor de suas possibilidades até a exaustão de alguns, em razão da sua convicção espírita e da necessidade de redenção moral. O hospital cresceu e desenvolveu atividades terapêuticas valiosas, inclusive, iniciando o atendimento espiritual, em dias muito difíceis, quando a maioria dos psiquiatras que se lhe insulavam legalmente, recusavam-se a aceitar esse "tipo de interferência terapêutica sem validade acadêmica". Não nos deixamos, porém, desanimar, e investimos com valor moral na contribuição espírita para os enfermos, instalando pequeno grupo de atendimento com passes e diálogos fundamentados nos conceitos doutrinários do Espiritismo, mediante a aceitação dos familiares do enfermo que assinavam um termo de concordância. É claro que os resultados foram positivos e de quase imediata constatação...

As resistências iniciais foram diminuindo, e hoje, a contribuição espírita é reconhecida ali como de valor inestimável. No momento, desejamos ampliar o programa espiritual, razão, pela qual convidamos o querido benfeitor Dr. Ignácio Ferreira para que superintenda por algum tempo o trabalho que desejamos instalar. E o fazemos, porque sabemos estar vinculada a nossa clínica ao Sanatório Esperança, onde ele realiza o elevado ministério psiquiátrico sob o amparo do venerável Espírito Eurípedes Barsanulfo.[2]

Chegamos ao formoso local de atendimento em que se encontrava o nobre Espírito, que muito nos comoveu. A serenidade que exteriorizava na face, a discreta radiação de luminosidade e de amor bem traduziam a alta estirpe de evolução do benfeitor.

Dei-me conta de conhecê-lo, desde quando nas atividades espiritistas em que me empenhara, quando no corpo físico. Tinha-o, desde então, na condição de venerando amigo, porque houvera lido alguns dos seus livros, acompanhado os efeitos do seu trabalho unificador, sentido a sua grandeza espiritual nas lutas travadas contra os Espíritos das Trevas, as perseguições da ignorância e do preconceito, nele encontrando forte resistência que lhe permitiu superar e vencer todos os embates, deixando pegadas luminosas para que fossem seguidas pelos que vieram depois...

Com serenidade natural e sensibilizadora, recebeu-nos, à porta de entrada da sala de entrevistas, conduzindo-nos a uma ampla mesa e oferecendo-nos lugares para

---

[2] Vide o nosso livro *Tormentos da obsessão*, 2ª edição, LEAL Editora, Salvador, BA (nota do autor espiritual).

que nos acomodássemos, por sua vez atendido por jovens desencarnados de significativa evolução espiritual, que o assessoravam sem jactância, de maneira discreta e carinhosa.

– *Sejam bem-vindos em nome de Jesus Cristo!* – saudou-nos, com edificação.

– *Estou informado que desejam ampliar as atividades espirituais em nossa clínica psiquiátrica, o que muito nos conforta e sensibiliza. Jesus, o Divino Trabalhador, continua alargando a Sua seara de amor e luz, necessitando de obreiros dedicados ao serviço. Há muito sofrimento em toda parte, especialmente no mundo terrestre, e tudo quanto façamos constitui valiosa contribuição de amor para atenuar as dificuldades e as dores dos nossos irmãos. Estejam, portanto, muito a vontade.*

Jacques Verner, representando os Antonelli, que lhe solicitaram ser o porta-voz das suas aspirações, expôs com clareza:

– *Nobre benfeitor! Graças à Misericórdia dos Céus, como é do vosso conhecimento, tem-nos sido possível conduzir a clínica dentro dos padrões éticos e científicos propostos pela Ciência psiquiátrica atual. São numerosos os seus dedicados trabalhadores voluntários e remunerados, conforme as possibilidades de cada um, e os resultados terapêuticos têm sido valiosos. Muitos daqueles que iniciaram o trabalho no corpo físico, hoje permanecem cooperando em espírito ao nosso lado, como nos dias já idos, com devotamento comovedor. Renovam-se os quadros dos servidores e o ideal permanece dentro das condições de cada época e das circunstâncias que lhes são pertinentes.*

Como o benfeitor sabe, porque daqui partem para a Terra as propostas de elevação e as novas terapias de misericórdia, de compaixão e de caridade, ao lado dos valiosos investimentos farmacológicos, para modificarem os estados de consciência alterada e as alienações mentais, novos paradigmas vêm sendo propostos em benefício dos irmãos enfermos. Entre eles, o tratamento ambulatorial, o mínimo de internamento e mais atendimento diuturno, facultando-lhes o retorno ao lar, ao entardecer, a fim de não serem rompidos os liames familiares e sociais, que fazem parte do processo reencarnatório, graças ao qual se renasce onde se faz necessário para a evolução e não onde se gostaria. Desse modo, temos em mira ampliar o atendimento espiritual, estimulando essas medidas saudáveis e desenvolvendo a prática das terapêuticas desobsessivas...

Fez uma pausa, e porque nenhuma pergunta lhe fosse dirigida, prosseguiu, concluindo:

– *Convidamos o experiente amigo Dr. Ignácio Ferreira e a digna médium Sra. Maria Modesto Cravo, com valiosa experiência adquirida no Hospital Espírita de Uberaba, quando nele trabalharam com afinco e dedicação incomuns, por longos e proveitosos anos, tendo-se em vista as dificuldades e gravames da época, para que nos auxiliem na instalação do novo mecanismo de recuperação da saúde mental e emocional. Concomitantemente, convidamos, também, o nobre Dr. Juliano Moreira, paladino da terapia do amor e da ternura ao lado dos recursos médicos necessários, bem como o venerando José Petitinga e o irmão Manoel Philomeno de Miranda, que se especializaram na prática da desobsessão, para que nos unÍssemos, em uma equipe especializada, para a instalação do procedimento espírita-cristão em nossa Instituição.*

Pensamos em rogar ao nobre benfeitor que nos conceda o aval indispensável à programação, intercedendo junto ao Sublime Terapeuta, em nosso favor, para que nos dignifique com as suas bênçãos.

Silenciou. Eu me encontrava profundamente sensibilizado. Nunca participara de uma solicitação dessa natureza, da maneira honrosa como era apresentada, do clima de elevação em que transcorria a reunião com o sábio mentor.

Pairava uma tranquila expectativa em todos nós.

Desenhando um suave sorriso na face esplendorosa, o elevado Espírito respondeu, indagando:

– *Quais os recursos humanos que se encontram à disposição de todos para um programa de tal envergadura?*

Sem delongas, o interlocutor respondeu:

– *Graças à Doutrina Espírita, dispomos de um grupo seleto de trabalhadores da mediunidade, que nos vem auxiliando nos estudos e na aplicação dos passes, que se encontra equipado de recursos de amor e de abnegação para o programa. Demonstrando fidelidade ao dever, caracterizam-se todos pela seriedade com que se entregam ao ministério mediúnico, portadores de afeto pelos irmãos alienados. Alguns deles iniciaram o seu labor através das obsessões que os aturdiam, recuperando-se com o beneplácito do Divino Médico e correspondente esclarecimento das suas antigas vítimas, naquela ocasião, em condição de algozes infelizes... Outros, dominados pela certeza da lídima fraternidade entre os dois planos, oferecem-se com carinho, porque sabem quanto podem ser úteis aos irmãos perturbados pela ignorância e pela loucura da cobrança, ajudando-os a sair dos labirintos do ódio... Por outro lado, um bom grupo de psicoterapeutas para desencarnados, companheiros que sabem dialogar e compreender as aflições desses Espíritos, igualmente se encontra disposto a participar do labor. Consultados, oportunamente, quando desdobrados parcialmente pelo sono fisiológico, todos, que foram convocados, demonstraram entusiasmo e alegria em poder servir.*

Reconhecemos, no entanto, que, ante as refregas que se fazem inevitáveis, as conjunturas, muitas vezes afligentes, que decorrem das reações dos grupos mais perversos e das Entidades mais violentas, são fatores que contribuirão para o desânimo de alguns, para a deserção de outros, para situações menos felizes em diversos. Nada obstante, após a seleção natural, ficará uma expressiva quantidade de devotados e leais servidores do Evangelho, que desejarão prosseguir a qualquer preço, contribuindo para a recuperação possível da saúde dos pacientes, dentro, naturalmente, das programações estabelecidas pela Lei de Causa e Efeito.

Calou-se, e o benfeitor, com serenidade comovedora, explicou:

– *O Espiritismo, sem dúvida, é uma ciência de libertação de consciências e de vidas, por trabalhar na causa das aflições que aturdem o Espírito humano, no seu processo de crescimento moral e de significação individual. Penetrando a sua sonda de investigação no âmago do ser, identifica as razões geradoras dos seus padecimentos e oferece-lhe a terapêutica especial da regeneração moral para que desapareçam as raízes do mal em predominância. Ao mesmo tempo, a sua proposta cristã de caridade constitui o seguro suporte para os resultados felizes em quaisquer tentames de natureza socorrista.*

Oferecê-lo ao pensamento terrestre é dever de todos aqueles que, nas suas fecundas lições de sabedoria, encontramos o pão de vida e o encorajamento para o avanço libertador. Não será exclusivamente através do ensino, da exposição das teses robustas de que dispõe, mas, sobretudo mediante o exemplo de abnegação e de lucidez em favor da sociedade em desalinho, mantendo o alto padrão moral de conduta e a saudável postura de discípulo de Jesus em todas as circunstâncias, sem o acumpliciamento com o mal e a desordem que campeiam volumosos. A seriedade no trato com a aplicação da Doutrina, na vivência e na operação da fraternidade, chamará a atenção para os seus valiosos conteúdos iluminativos, defluentes da lógica e da razão, despertando o interesse daqueles que o desconhecem, que identificarão os excelentes frutos da sua árvore abençoada através dos atos dos seus profitentes. Convence-se mais pelo exemplo do que pelas palavras, exceções feitas em algumas circunstâncias, quando o conhecimento profundo faz-se incontestável.

Aos espíritas, portanto, está confiada a tarefa de projetar a luz mirífica da imortalidade nas densas sombras do materialismo terrestre, orientando as consciências obnubiladas pela ignorância dos seus postulados, assim como demonstrando a sua excelência pela conduta feliz que se permitem.

As alienações mentais de qualquer espécie, sempre decorrem dos gravames morais daqueles que delínquem, na atual ou o fizeram em existência pregressa. As matrizes dos seus compromissos infelizes fixam-se no perispírito que as transfere para o corpo somático, dando lugar aos distúrbios de natureza orgânica, psicológica ou mental, ou se transformam em tomadas *para a fixação dos* plugues *vibratórios dos seus adversários espirituais, aqueles que lhes sofreram os prejuízos, a prepotência, o crime. Como ninguém foge de si mesmo, da própria consciência, a culpa gravada no cerne do ser faculta a sintonia com os adversários em relação aos quais tem dívidas a acertar. É natural, portanto, que essa ciência religiosa e filosófica contribua de fato, em favor da saúde espiritual de todos aqueles que se encontram incursos nos Soberanos Códigos da Divina Justiça.*

Trabalhando com o ser integral e não apenas com uma parte dele, o Espiritismo possui os inestimáveis recursos para propiciar o bem-estar e o equilíbrio do candidato à paz e à iluminação.

Desse modo, consideramos de muita utilidade a proposta que nos é apresentada, e, sem restrição de qualquer natureza, anuímos em participar das atividades terapêuticas em vista, a serem aplicadas ao primeiro ensejo.

Entregando-nos ao comando do Divino Médico das almas, trabalhemos conscientes das nossas responsabilidades, elegendo o dever como caminho, a humildade como recurso indispensável e a caridade como ferramenta de luz para a execução da obra em pauta.

Silenciou momentaneamente e, enquanto se aureolava de peregrina luminescência, derramando magnetismo que inundava a sala de vibrações dulçorosas que nos levaram às lágrimas, encerrou a entrevista, asseverando:

– *O Pai Celestial jamais nega ao filho aquilo que lhe é imprescindível à felicidade, sempre lhe propiciando os recursos hábeis para consegui-la.*

Jesus ensinou-nos a pedir-Lhe com humildade e submissão de amor. É o que fazemos no silêncio dos nossos corações e nas vibrações das nossas mentes, submetendo-nos à Sua superior vontade em todas as circunstâncias.

Estai certos de que as vossas propostas de caridade serão levadas a instância superior, e envidaremos esforços pessoais para que os projetos atuais sejam transformados em ação edificante para o bem de todos.

Que o Senhor da Vida a todos nos abençoe e vos conduza no cumprimento do dever de fraternidade e amor que vos anima. Ide, pois, em paz!

No silêncio natural que se fez, ouvia-se o pulsar dos sentimentos de todos.

O amigo Jacques, dominado pelas lágrimas de gratidão e de afeto, levantou-se, acercando-se do caroável benfeitor e osculou-lhe a mão ternamente, sendo seguido por Antonelli, por dona Modesto Cravo, pelos Drs. Ignácio e Moreira, por fim, por Petitinga e nós, que não podíamos ocultar as emoções superiores que nos dominavam.

Os jovens acólitos desencarnados conduziram-nos à porta de saída. Olhamos para trás e o benfeitor, com um sorriso de ternura, meneou a cabeça afirmativamente, mantendo-nos envoltos na emoção de harmonia que dele emanava.

Chegando à parte externa do edifício, entre árvores frondosas e cobertas de flores especiais, ainda mantínhamos a emotividade, sem podermos balbuciar palavra.

O percurso de retorno ao local em que nos alojávamos foi feito em silêncio e reflexão, em face da responsabilidade que assumíamos perante o mentor da clínica, verdadeiro exemplo de amor e de abnegação.

Poderia estar desfrutando das excelências da paz, em decorrência das suas conquistas terrenas e dos seus labores fora do corpo. Nada obstante, continuava no trabalho de dedicação aos menos afortunados, de socorro aos alienados que, de alguma forma, somos a grande maioria na sociedade terrestre e também fora dela, com otimismo e ternura.

Certamente que o *Reino dos Céus* está no íntimo de cada um e o trabalho é a moeda de felicidade que mais enriquece a todos que se lhe entregam.

Reflexionei, então, como seria possível um paraíso constituído pela indiferença dos seus habitantes privilegiados, em relação ao sofrimento de bilhões de seres encarnados no planeta em expectativas sombrias, em dores lancinantes, em tormentos incomparáveis, assim como de muitos mais que vagueiam na ignorância no mundo espiritual? Como poderia ser o amor tão frio em relação aos infelizes, quando aquele que o vivenciava não mantinha compaixão nem sentia a necessidade de ser solidário com os desditosos, de socorrê-los, de inspirá-los? Então me recordei de Jesus, o Servidor Infatigável, *que até hoje trabalha*, imitando o *Pai, que também trabalha incessantemente*. No Universo, galáxias são devoradas pelos buracos negros, enquanto outras são formadas pela poeira cósmica em infinito movimento da Criação...

À medida que volitávamos de volta ao lar temporário, podíamos ver a Mãe-Terra envolta pelas nuvens, mergulhada em azul deslumbrante, nos seus graciosos périplos em volta de si mesma e da grandiosa estrela solar.

Aguardei, discretamente, que os responsáveis pelo trabalho tomassem a iniciativa de apresentar o projeto sobre as atividades que iríamos iniciar.

O *cérebro* se me esfervilhava de interrogações, que não tive o atrevimento sequer de apresentá-las ao querido amigo José Petitinga, com o qual mantinha mais intimidade em face da larga convivência na Terra e após o túmulo.

A paciência é virtude que deve ser cultivada, a fim de ser conseguida a edificação interior e a coragem para os enfrentamentos naturais que favorecem a compreensão e a aquisição da sabedoria.

Desse modo, esperei a oportunidade própria para melhor penetrar nos delicados meandros do conhecimento espiritual de que participara naquela manhã deslumbrante.

4

Programação de atividades

À tarde, quando voltamos a reunir-nos para uma oração em conjunto, que foi proferida pela médium dona Maria Modesto, superiormente inspirada, em contato com a Natureza, sob agradável acolhimento de monumental salgueiro, com as suas flores inconspícuas, todos ainda apresentávamos os efeitos saudáveis da visita ao venerável mentor.

A prece, repassada de unção, envolveu-nos em dúlcidas harmonias que prolongavam aquelas de que nos houvéramos beneficiado, facultando-nos inefável bem-estar.

Visivelmente em transe superior, a irmã abnegada transfigurara-se, irradiando claridades sutis e belas.

A voz, musicada por sonoridade especial, entoava um verdadeiro poema de gratidão ao Criador, em face das misericórdias que nos chegavam, suplicando apoio para os labores porvindouros.

Quando terminou, lágrimas orvalhavam-nos os olhos e brisas perfumadas acariciavam-nos suavemente.

Foi o Dr. Juliano quem primeiro comentou a visita inolvidável do apóstolo da caridade aos psicopatas, explicando que, por primeira vez, estivera ao lado de um ser tão especial, superior em tudo quanto encontrara em outras nobres Entidades.

E não podendo ocultar a emoção e o entusiasmo que o invadiam, interrogou:

– *A trajetória de um Espírito de tal evolução certamente procede de tempos quase imemoriais, não é verdade?*

A pergunta pairava no ar, quando o irmão Bruno, que já tivera oportunidade de manter esse contato reiteradas vezes, esclareceu:

– *Certamente que sim. Quando hoje acompanhamos a trajetória do venerando Dr. Bezerra de Menezes, comovendo-nos com a sua estatura espiritual, não podemos esquecer que, já no segundo século do Cristianismo, na Gália Lugdunense (Gália Bélgica, atual Lyon, na França), ele se ofereceu ao martírio por fidelidade ao Senhor Jesus. Desde ali, algumas vezes mais optou pela abnegação na fé religiosa com total entrega à Mensagem de Vida eterna, sendo credor da intercessão da Mãe Santíssima em favor do seu ministério nas terras brasileiras junto ao amado filho Jesus, a fim de que prosseguisse servindo e amando.*

De igual maneira, o benfeitor de nossa clínica também experimentou a glória do martírio em Roma, quando foi arrancado do solo da África do Norte, durante o período de governança do imperador Diocleciano, um dos mais terríveis para os cristãos primitivos... Sobranceiro e tranquilo, levado a ferros até a Capital do Império, a sua palavra sustentava os futuros mártires apavorados, recordando os ensinamentos de Jesus, e quando chegou às masmorras do Circo Máximo, manteve-se fiel ao apostolado, tranquilizando aqueles que ali se amontoavam, aguardando o momento do sacrifício. Era, então, o ano de 302, quando Diocleciano se transformara num dos mais ferozes inimigos de Jesus, porque acreditava ser a Sua Doutrina uma ameaça à sua autoridade.

Atirado às feras, em terrível espetáculo onde morreu mais de uma centena de vítimas arrancadas dos lares de diversas terras, foi sacrificado estoicamente.

Esses espetáculos cruéis se prolongaram no período de governança do imperador Diocleciano até o momento em que se afastou do poder três anos depois, embora interviesse mais tarde, quando lhe pareceu oportuno, acreditando estar preservando o Império...

Consta que as feras rodearam o mártir agressivamente sem o atacar, conforme sucedera com Ignácio de Antioquia. Dominado por ímpar emoção, ajoelhou-se e rogou ao Mestre que lhe concedesse a honra do sacrifício, o que logo sucedeu, quando foi despedaçado por patas e dentes poderosos...

A partir daquele momento, porque houvesse acompanhado no cárcere alguns anciãos que enlouqueceram de dor ante a ameaça da morte iminente, passou a dedicar-se ao socorro dos pacientes mentais, culminando, na sua última existência terrena, com a aplicação de recursos fluidoterapêuticos, quando pôde aliar os tesouros do Espiritismo – o Cristianismo Redivivo – aos tratamentos da época em favor dos mesmos.

Profundamente dedicado à Mãe de Jesus, a quem entregava em preces os enfermos e os infelizes que o buscavam, mereceu da Senhora, como os seus coetâneos Dr. Bezerra de Menezes, Bittencourt Sampaio e outros espíritas abnegados, proteção e carinho, continuando sob os seus cuidados.

Desde quando fundamos o hospital, há quase meio século, que lhe temos recorrido à ajuda, especialmente quando são necessárias mudanças de programação para atender aos impositivos do progresso. Com amor excelente e dedicação incomum, ele nos tem protegido e orientado. Temo-lo, desse modo, como mensageiro de Jesus de alta estirpe.

Ao calar-se, encontrávamo-nos fortemente edificados, especialmente eu que arquivara uma interrogação a respeito da grandiosidade moral desse Espírito de escol.

A seguir, o irmão Bruno esclareceu:

– *O nosso projeto visa ao atendimento especial dos irmãos desencarnados que aturdem nossos internados e, certamente, àqueles que os Céus nos permitam a oportunidade e a honra de poder socorrer mediunicamente.*

Foram tentadas, mais de uma vez, aqui mesmo, algumas experiências desse gênero, mas, por imaturidade do grupo mediúnico, estabeleceu-se o receio e as mesmas foram postergadas. Agora constatamos que se torna urgente esta terapia dentro da clínica, por poder proporcionar à psicosfera ambiente significativa melhora de padrão vibratório. Como estamos informados de que também nos encontramos vinculados ao Hospital Esperança, onde o magnânimo Eurípedes Barsanulfo supervisiona as atividades terapêuticas desenvolvidas pelos espíritas em favor dos alienados, recorremos ao Dr. Ignácio Ferreira, para que nos ajude em um treinamento breve, mas significativo.

Não são poucos os casos de zoantropia, de vampirismo entre os nossos pacientes, em especial nos dependentes químicos de drogas aditivas de efeitos terríveis. Muitos desses pacientes, incluindo alcoólicos, após a conveniente desintoxicação cuidadosa, ao volverem às suas atividades, passado algum tempo, não resistem aos apelos externos e principalmente internos do vício, recidivando até se tornarem crônicos... Isto, porque, além da dependência natural, que é efeito do hábito danoso, os seus inimigos desencarnados, assim como os beneficiários das suas energias, induzem-nos, levam-nos à queda, pela falta que sofrem das emanações das substâncias que os nutrem através deles...

Ocorrendo a pausa e percebendo que a explicação era-lhe especialmente dirigida, Dr. Ignácio esclareceu:

– *Este é um dos mais terríveis problemas na área dos distúrbios de conduta, das alienações, das dependências viciosas de qualquer natureza... Em nosso sanatório, na Terra, observamos que se tratava de enfermos mais difíceis de serem liberados, porque o álcool, naquela época, mais se encontrava à disposição do cliente em todo lugar, desde as residências luxuosas até as quitandas mais miseráveis, aliás, que se dedicavam à venda aberta de tal substância, conforme ainda prosseguem fazendo-o... O retorno do paciente era sempre mais grave do que na fase anterior, em razão dos conflitos numerosos que se somavam ao insucesso, dando origem à revolta e ao desinteresse por novo internamento, ou mesmo recusando-se a fazê-lo por considerá-lo inútil...*

Graças, porém, às nossas reuniões de socorro, diversos adversários desencarnados foram trazidos à comunicação, quando, então, podíamos trabalhar-lhes os sentimentos, advertindo-os a respeito do comportamento em que se compraziam e dos danos para eles mesmos, disso resultantes. Sem dúvida, os resultados terapêuticos eram excelentes, tanto para os desencarnados como para os enfermos internados, que se recuperavam, sem novas recidivas...

Desse modo, acredito que a providência é de relevante significado benéfico.

– *Sem dúvida* – argumentou o irmão Bruno – *já vimos realizando esse mister em uma Instituição de nossa cidade, na qual os benfeitores contribuem para o esclarecimento desses irmãos infelizes. No entanto, se realizadas na própria clínica, acreditamos que os efeitos salutares serão muito maiores, pela sua irradiação nos diversos espaços existentes.*

– *Ademais* – interferiu o devotado Jacques –, *na condição de médiuns, embora transtornados, esses obsidiados poderão, oportunamente, participar das atividades socorristas, quando serão orientados para a educação da mediunidade, a fim de contribuírem no futuro em favor de si mesmos e de outros padecentes do mesmo transtorno.*

– *De pleno acordo* – anuiu o Dr. Ignácio.

– *Em mister de tal natureza* – considerou dona Maria Modesto –, *é imprescindível a consciente e responsável cooperação dos médiuns de psicofonia e dos seus doutrinadores. Isto, porque sabemos que esses irmãos agressivos são, em si mesmos, enfermos morais e, na sua ignorância, quando se sentem rechaçados nos seus planos de desforra, voltam-se contra aqueles que se fazem intermediários dos benefícios que se recusam, investindo contra os mesmos e tentando criar-lhes embaraços graves, para desanimá-los no prosseguimento das tarefas.*

A absorção dos seus fluidos, apesar da ajuda dos mentores, gera mal-estar, indisposição física e emocional, algumas confusões mentais, que são benéficas aos médiuns que, desse modo, se liberam de dívidas perturbadoras, ao sofrerem quando praticando o bem. No entanto, a falta de esclarecimento de alguns desses companheiros, diversos dos quais se recusam ao atendimento dos Espíritos atormentados, gostando de privar da convivência apenas dos anjos, dá-lhes a impressão de retrocesso mediúnico, quando convidados a essa atividade, crendo, erradamente, que só deveriam contatar com os mentores... Não se dão conta que se esse fosse o raciocínio dos guias espirituais, o que seria de todos nós, os que nos encontramos na retaguarda?!

Era muito lógica a argumentação da dedicada servidora da mediunidade.

São os enfermos, sem dúvida, que necessitam de ajuda, de orientação, de apoio, de médicos, porque aqueles que se encontram bem, mesmo que relativamente, dispõem de alguns recursos para as próprias realizações.

Os médiuns têm por compromisso primordial o atendimento à dor onde e como se apresente, vivenciando o amor e jamais descuidando da caridade moral e espiritual para com os infelizes, de alguma sorte, que o somos quase todos nós.

A jactância, a presunção, a frivolidade de alguns, que se acreditam em estágio superior de realização, levam-nos ao ridículo, à perturbação, ao conúbio com Espíritos de igual jaez que deles se acercam e terminam por envolvê-los nas suas teias perigosas, em que os colhem e aprisionam.

Petitinga, que se mantivera em reflexão, sugeriu:

– *Seria ideal que, antes de iniciarmos o compromisso, tornando-o ação, convocássemos os futuros cooperadores para uma reunião especial, trazendo-os em desdobramento através do sono fisiológico, bem como alguns diretores da clínica, a fim de que todos pudessem acompanhar uma atividade viva, pelo menos, tendo como instrumentos as nossas respeitáveis irmãs Modesto e Matilde.*

Não desconhecemos as sutilezas de um serviço de tal monta, a dificuldade de lidar com alienados desencarnados, os cuidados que devem ser mantidos, a seriedade de que deve revestir-se o labor, as precauções espirituais, os sentimentos pessoais em relação aos mais desesperados e agressivos, perversos e aparentemente insensíveis... Com o resultado do tentame, poderemos melhor definir os rumos a serem tomados, selecionando, de alguma forma, aqueles que se encontram mais bem identificados com o ideal de servir, deixando vagas lembranças nos diretores encarnados, a fim de que não se transformem em instrumento de dificuldade para o feliz desiderato, porquanto também eles poderão ser usados para criar embaraços à instalação e ao prosseguimento dos serviços.

Fez uma pausa muito rápida e acrescentou:

– *Quando os irmãos infelizes perceberem a nova terapia que se estabelecerá onde se homiziam ao lado das suas vítimas atuais, produzirão um pandemônio generalizado, com o objetivo de demonstrar que a situação mais se agravou ao invés de melhorar, exigindo interrupção da tarefa. Como não ignoramos, muitas terapias, quando aplicadas ao paciente, fazem o seu organismo reagir, aparentemente piorando, para depois apresentar os resultados benéficos delas resultantes.*

Todos concordamos prazerosamente com as ponderações do querido amigo.

Outros comentários foram feitos e assinalou-se que a experiência inicial teria lugar à noite, quando todos já nos encontraríamos na clínica, para onde rumaríamos naquele instante, a fim de conhecermos as suas instalações e os seus membros: diretores, funcionários e internados.

Toda a equipe seguiu em júbilo e expectativa de trabalho dignificante, mantendo o pensamento no dever e os sentimentos no amor.

Ao chegarmos ao belo complexo de edifícios, observamos que a movimentação era muito grande em ambos os lados da vida.

O casal Antonelli foi saudado com grande contentamento por inúmeros Espíritos que ali mourejavam. Após os abraços pela alegria dos reencontros, fomos todos apresentados a alguns deles, especialmente ao Dr. Hermógenes, que administrava as atividades psiquiátricas na condição de especialista, comandando uma equipe de trabalhadores espirituais como ele, dedicados à manutenção dos serviços de socorro e de inspiração aos médicos e auxiliares, enfermeiros e funcionários.

Conduzidos a uma sala especial, o irmão Bruno explicou ao administrador desencarnado o programa que se iria implantar, naturalmente após ouvi-lo. Espírito nobre e sensível, depois das explicações do fundador da clínica, demonstrou grande contentamento pela futura experiência, colocando-se com toda a sua equipe às ordens dos recém-chegados para qualquer necessidade.

Logo depois, convidou-nos a conhecer as diversas dependências muito bem cuidadas, considerando-se tratar-se de uma comunidade onde mourejavam alienados de variada etiologia e portadores de transtornos emocionais e vícios sociais em recuperação.

Enquanto caminhávamos por um dos corredores, saíram de uma sala diversos Espíritos carinhosamente comandados por um jovial trabalhador, que nos foi apresentado com cortesia.

Desejando identificar-se, ele explicou que ali estivera internado, lutando contra a dependência de drogas a que se adaptara para fugir dos conflitos íntimos que o maceravam, quando no corpo. Esclareceu haver sido espiritista militante, escritor e trabalhador da Causa, porém, vitimado pelas lembranças do passado, relativamente próximo, que lhe assinalavam com distúrbios de conduta, por invigilância e fraqueza moral tombou na ilusão das drogas aditivas... Em gratidão a tudo quanto recebera, após a desencarnação e o despertar no Além-túmulo, resolveu aplicar-se, uma vez por semana, ao atendimento de outros dependentes já liberados do corpo, mas vinculados aos pacientes que exploravam com vigor em face das *necessidades* que diziam experimentar.

Profundamente cristão, tomava Jesus como modelo nas suas dissertações e terminava por sensibilizar significativo número de enfermos espirituais que assumiam o compromisso de melhorar-se, liberando aqueles aos quais atenazavam.

Impressionado com o relato do novo amigo, fiquei imaginando quanto houvera sofrido, considerando-se a sua vinculação à Doutrina libertadora e o conflito interior que o propelia à fuga alucinatória, para não tombar em compromisso mais infeliz. Havia elegido o que considerava o mal menor, evitando-se a queda fragorosa em danos morais graves...

Realmente, a reencarnação é uma experiência grandiosa, na qual se encontram os recursos para a felicidade, dependendo, no entanto, da segura decisão de cada qual para vencer as más inclinações, as heranças do passado, que ressurgem em forma de conflitos e necessidades mentirosas.

Não são muitos os triunfadores imediatos, porque sempre escamoteiam a verdade, mascarando os sentimentos e entregando-se aos dislates sob justificativas que não são legítimas. Por esse motivo, as repetições do processo depurativo fazem-se multiplicadas, quando seria possível realizar o passo definidor de rumos com sacrifício e entrega total, relativamente com rapidez, como o realizam os verdadeiros homens de bem, os heróis, os santos...

Fiquei encantado com a naturalidade com que o amigo narrou o seu drama e o recurso de que se utilizava, a fim de expressar gratidão ao ninho que o acolheu na hora do vendaval...

Sorrindo, ele acrescentou:

– Embora a minha seja a área da literatura e da história, do romance e do jornalismo, aprendi com venerando amigo cuja amizade foi um farol apontando-me o rumo ditoso, que a caridade é o caminho mais fácil para a autoiluminação e a libertação do mal que predomina em nosso mundo interior. Mesmo na Terra, tentei exercitar-me na magna virtude, somente agora, porém, conseguindo senti-la em totalidade, porque o bem que se faz é lâmpada que se acende na noite dos sentimentos atormentados...

Enquanto se afastava com o grupo que liderava, prosseguimos visitando as dependências da clínica.

Chamava-me a atenção o número de Espíritos lúcidos e bons que ali se movimentavam.

Muitas pessoas acreditam, no entanto, que nesses lugares onde se encontram alienados ou nos cárceres, somente permanecem Espíritos perversos e obsessores, considerando-se os compromissos dolorosos a que estão vinculados os seus residentes... Apesar da presença destes, mães dedicadas, parceiros amorosos, pais gentis, filhos e amigos queridos já desencarnados igualmente trabalham em favor daqueles aos quais amam, a fim de atenuar-lhes os sofrimentos, de ajudá-los no refazimento, de inspirá-los no rumo da saúde. E não poderia ser diferente, tendo-se em vista que se encontram em processo de reparação, portanto, quitando os débitos com os Divinos Códigos.

É comum ouvir-se médiuns que se dizem muito sensíveis, que evitam visitar enfermos, hospitais, presídios, porque logo se impregnam das energias deletérias que aí se encontram, passando a afligi-los.

Trata-se de um conceito falso e comodista. Em vez de deixar-se impregnar por esses fluidos pestilentos, seria ideal que se equipassem de amor aos infelizes e se preparassem para socorrê-los, porquanto o amor em ação oferece recursos hábeis para a superação de quaisquer contágios dessa natureza, já que o sentimento solidário sempre robustece aquele que o desenvolve, imunizando-o contra contaminações de tal natureza.

O planeta terrestre ainda não é um paraíso, mas sim uma escola de aprendizagem moral, nada obstante a beleza natural que apresenta, ora infelizmente agredida pela insensatez humana...

Em última etapa, fomos conduzidos à sala de estudos e de fluidoterapia, onde eram realizadas as atividades espirituais, e que, a partir de então, sediaria os labores desobsessivos. O recinto era agradável e se encontrava saturado de vibrações de harmonia, que se estendiam pelas diversas alas do edifício.

Após alguns minutos, Dr. Ignácio Ferreira elucidou que o ambiente era favorável ao cometimento programado, necessitando, naturalmente, de algumas providências para que pudesse abranger também essa terapia especializada.

Depois de dialogar com o Jacques, solicitou-lhe a ajuda de alguns cooperadores, a fim de serem tomadas providências para a instalação de aparelhos complexos, que seriam utilizados durante os socorros aos Espíritos mais renitentes no mal. Prontamente atendido, solicitou-nos permissão para equipar o local com os instrumentos que considerava de real importância, liberando-nos, enquanto ficaria administrando o labor.

Jacques, por solicitação de dona Matilde, conduziu-nos ao local onde nos instalaríamos durante o período em que durasse a atividade, dentro do prazo adrede estabelecido, quando da visita ao nobre diretor espiritual.

Posteriormente, porque o dia declinasse, resolvemos, Petitinga e nós, dar um passeio pela área verde que circunda a clínica, onde encontramos diversos companheiros desencarnados em atividade produtiva.

Realmente, o repouso prolongado, a falta de trabalho não se encontram nas Leis que regem a Vida. Em toda parte a azáfama edificante se expressa através de atividades contínuas, constituindo, o próprio labor, uma forma de refazimento e de renovação de forças.

Sentamo-nos em confortável banco de cimento e ficamos contemplando a Natureza em festa no entardecer agradável.

Foi o caroável amigo quem iniciou a conversação:

– *Sempre que convidado ao ministério do socorro aos Espíritos enlouquecidos pelo ódio, pelo desejo de vingança, pela usurpação de energias dos encarnados, não posso fugir a reflexões em torno do amor e de como somos incoerentes em relação a ele. Alguns perseguidores informam que foram traídos enquanto amavam, que se vingam porque não receberam a resposta em relação ao amor que ofereceram, que foram abandonados enquanto se esfalfavam para demonstrar o sentimento nobre que possuíam... E tudo isso é paradoxal, porque o amor não se expressa dentro desse esquema de dar para receber, de negociar sentimentos. O amor é uma exteriorização de imensa ternura que mais beneficia aquele que o expressa do que o outro, a quem é dirigido. Quando se aguarda qualquer tipo de recompensa, não se está experienciando o amor, mas o desejo, o interesse de fruir prazer, a necessidade de receber recompensa. Está, nesse caso, o amor atrelado ao egoísmo, que sempre exige, e facilmente reage quando contrariado.*

Compreendesse, o ser humano, e se esforçasse para tornar realidade o sentimento de amor que felicita, e mais facilmente se lhe tornaria a jornada evolutiva, vencendo cada etapa do caminho, sem vincular-se negativamente ao passado por onde jornadeou. Nada obstante, embora o ego, *de alguma forma saiba dessa realidade, impõe-lhe o capricho de beneficiar-se antes que oferecer-se ao bem, redundando muitas experiências afetivas em fracassos lamentáveis e complicações dolorosas em relação ao futuro.*

Eis por que o Amor de Jesus é diretriz de segurança. Ele nada impõe, permanecendo aguardando aqueles que O queiram seguir, aos quais oferecerá a plenitude como decorrência do seu esforço de sublimação.

Após alguns segundos, concluiu:

– Houvesse esse sentimento nos corações, e instituições como esta se encontrariam sem nenhuma finalidade, antes seriam transformadas em escolas de iluminação e redutos de paz. Por enquanto, ainda se tornam necessárias, e mesmo agora, quando as doutrinas psicológicas impõem a liberação de internamento para os casos de pacientes não agressivos, as suas estruturas emocionais destroçadas pelos efeitos da intemperança com que agem, tornam-se-lhes martírio a que fazem jus por espontânea vontade, necessitando de transitório afastamento do grupo social para reeducação através do recolhimento clínico...

Dia virá, porém, em que o amor norteará os destinos e as criaturas vivê-lo-ão intensamente sem qualquer tormento. É o que anelamos!

Silenciou calmamente com os olhos brilhantes como se estivesse contemplando esse porvir.

O Sol ocultara-se no poente e o imenso leque de plumas coloridas abrira-se sobre as nuvens esgarçadas, apresentando variegados tons rubros, amarelos e dourados...

A noite chegava calmamente e, logo depois, começaram a surgir os primeiros diamantes estrelares engastados no veludo das sombras.

Embora me encontrasse com muitas indagações, embriagado pela beleza do momento, não me atrevi a quebrar as mágicas transformações do anoitecer, interrompendo a contemplação.

5

O PRIMEIRO TENTAME

O relógio anunciava as 2 horas da manhã; no entanto, a movimentação espiritual na clínica fazia-se mais intensa do que no horário quando ali chegamos. Se por um lado diminuíra o número dos visitantes e servidores encarnados, por outro a presença de Entidades espirituais era maior, considerando-se que muitos pacientes semidesligados do invólucro material também se agitavam, uns dominados pelos seus verdugos desencarnados, em situação deplorável, outros sendo assistidos pelos afetos e pelos benfeitores, outros mais em desdobramentos parciais, perambulando pelos corredores.

Havia uma verdadeira azáfama no vaivém contínuo dos Espíritos.

Gargalhadas ensurdecedoras, gritaria infrene, protestos de vingança e zombaria misturavam-se no ar, agora mais denso pelas vibrações deletérias, enquanto, do ponto de vista físico, pairava o silêncio apenas interrompido pelos enfermos mais agitados, em luta contra as alucinações e interferências dos seus antagonistas...

Acercamo-nos da sala preparada para a reunião e pudemos notar que estava guardada por devotados servidores desencarnados, que seguiam orientações propostas pelo zeloso Dr. Ignácio Ferreira, a fim de serem impedidas quaisquer perturbações improcedentes.

Ao nos adentrarmos, observamos a aparelhagem especializada que se encontrava colocada em pontos estratégicos do recinto banhado por suave claridade. Eram-me familiares aqueles equipamentos muito delicados, que sempre se encontram dispostos nas salas de desobsessão das instituições espíritas sérias e responsáveis para serem utilizados em momentos próprios.

Pouco a pouco, foram chegando os convidados. O nosso grupo já se encontrava no local, enquanto o Jacques trouxe o Dr. Norberto e alguns dos seus auxiliares, diretores e psiquiatras que administravam a clínica, em parcial desdobramento pelo sono fisiológico, a fim de participarem do cometimento espiritual.

Todos nos apresentávamos circunspectos e mentalmente vinculados ao Senhor Jesus, em súplica silenciosa pelos resultados exitosos do formoso labor psicoterapêutico que seria tentado.

Organizada a mesa, que era constituída pelas queridas médiuns Sra. Matilde e Sra. Maria Modesto, por José Petitinga, nós outro, os amigos Bruno e Jacques e presidindo-a o emérito psiquiatra uberabense.

O Dr. Juliano Moreira, porque menos experiente nesse tipo de terapia, ficara no setor reservado aos convidados.

Após a oração, que foi pronunciada com grande unção pelo nosso diretor espiritual, a psicosfera fez-se enriquecida de dúlcidas vibrações, quando vimos uma luz potente que vinha do Alto e nela envolto o mentor espiritual da clínica.

No mesmo instante, nossa irmã Modesto começou a captar-lhe o psiquismo, transformando-se em bela comunicação psicofônica, que a todos nos sensibilizou profundamente.

Com imensa ternura, assim se expressou o mensageiro dedicado:

– Irmãos queridos!

Guarde-nos Jesus em sua dúlcida paz.

Alargam-se-nos os horizontes do entendimento espiritual em torno da vida e sua complexidade ante a sublime luz dos ensinamentos de Jesus.

À medida que o sofrimento campeia desenfreado em toda parte, convidando à reflexão e à renovação dos sentimentos, as criaturas, inadvertidamente, mais se afogam no desespero que decorre da inobservância das Divinas Leis.

O Espírito está destinado à glória celeste, no entanto, a imensa trajetória que deve percorrer, somente depende do seu livre-arbítrio, em face da conduta elegida que melhor lhe convenha.

Assinalado pelos vícios ancestrais, nele predominando as heranças dos instintos vigorosos e da vontade desestruturada, prefere ainda as experiências perturbadoras às atividades de enobrecimento, porque as primeiras oferecem respostas de prazer imediato, enquanto as segundas exigem esforço e renúncia, para depois apresentarem os frutos opimos da realização.

Por mais advertências que vertam do mundo espiritual, conclamando ao discernimento e à razão, permite-se a embriaguez dos sentidos nas paixões grosseiras, quando poderia utilizar-se da aprendizagem para a renovação de valores e o culto do dever centrado no amor e na caridade.

Reencarnando e desencarnando fixado na ilusão, somente a imposição do sofrimento logra, nas expiações que lhe são impostas a seu próprio benefício, despertar para as responsabilidades que lhe dizem respeito, com destaque para a sua evolução moral, indispensável à conquista real da felicidade.

Deixando-se conduzir pela alucinação momentânea, compromete-se lamentavelmente em relação aos Estatutos Divinos, submergindo em conflitos evitáveis, mas que prefere vivenciar, sendo conduzido ao sofrimento reparador.

O deboche, a lascívia, a ambição desmedida, a prepotência assinalam-no demoradamente no curso da aprendizagem terrestre.

Não são poucos os exemplos de renúncia e de dedicação, de amor e de caridade, que se encontram modelares convidando-o à mudança de óptica em torno da frágil e breve existência física. Apesar disso, considera como fracos os que são fortes no dever, maníacos aqueles que são saudáveis na conduta, inferiores todos quantos superam as vacuidades que permutam por sacrifícios grandiosos e purificadores...

Como efeito, ei-lo na roda contínua dos repetidos renascimentos carnais entre sofrimentos e frustrações, vinculado aos equívocos praticados e àqueles aos quais prejudicou.

É perfeitamente compreensível, portanto, que sejam credores de mais carinho, mais assistência e mais compaixão, porque são enfermos que ainda preferem a doença quando poderiam encontrar-se em situação de saúde integral.

O venerável comunicante silenciou por breves segundos.

Todos o ouvíamos pesando as suas palavras e procurando penetrar-lhes o sentido profundo, por estarmos também inclusos no seu conteúdo.

De imediato, prosseguiu:

– *Por dezenove séculos todos fomos agraciados com a Mensagem do Evangelho, embora confundida com interesses imediatistas, algumas vezes alterada no seu texto e na sua significação, mas inegável no seu ensinamento profundo, que pode ser sintetizado na frase modelar: "Não fazer a outrem o que não se deseja que outrem lhe faça".*

Mais recentemente chegou à Terra o Consolador *advertindo e confortando o sofrimento, enquanto propõe a sua erradicação, através da legítima transformação moral do ser, confirmando a sobrevivência espiritual ao fenômeno da morte biológica, e, nada obstante, não poucos daqueles que estão informados e confortados, continuam no desar a que se acomodaram.*

A dor, portanto, é o mais vigoroso processo terapêutico para o despertamento dessas consciências equivocadas e teimosas.

Transtornos de conduta, alienações mentais, distúrbios psicológicos de alta gravidade avolumam-se na Terra, ao lado das enfermidades dilaceradoras e degenerativas, sem que os indivíduos detenham-se um pouco a pensar nas razões desses fenômenos verdadeiramente pandêmicos.

A fuga para o prazer desenfreado, estimulada pelos veículos de comunicação de massa, é espantosa.

Cada vez mais aumentam a perversão e a insensatez, atraindo as novas gerações que se deixam devorar pela sua magia mentirosa.

Tanta cultura e tão reduzida colheita de bênçãos!

Certamente, há grandiosos exemplos de realizações superiores, que não logram sensibilizar por mais de alguns instantes aqueles que lhes tomam conhecimento, preferindo a caminhada enfermiça pelos sítios perigosos por onde seguem.

Vejamos as questões pertinentes à drogadição, ao alcoolismo, à sexolatria, como fugas espetaculares aos enfrentamentos defluentes da Lei de Causa e Efeito, postergando a saúde moral e expressando-se em transtorno de comportamento bipolar, em síndrome do pânico, em alienações mais graves, em obsessões perversas...

O conúbio com os Espíritos inferiores é cada vez mais intenso e perigoso.

Mesmo assim, ante a multidão dos tristes e ceifados na alegria, dos caminhantes em exaustão, aqueles que se encontram em condição de saúde atiram-se aos prazeres desgastantes com volúpia, encharcando-se no excesso das paixões desnorteadoras...

Em face do compromisso que assumimos com o Incomparável Mestre, de vivenciar-Lhe as lições luminosas, encontramo-nos convidados ao trabalho de libertação de consciências através do amor.

Já não é possível adiar por mais tempo a vivência do Evangelho no pensamento, nas palavras e nos atos.

O mundo está indiferente às propostas verbais e gráficas de nobreza, aguardando mais exemplos de ação dignificante. Uma terrível onda de cepticismo varre a Terra, e, a cada dia, mais aumenta o descrédito nas criaturas, nas suas proposições, cujas condutas desmentem as colocações e promessas por mais belas se apresentem.

É necessário que fulgure o bem desinteressado através de nós, em ambos os planos da Vida.

A dedicação ao trabalho de conforto e de esclarecimento espiritual, muitas vezes, exaustiva, termina por oferecer frutos sazonados, senão de imediato, no momento próprio.

Assim, jamais nos cansemos de servir.

Hoje, abraçando a contribuição valiosa da Ciência nas áreas psíquicas, que muito tem ajudado os pacientes psicológicos e mentais, ofereçamos o valioso concurso espírita, trabalhando as raízes dos distúrbios no ser, afastando os parasitas espirituais *que os infelicitam e, lentamente, mas com segurança, estaremos instaurando, na Terra, o almejado Reino de Deus.*

Levai adiante o compromisso de servir, ampliando a área de atendimento espiritual a todos, obsidiados ou não, guardando a certeza de que o Divino Médico estará supervisionando e ajudando o vosso empreendimento libertador.

Fiquem convosco, a alegria do bem e a felicidade do serviço com Jesus.

Vosso amigo e servidor de sempre,

Antônio.

Quando silenciou, com a voz embargada, a face da médium transfigurada refletia a claridade imensa da elevação do mentor, que a todos nos envolveu na sua magia de amor, encorajando-nos para o empreendimento em início.

Quase imediatamente, a médium Sra. Matilde assumiu uma postura petulante e agressiva, explodindo com arrogância:

– *Afinal, que se passa aqui? Teremos um novo* Tribunal do Santo Ofício *para julgar aqueles que discrepam dos seus postulados de fé e se permitem agir por conta própria? Até onde vai a audácia dos seres humanos (referia-se à condição de seres reencarnados) atrevendo-se a penetrar nos umbrais do além da morte para constranger os que se libertaram do corpo a aceitar as suas imposições? Quem pensam que são? Prepostos de Jesus, o Crucificado, certamente, que se fez crucificador?! Que esperam de nós, os combatentes dos direitos roubados, da felicidade traída, do mérito de fazer justiça conforme nossos métodos? Não nos castigaram conforme lhes aprouve, sob o amparo e beneplácito da fé religiosa ou da política perversa que praticavam? Esta, portanto, é a nossa vez. Que pretendem?*

A expressão zombeteira e feroz traduzia o nível moral do comunicante.

Tratava-se de perverso antigo inquisidor, que se apresentava em condição de vítima, como justificando o comportamento infeliz.

Embora inspirado para compreender a farsa, o nobre doutrinador, no intervalo das objurgatórias, que se fez natural, com imensa tranquilidade e lógica, redarguiu:

– *O caro amigo encontra-se equivocado nas suas interrogações. Não estamos aqui como representantes de nenhuma entidade, especialmente do lamentável Santo Ofício, braço vigoroso da* Santa Inquisição, *cuja infeliz memória nos aflige... Igualmente, não estamos tomados de qualquer presunção para nos adentrarmos pelas cidades dos denominados mortos, procurando constrangê-los, por sabê-los vivos. Não pensamos ser algo além do que nos encontramos. Prepostos de Jesus, não porque reconhecemos nossa condição de Espíritos doentes e necessitados, mas de Seus discípulos e aprendizes do Seu amor, isto sim. O que esperamos daqueles que nos visitam, na condição de corações bem-vindos, são a amizade e a compreensão dos objetivos a que nos propomos, nunca de julgamentos arbitrários, de aplicação de corretivos...*

– *Quais são esses objetivos que se fazem tão importantes, a ponto de procurarem romper a cortina que nos separa?*

– *Demonstrar que não existe qualquer separação entre nós, exceto o trânsito em campos vibratórios mais ou menos densos, porquanto a vida estua em toda parte, sendo sempre a mesma. Seria o caso de interrogar o amigo, a respeito da razão que o trouxe a visitar-nos, já que o não evocamos, sendo surpreendidos agradavelmente com a sua presença?*

– *Deve ser irônica a pergunta, porque você deve saber perfeitamente que aqui me encontro em nome de alguns dos* hóspedes *locais, com o objetivo de inteirar-me dos propósitos que os trouxeram a invadir nossa área, conforme suas palavras,* nossos campos vibratórios mais densos. *Esses, assim o são, porque mourejamos no nível terrestre, permanecendo imantados ao Globo, lidando com aqueles que, construídos de barro e lodo, são responsáveis pelos sofrimentos que passamos, agora superados, felizmente...*

– Realmente, considerando a proposta de Jesus a respeito da solidariedade em forma de amor e caridade para com o próximo, encorajamo-nos a intercambiar com os amigos desencarnados em sofrimento, a fim de minorar-lhes as angústias, apontar-lhes o rumo da felicidade e contribuir, de alguma forma, em favor da sua paz.

– Diz que somos sofredores e que estamos infelizes?

– Exatamente. O desconhecimento da verdade, a permanência no ódio, no revide, na sandice da revolta caracterizam sofrimento de ímpar significação que os domina.

– E pretendem desvelar-nos esses conhecimentos e liberar-nos dos direitos de justiça?

– Realmente, é o nosso propósito, isto, porque as situações penosas que experimentaram anteriormente, embora não devessem ser criadas pelos levianos que as propiciaram, desde que eles e todos nós somos devedores ante os Divinos Códigos, incursos, portanto, em reparações intransferíveis, sem condições de nos transformarmos em cobradores dos outros. Quando não chegam as propostas de reabilitação impostas pelas Leis Soberanas, outros desditosos fazem-se, indevidamente, mecanismos de seu cumprimento. Ninguém tem o direito de afligir, dizendo-se portador da Justiça real, porque não se encontra em condição de aplicá-la conforme se faz necessário.

– E como então proceder diante daquele que nos desgraçou e continua sorrindo, indiferente ao mal que nos fez?

– Perdoá-lo, de modo a não incorrer no mesmo descalabro. Como nem sempre é acessível o perdão, existe a sabedoria de

entregar o algoz a si mesmo, em cuja consciência está inscrita a Lei de Deus, e o tempo se responsabilizará de justiçá-lo...

– Pois saiba que isso não faz parte do nosso cardápio de alimentação moral. Mudemos de tema.

Não há muito, fui eleito, neste hospício, que trocou de nome, mas continua sendo o lugar de expurgação de criminosos renitentes em reparação severa, para liderar determinado grupo de justiceiros. Toda vez que chega um cliente novo, conduzido pelo seu justiceiro, sou informado e, com ele, estudamos os processos de ajustamento à recomposição, passando a fazer parte da nossa equipe de vigilantes da justiça. Ora, como estamos percebendo movimentação inusitada em nossos domínios, temos interesse de informar-nos a respeito do que se passa, porquanto não permitiremos, mas não permitiremos mesmo, que intrusos, beatos ou salvacionistas penetrem em nossas muralhas, na condição de redentores...

– Sim, há um grande equívoco no que informa acerca dos nossos objetivos. Inicialmente, o amigo e seus comparsas não são proprietários nem chefes de coisa alguma. Em uma eleição facciosa, os iludidos e amedrontados erguem um condutor tão cego quanto eles mesmos, para os conduzirem ao abismo, conforme o valioso conceito de Jesus, sobre o cego que dirige cegos... Depois, estes são domínios da saúde, erguidos pelo amor para albergar os equivocados como o caro amigo, dando-lhes chance de reabilitação. Ademais, não somos intrusos, porque nos encontramos laborando no programa terapêutico em favor dos pacientes em trânsito por esta clínica...

O interlocutor explodiu em sonora gargalhada, deformando a face da delicada médium, que parecia experimentar inaudito mal-estar.

– *Esse riso* – elucidou o doutrinador – *não expressa mais do que desequilíbrio, porquanto, não vemos razão para ironia ou deboche, antes soa o seu momento de iluminação, que você não pode nem deve desconsiderar. Desse modo, fique esclarecido que iremos continuar trabalhando em favor dos pacientes que por aqui transitam, confiados no Divino Terapeuta, a quem temos a honra de servir. Sabemos que o amigo é portador de propósitos nefastos e que a sua visita, aliás, por nós aguardada, somente confirma a grave ocorrência obsessiva em relação aos doentes diagnosticados de loucura e outras patologias emocionais...*

– *Você e sua trupe* – protestou, agora espumando de ira com os dentes cerrados – *irão arrepender-se amargamente do tentame. A minha visita reveste-se da finalidade para mensurarmos forças para o futuro. Não creia que será tão fácil desbaratar a nossa organização especializada em recomposição da* justiça. *Somos* os justiceiros *e não permitiremos intrometimento em nossos objetivos. Afasto-me de momento, mas estarei por perto e voltarei na primeira oportunidade, a fim de avaliarmos o resultado da sua atrevida invasão de área proibida...*

– *Que o Senhor de Misericórdia o acompanhe e o traga de volta* – concluiu o lúcido esclarecedor.

Convulsionando a médium, vimo-lo afastar-se resmungando com ferocidade e blasfemando no rumo do corredor onde se aglomeravam diversos membros da sua grei.

Somente então me dei conta que em torno da sala havia uma barreira fluídica de isolamento, após a qual se encontravam dezenas de Espíritos, perturbados uns, obsessores outros, alucinados diversos... Uma nova barreira fora erguida, como se houvesse sido construído um recinto apenas de fluidos, dentro do qual estavam aparelhos de som, que transmitiam as comunicações de forma que fossem ouvidas por todos que se encontrassem em condições psíquicas de lográ-lo na parte exterior da sala.

Imediatamente, dona Matilde começou a gemer dolorosamente e a emitir sons que pareciam uivos lupinos. Observei que o ser em tentativa de comunicação, trazido por dois auxiliares que o Dr. Ignácio destacara, apresentava-se vitimado pelo fenômeno da licantropia.

Recordei-me então das lendas em torno dos lobisomens, muito comuns ainda hoje no planeta.

A deformidade imposta pelo perispírito era de tal maneira típica, que dificilmente poderíamos dizer que se tratava de um Espírito que transitara na faixa de humanidade.

Certamente, os seus delitos foram de tal forma e as suas construções mentais hediondas de tal natureza que se lhe insculpiu, molécula a molécula, a imagem interior cultivada, agora apresentada nessa aparência.

Assumindo o controle da faculdade psicofônica e conseguindo um grande ajustamento aos centros mediúnicos da abnegada médium, não podia exteriorizar mais que sons terríveis, enquanto os seus olhos brilhavam de maneira peculiar, ameaçadores, deixando a baba fétida cair-lhe das mandíbulas abertas sobre a boca do instrumento de que se utilizava.

Contorcia-se, como se estivesse manietado, o que de fato acontecia, exalando energias deletérias abundantes que empestavam o círculo de socorro mediúnico.

Impossibilitado de falar, passou a ouvir o orientador, explicando-lhe:

– Você é um Espírito humano, hipnotizado e mantido em forma lupina pela própria mente e por indução de outrem. É credor da Misericórdia e da Compaixão de Deus. Aqui veio para

ter atenuadas as suas aflições e poder recuperar-se dos terríveis sucessos a que se entregou no corpo físico... Não tema! Sei que me ouve, embora a dificuldade de compreender-me. O Amor de Deus chega sempre e este é o seu momento. Tranquilize-se, asserenando o pensamento atormentado...

A um sinal, o irmão Petitinga acercou-se da médium e começou a aplicar passes no enfermo espiritual, ao mesmo tempo amparando a organização psíquica da intermediária, o que se prolongou por alguns breves minutos, enquanto o enfermo espiritual estorcegava, uivando.

Logo após, Dr. Ignácio utilizou-se de um instrumento especial que se encontrava na sala e o aproximou da médium, aplicando a parte superior do mesmo sobre a cabeça do desencarnado que mais se agitou, em dolorosa agonia.

O doutrinador, comovido, exorou o auxílio de Jesus em benefício do visitante, enquanto lhe falava com bondade e compaixão.

O aparelho tinha como finalidade trabalhar a construção mental externa e diluí-la, auxiliando o perispírito a recuperar a forma, o que certamente seria concluído, mais tarde, quando da reencarnação do calceta.

Todos orávamos em uníssono até que, lentamente, o comunicante se foi acalmando, diminuindo a emissão dos uivos e aquietando-se em sono profundo, decorrente da voz do Dr. Ignácio que o hipnotizava, mediante o recurso da emissão verbal tranquila, revestida da indução do amor fraternal e terapêutico.

Ao ser *desligado* da médium, foi acomodado em uma cama portátil e retirado da sala, para posterior traslado ao Hospital Esperança.

Diversas outras comunicações tiveram lugar, algumas referentes aos internados, outras de socorro aos sofredores que deambulavam ociosos pela clínica e, por fim, a visita gratificante de Eurípedes Barsanulfo, em solicitação do diretor dos trabalhos.

O apóstolo sacramentano entreteceu considerações profundas a respeito da desencarnação e das consequências das jornadas em desalinho, enfatizando a necessidade de real aproveitamento das horas, seja no corpo físico ou fora dele, de modo a avançar-se no rumo da imortalidade em paz e sem fixações no passado.

Para nós foi uma agradável surpresa a presença do amorável benfeitor que tantos exemplos de sacrifício pelo Mestre vem oferecendo através dos últimos dois milênios.

Logo após, em comovida oração proferida por Dr. Ignácio Ferreira, a reunião foi encerrada.

6

CONSIDERAÇÕES NECESSÁRIAS

O objetivo do labor naquela noite era apresentar aos administradores da clínica algumas das técnicas terapêuticas de que se utilizariam os nobres Espíritos, nas futuras reuniões socorristas de desobsessão, a fim de contribuírem em favor do atendimento aos pacientes internados e aos seus perseguidores espirituais.

O diretor encarnado, que se encontrava presente, em parcial desdobramento pelo sono fisiológico, assim como diversos médicos e auxiliares de enfermagem, alguns espiritistas, não podiam ocultar a emoção de felicidade que os dominava.

Conhecedor do Espiritismo e devotado trabalhador da Causa do Bem, entregara-se à administração da clínica na condição de voluntário, oferecendo as experiências adquiridas como administrador em sociedade bancária, na qual se aposentara, já vivenciara experiências daquela natureza, nas reuniões mediúnicas de que participara anteriormente. Naquela ocasião, porém, com maior discernimento e considerando-se a magnitude de que se revestia o trabalho, pôde entender em profundidade como se operava o mecanismo de atendimento através de um especialista com a experiência e sabedoria do Dr. Ignácio Ferreira.

– *Não posso ocultar o meu contentamento* – conseguiu externar – *diante da grandeza do trabalho psicoterapêutico de socorro aos nossos pacientes. Acredito que eles sempre receberam esse expressivo auxílio, embora indiretamente. Agora, porém, instalando-se uma atividade especializada neste recinto, certamente os dedicados companheiros carnais, alguns dos quais aqui também estão presentes assistindo ao cometimento, contribuirão com muito mais valor e renúncia em benefício dos resultados opimos. A obsessão é grave parasitose, portadora de complexidades que superam o nosso entendimento, quando no corpo físico. O emaranhado do processo na mente, na emoção ou no corpo do paciente é muito complexo e difícil de ser apreendido de um para outro momento. Não posso disfarçar a minha emoção e confiança em Deus quanto aos resultados futuros.*

Dr. Ignácio, que o observava atento, assim que ele silenciou, esclareceu:

– *Essa* parasitose *da alma tem as suas raízes fincadas no recesso do ser, nos campos energéticos, comunicando-se com as delicadas tecelagens do córtex cerebral. Acreditam os modernos neurocientistas que aproximadamente 20 bilhões de neurônios respondem pela construção do córtex cerebral. Como diariamente morrem milhares deles, ei-los naturalmente substituídos por lípides e proteínas que se encarregam de formar as membranas celulares. Esse córtex cerebral sofre alterações constantes e consegue permanecer vinculado às ramificações neurais, em constante fluxo de modificações em número e em topografia, a fim de serem mantidas as neurocomunicações. Todos esses equipamentos são alterados por contínuos campos magnéticos que se encontram no exterior. O que desconhecem esses estudiosos diz respeito ao bombardeio mental realizado pelos adversários do encarnado, que através de ressonâncias vibratórias alteram o magnetismo dos campos extracranianos, culminando por acelerar a morte dos neurônios, perturbar a produção das monoaminas responsáveis pelas delicadas estruturas das células, produzindo distúrbios interiores de raciocínio, de memória, de sentimentos e de comportamento.*

A maioria dos neurofisiologistas mantém, teimosamente, a tese de que a consciência, a memória e o pensamento resultam das emissões eletroquímicas produzidas pelos neurônios e suas redes neurais, e que cessam por ocasião do fenômeno biológico da morte cerebral e a consequente falência do tronco encefálico. Apesar desse conceito, fica muito difícil aceitar-se que reações eletroquímicas possam transformar-se em ondas mentais, em sentimentos, em raciocínios, em atividades muito complexas da memória, armazenando no hipocampo lembranças ou apagando-as a seu bel-prazer.

Da mesma forma, ser-lhes-á muito difícil entender a interferência de as mentes sem cérebro *conseguirem emitir ondas que alteram o equilíbrio do córtex cerebral, e, por extensão, modificam a rede das comunicações através das microestruturas cerebrais e suas contínuas emissões de energia eletromagnética e química, alterando o comportamento das construções cerebrais. Conhecendo o mecanismo neurofisiológico do ser humano, alguns Espíritos perversos orientam os seus tutelados em técnicas obsessivas, de forma que possam agir através dessas emissões de ondas vibratórias perturbadoras, que terminam por ser captadas pelo cérebro do encarnado, em face das matrizes morais que se encontram nos seus perispíritos, em decorrência dos atos infelizes praticados anteriormente, inscritos como culpa e necessidade de reparação. Começando o processo de sintonia, o tálamo se encarrega de transferir essas cargas energéticas aos gânglios de base e a todo o cérebro. Outras implicações ainda mais delicadas ocorrem, sem que alguns dos perseguidores deem-se conta de como estão acontecendo.*

É sempre a dívida moral que se encarrega de produzir sincronia entre o antigo algoz e sua vítima anterior. O mais é resultado da perseverança dos indigitados cobradores e das debilidades morais daqueles que lhes passam a sofrer o assédio.

Desse modo, o afastamento puro e simples do perseguidor não reabilita o perseguido, sendo necessários recursos de recomposição orgânica, de transformação moral, de interesse real pela conquista da saúde. Pois que, do contrário, afastado o adversário e permanecendo as condições propiciatórias, outros desencarnados licenciosos acercam-se atraídos pelos fluidos mórbidos e dão prosseguimento à parasitose, mesmo que não haja compromisso entre uns e outro.

Silenciando, o culto doutrinador, Dr. Juliano, anuiu com emoção:

– A minha dificuldade em aceitar a sobrevivência do Espírito, quando na Terra, advinha do conceito neurofisiológico que me não facultava entender como podia haver pensamento sem o cérebro que o produz. Descobrindo a imortalidade, porém, constato que o cérebro é o instrumento que exterioriza o pensamento, os sentimentos, agindo nas funções orgânicas... Hoje constato que o difícil de acontecer é a ação do cérebro sem a fonte espiritual do pensamento...

Assim considerando, podemos afirmar também que nos casos de loucura convencional, o transtorno psicótico encontra-se no Espírito, que o transfere através do modelo organizador biológico e imprime no corpo, em forma de alienação, não é verdade?

– Sem qualquer dúvida – respondeu o psiquiatra uberabense –, *tudo quanto ocorre na área somática, o perispírito transfere ao Espírito, o mesmo fazendo em relação ao corpo, quando*

os procedimentos são dele: ideias, raciocínios, comportamentos defluentes de desejos e ambições, de necessidades e tormentos... O ser real é sempre o responsável por todas as ocorrências. Por isso mesmo, pode mudar de domicílio carnal várias vezes, mas onde quer que vá, leva consigo o material e o mobiliário *que lhe constituirão a nova habitação, como ocorre com os moluscos gastrópodes...*

Todos sorrimos da imagem apresentada.

Dona Maria Modesto, que acompanhava a conversação esclarecedora, interrogou, jovial e reflexiva:

– *Terminadas as futuras reuniões com as equipes de encarnados, para onde serão removidos os Espíritos enfermos atendidos? Serão reservados alguns espaços aqui mesmo na clínica para recebê-los durante o período de recuperação?*

– *Pensamos nisso, também, querida amiga* – esclareceu Dr. Ignácio. – *Conseguimos permissão do nosso venerando Eurípedes, a quem recorremos, para remover para uma das alas do Hospital Esperança, aqueles pacientes que necessitem de cuidados especiais e mais demorados. Após ficarem aqui mesmo, em instalações que iremos providenciar a partir de hoje, os mais graves serão recambiados, enquanto os outros poderão ser socorridos nesse local e posteriormente conduzidos a outros núcleos de recuperação. À medida que as atividades mediúnicas sejam realizadas, novos cooperadores desencarnados de nossa Esfera virão unir-se-lhes, participando dos futuros cometimentos.*

O diretor médico da clínica, por sua vez, interessou-se em compreender toda a extensão do programa socorrista, indagando:

– *Naturalmente que os caros amigos concordarão com as terapêuticas convencionais acadêmicas que vimos aplicando, ou sugerem alguma alteração?*

– Estamos de pleno acordo com os processos terapêuticos em uso na clínica – elucidou Dr. Ignácio. – *Não ignoramos que muitos pacientes, vítimas de transtornos fisiológicos uns e outros de ordem psicológica, necessitam do atendimento nos moldes que vêm recebendo, ao mesmo tempo reconhecendo a necessidade de outros mais serem libertados do alcoolismo, da drogadição, dos imensos conflitos que lhes caracterizam os distúrbios pelos procedimentos habituais. Certamente confirmamos que todos eles são Espíritos enfermos em processo de reabilitação moral, fragilizados em decorrência dos delitos perpetrados que geraram as causas atuais das próprias aflições.*

No caso dos obsidiados, como efeito das perturbações espirituais que padecem, experimentam descontrole dos mecanismos nervosos e do pensamento, para cuja recuperação os tratamentos normais irão produzir excelentes resultados por auxiliar os equipamentos em destrambelho, recompondo o que a insidiosa energia penetrante desorganizara. Cessada a interferência espiritual, ficam os efeitos do trâmite encerrado, requerendo ajustamento e renovação.

Felizmente, os processos contemporâneos aplicados na recuperação do paciente mental são humanos e dignos de encômios, embora alguns compreensíveis mal-estares que o enfermo experimenta, sempre menores, no entanto, do que os distúrbios que os afligem.

– Sendo a causa – prosseguiu, interrogando – *meramente espiritual, depreendo, a terapêutica deve ser aplicada normalmente, enquanto são trabalhados os mecanismos que a desencadearam. Como o psiquiatra poderia identificar essa psicogênese de natureza extracerebral?*

– Mediante a observação sistemática do enfermo – respondeu Dr. Ignácio. – *Embora as fronteiras entre aquelas de*

origens fisiopsicológicas e as obsessivas sejam muito tênues, no segundo caso, podem-se perceber as diferenças de comportamento através das manifestações de personalidades diversas no mesmo indivíduo. As alterações contínuas de humor, como numa luta em que hora um vence e logo depois é vencido, tipificam ações externas ao organismo. Por outro lado, o conteúdo das alucinações aponta visões reais daquelas provocadas pelos delírios psicológicos. A observação descobrirá nas manias do paciente características incomuns, graças à ação dos seus perseguidores, confirmando-as nos diálogos com ele mantidos, quando, não poucas vezes, em semitranse mediúnico expressarão atrevidamente a sua interferência. Portanto, em qualquer quadro em que se situe o doente, será sempre conveniente atendê-lo com os métodos que reorganizem os equipamentos cerebrais e os decorrentes fisiológicos.

Seria ideal, isso sim, que se pudessem acrescentar ao tratamento convencional as terapias dos passes, da água fluidificada aos enfermos, que as famílias permitam; porquanto, desse modo, se beneficiariam da bioenergia que lhes seria transmitida, que iria trabalhar-lhes a recomposição energética nos seus campos vibratórios.

Vivemos num mundo único de vibrações, de ondas, de campos energéticos, eletromagnéticos, de gravitação, de forças quânticas fortes e fracas, diferenciando a potência, na qual nós, os desencarnados, habitamos, e vós outros, transitais. Somente existe uma realidade profunda que é a inicial de onde se derivam todas as outras expressões, através de condensações de campos de energias que alcançam variações substanciais. Assim, unindo-nos no mesmo objetivo, podemos contribuir em favor dos resultados terapêuticos saudáveis a benefício de todos.

Porque se houvesse estabelecido um silêncio natural, por minha vez, interroguei:

– *O* justiceiro, *que tivemos ocasião de conhecer, administra, pelo que parece, as atividades espirituais negativas na clínica. É provável que haja edificado um local onde se homizia com os demais companheiros, não é verdade? Como será isso?*

Com paciência de Job, o bondoso psiquiatra uberabense elucidou:

– *As construções mentais dessa natureza apresentam-se muito fáceis de consolidação em face do teor vibratório daqueles que as operam, perfeitamente compatíveis com os campos de energia que envolvem o planeta. Após contínuas emissões de pensamentos, como ocorre em todas as áreas de procedimentos mentais, vão-se condensando as* substâncias *que se transformam em material para essa finalidade. Como podem sobrepor-se às edificações materiais, sem qualquer impedimento, em área próxima desta sala encontra-se o reduto-pouso desses irmãos gravemente enfermos.*

Em razão da sua ferocidade, impôs-se através de ameaças a outros Espíritos menos hábeis, liderando-os e adicionando outros que chegam acompanhando as suas vítimas. *Conclamados a participar do grupo, aprendem as técnicas de perturbação, formando todo um conjunto de dilapidadores da saúde e do bem-estar. Atendido por auxiliares vigilantes, toma conhecimento de tudo quanto se passa aqui, administrando as tarefas em andamento. Nada obstante, também ele é* vítima *de outros mais perversos, que se sediam em regiões inferiores do planeta, com os quais mantém intercâmbio contínuo. Este é um capítulo muito complexo na área das obsessões...*

Assim considerando, abrimos-lhe campo de participação em nosso trabalho, de forma que se pudesse desvelar, conscienti-

zando-se dos nossos propósitos e verificando posteriormente que as nossas ações irão enfrentar-lhe os comportamentos. Posteriormente, ele será atendido, e, por consequência, nos diálogos de esclarecimentos e no convívio de fraternal amor, terminará por compreender o engano em que persiste, mudando de atitude. Enquanto isso, iremos atendendo outros, ao largo dos dias, e assim seguirão os amigos encarnados depois que encerrarmos as instalações, fazendo o mesmo em relação aos demais parasitas espirituais *que estabelecem o comércio danoso com aqueles que lhes caíram nas tramas bem urdidas.*

Voltei à carga, indagando:

– *Há uma ideia falsa entre as criaturas humanas a respeito da ação de socorro desta natureza, porque provoca a ira dos perseguidores que então se voltam contra os médiuns de desobsessão. Existe algum fundamento nessa tese?*

– *Consideremos* – respondeu com gentileza – *a falta de lógica da questão. Equivaleria a concluir-se que a prática do bem faz mal, porque acarreta consequências lamentáveis. É certo que, percebendo a valiosa contribuição dos médiuns nos fenômenos de libertação das obsessões, os Espíritos odientos voltam-se contra eles, tentando perturbá-los, a fim de interromperem a atividade abençoada. É claro que sempre ocorre esse fato. No entanto, somente resultará perturbador para o intermediário, se ele não se acautelar, utilizando-se dos recursos valiosos da oração, da conduta saudável, dos pensamentos e conversações salutares, da ação da caridade, que lhe constituirão elementos imunológicos da alma, precatando-o de qualquer mal. Sofrer pelo bem que se faz constitui mecanismo elevado de resgate de dívidas que ficaram na retaguarda, esperando momento próprio para manifestar-se. Não sendo, por esse intermédio, expressar-se-ão através de outros fenômenos de igual ou maior gravidade, porque somente acontece a cada um aquilo que é de melhor para o seu desenvolvimento espiritual. Do contrário, onde encontraríamos a justiça do amor?*

Não procedem, portanto, essas informações que, de algum modo, generalizam-se entre alguns companheiros sem esclarecimento em torno da realidade espiritual. A prática do bem em qualquer expressão em que se apresente fortalece o seu agente, dignifica-o, gera simpatia dos Espíritos nobres, que passam a assisti-lo, como é natural, entre os quais os guias espirituais dos socorridos... Quanto mais se entreguem os médiuns sérios e devotados ao ministério da caridade, mais se encontrarão em sintonia com as Esferas elevadas, haurindo energias benéficas para o desenvolvimento moral em cujo programa se encontram inscritos.

– *E o mal-estar que experimentam esses médiuns* – dei continuidade à interrogação –, *essas sensações de inquietações e sofrimentos nos dias das atividades mediúnicas não terminarão por prejudicá-los?*

– *Caro Miranda* – redarguiu, sereno –, *todo esforço produz efeito correspondente à energia desprendida. No caso em tela, a entrega à caridade espiritual permite que, desde o momento quando se instalam as ligações espirituais entre o futuro comunicante sofredor e o médium para a atividade programada, não raro, durante vinte e quatro ou mais horas antes até o momento da reunião, é natural que o sensitivo perceba-se agitado ou diferenciado o campo vibratório em que se movimenta. Quando educado psiquicamente, porém, robustece-se na lógica do benefício que irá propiciar, não se permitindo perturbar pelas vibrações emitidas pelo agente desencarnado, que já experimenta mudança de área, sentindo-as diluir-se, pouco a pouco, porque filtradas essas energias pelo perispírito do médium, que facultará uma comunicação menos agressiva e sem descontrole, em face da sintonia profunda entre ambos. Assim mesmo, essa ocorrência será sempre benéfica ao médium, porque lhe diminuirá a quota de débitos para a recuperação moral, porquanto, toda atividade dignificadora conduz um peso específico positivo que diminui o* quantum *de dívidas que se encontra aguardando o resgate...*

Assim sendo, quanto mais se dedique o instrumento mediúnico ao atendimento aos Espíritos obsessores, aos sofredores em geral, mais fiéis serão as suas captações em relação aos nobres mentores do Mais-além. Recordemos o que nos ensina Allan Kardec, referindo-se ao bom médium, "que não é aquele que comunica facilmente, mas aquele que é simpático aos bons Espíritos e somente deles têm assistência".[3] *Ora bem, o médium que se entrega ao ministério da caridade sob os auspícios de Jesus e guiado pelos bons Espíritos, é claro que, somente deles, tem a assistência, enquanto todos os outros que por seu intermédio se comunicam, fazem-no transitoriamente, não o influenciando de forma prejudicial.*

Enquanto reflexionávamos na clareza da resposta e na sua lógica inegável, Dr. Juliano, que estava interessado em a nova terapia especial, inquiriu:

– *No caso da loucura decorrente das altas cargas de sífilis, observamos também algum fenômeno de natureza obsessiva?*

Com a mesma bonomia e sem qualquer enfado, Dr. Ignácio esclareceu:

– *A sífilis desencadeia a perturbação dos fenômenos cerebrais, dando lugar à instalação da loucura, sendo, portanto, responsável pela sua ocorrência, assim como sucede com outras enfermidades infectocontagiosas. Encontrando-se o paciente*

---

[3] *O Evangelho segundo o Espiritismo,* de Allan Kardec – Cap. XXIV. Item 12, 52ª Edição da FEB (nota do autor espiritual).

nesse deplorável estado de conturbação, sem possibilidades de raciocínio adequado por decorrência da destruição contínua dos neurônios que afetam as neurocomunicações, torna-se fácil pasto *para a nutrição de Espíritos inferiores que dele se acercam para roubar-lhe as escassas energias, piorando-lhe o estado orgânico. Esse fenômeno que, através do tempo, pode transformar-se em vampirização, é mais comum do que parece entre os enfermos terrestres e os indigitados espirituais. Ainda aí vigora a Lei de Causa e Efeito, que se utiliza desse processo para auxiliar o paciente a resgatar os seus dislates e comprometimentos injuriosos com maior rapidez. Todos e quaisquer acontecimentos são computados nas* fichas morais *do Espírito, nunca ficando ocorrência alguma à mercê do acaso.*

Podemos afirmar que, segundo a onda em que se movimente o indivíduo, sempre haverá uma ressonância e uma sintonia com outrem na mesma faixa vibratória. Não apenas os inimigos ou os amigos estão em intercâmbio espiritual, mas todos quantos vivenciem experiências equivalentes, em decorrência da identidade vibratória. Recordemo-nos da recomendação do apóstolo Paulo, na sua carta I Tessalonicenses, capítulo cinco, versículo dezessete, quando afirma: – "Orai sem cessar".

Com certeza, o apóstolo não propõe a mecanização da prece, mas sugere uma atitude terapêutica de estado oracional, isto é, a mente voltada para as ações corretas, para o comportamento equilibrado e para a insistência na prática das ações sadias e benéficas, tornando-se verdadeiras orações.

– *Que fique, pois, definido* – concluiu Dr. Juliano – *que não existem distúrbios orgânicos sem que haja correspondentes causas desencadeadoras, sempre sediadas no ser real. As enfermidades de todo porte, as interferências espirituais, os transtornos psicológicos, todos esses fenômenos são, portanto, efeitos dos atos praticados em existências transatas, não é verdade?*

– *Exatamente* – confirmou. – *Somente existem consequências quando ocorreram ações anteriores.*

Recordei-me de alguns argumentos destituídos de fundamentação, que ouço entre os companheiros reencarnados. Sendo-me a oportunidade valiosa, sem desejar abusar da gentileza do nobre amigo, interroguei:

– *Alguns médiuns, que vivem em parceria afetiva matrimonial ou não, pensam que a comunhão sexual às vésperas ou depois das reuniões mediúnicas não interfere de maneira nenhuma nas atividades a que se irão dedicar. Que nos tem a dizer, o caro amigo?*

– *Que, embora a função sexual seja de elevado significado emocional, especialmente quando decorre da presença do amor, em face, porém, dos impulsos e dos desejos lúbricos, é conveniente que, às vésperas das reuniões desobsessivas, se transfira a comunhão física para outra oportunidade, preservando a mente em harmonia, sem desvio do pensamento em relação ao trabalho a que se devem entregar os parceiros. Compreendendo-se que o êxtase sexual renova o entusiasmo e produz reações saudáveis nos indivíduos equilibrados e amorosos, essas energias podem e devem ser canalizadas para o atendimento espiritual, sem qualquer prejuízo para os envolvidos na afetividade. Como o sexo foi feito para a vida e não esta para aquele, é perfeitamente normal que se reservem ocasiões especiais para o seu intercurso.*

– *E quando um dos parceiros não participa das ideias espiritistas do outro* – insisti com delicadeza –, *como deve proceder este que tem convicções definidas, se convidado à união sexual, às vésperas dos cometimentos desobsessivos?*

– *Considere-se que, numa parceria* – respondeu afável –, *a contribuição de cada um em qualquer atividade deverá ser sempre igual. Se, no entanto, um exige algo mais, cabe àquele que se encontra comprometido com o labor mediúnico explicar a razão da sua recusa, evitando, todavia, problemas mais graves, porque o outro pode estar inspirado por Entidade perversa e exploradora, em face do descontrole da sua libido. Nesse caso, a paz deverá reinar na união e a compreensão do mais esclarecido cederá em detrimento de atrito ou descontrole mais grave, procurando liberar-se do pensamento sensual após a comunhão dessa natureza.*

Utilizando-me do feliz ensejo, voltei a indagar:

– *E a questão do vestuário do médium, que tem sido motivo de considerações, especialmente em relação às cores do uso? Haverá alguma prevalência em roupagens brancas em detrimento de outras?*

Ainda, mais uma vez, a jovialidade do interlocutor exteriorizou-se, num sorriso afável, respondendo:

– "*Não é o que entra pela boca que contamina o homem; mas o que sai da boca, isso é o que o contamina*",[4] *conforme respondeu Jesus àqueles que o interrogavam a respeito dos alimentos. É do íntimo que procedem as vibrações e não do exterior. Naturalmente, numa análise cromoterápica, as cores quentes sempre produzem perturbação... No entanto, no caso em estudo, o que importa são os sentimentos decorrentes dos pensamentos. Não fora essa conduta, a preocupação com o exterior seria fundamental, deixando-se em plano secundário o comportamento íntimo, esse sim, imprescindível à harmonia ou não da estrutura do ser.*

---

[4] Mateus, 15:11 (nota do autor espiritual).

Como herança atávica de doutrinas religiosas do passado, pessoas gentis fixam-se em condutas exteriores que impressionam, utilizando-se de recursos que sugestionam, produzindo impressões de uma ou de outra natureza, para realizar atividades espirituais. De um lado, é uma forma de chamar a atenção, de diferenciar-se dos demais e, de outro, trata-se de bengalas psicológicas *de sustentação interior, por falta de segurança e convicção lógica em torno dos objetivos que buscam realizar. Será sempre pelo pensamento e ações morais que os Espíritos se* afinizam *com as criaturas. As fórmulas, os cultos sacramentais, os exorcismos, salvadas raríssimas exceções em referência ao último, não surtem qualquer efeito nos fenômenos de desobsessão, antes constituem motivo para chacota por parte daqueles que se pretendem afastar ou, nos outros casos, atrair...*

Ante a conclusão da resposta, animei-me a mais uma indagação:

– *E o que dizer-se a respeito da mediunidade como um grande sofrimento para aqueles que lhe são portadores? Generalizou-se o conceito de que todo médium sofre muito, dificultando aos que desconhecem a Doutrina entregar-se-lhe ao ministério.*

– *Realmente* – respondeu com leve sorriso desenhado nos lábios –, *as criaturas humanas ainda se prendem muito aos mitos, às informações descabidas, tornando de caráter* sobrenatural, maravilhoso, *tudo quanto desconhecem. A mediunidade não poderia passar incólume a esse velho hábito, havendo dado lugar a conotações absolutamente destituídas de legitimidade. Como poderá a prática do bem proporcionar males àquele que o faz? Nada obstante, porque a mediunidade necessita de educação e desenvolvimento, especialmente no que diz respeito à vida moral do seu portador, as aflições naturais, que são decorrentes das dívidas do Espírito, são-lhe direcionadas como meio de expungi-las.*

O insigne codificador estabeleceu que existe a mediunidade de prova, *aquela que se apresenta de maneira atormentada, desvelando-se por meio dos sofrimentos no indivíduo, mas isto, porque ele delinquiu, estando incurso nos códigos da Divina Justiça. Não fosse através dos fenômenos mediúnicos, sê-lo-ia de igual maneira, por outros processos, qual ocorre em relação a todas as criaturas que não são médiuns ostensivos. Através da mediunidade, o resgate dos débitos dá-se de maneira produtiva, porque mediante as ações de beneficência e de autoiluminação, são diminuídos na contabilidade do devedor, facultando a correspondente liberação.*

Quando a abnegação e o devotamento do médium ajudam-no a superar a fase dos testemunhos que lhe são inerentes à evolução, o seu trabalho iluminativo alcança o caráter de missão.

Licínia, jovem médium encarnada, que acompanhava os diálogos com inusitado interesse, pediu licença para apresentar uma questão, no que foi carinhosamente atendida.

De imediato, perguntou:

– *De que maneira pode o médium precatar-se dos pensamentos doentios, nos dias dedicados à tarefa desobsessiva? Parece que, nessas ocasiões, sucessivas ondas de ideias nefastas alcançam a consciência mediúnica, atormentando o sensitivo. Como agir?*

Novamente, Dr. Ignácio, com paternal gentileza, esclareceu:

– *É necessário manter-se a consciência de que, nesses dias, os agentes da desordem encontram-se de plantão, e tentarão a todo custo alcançar as paisagens íntimas dos médiuns. Quando se trata de servidores dignos, que lhes não concedem campo de identificação, realizam o fenômeno da* ressonância mental, *enviando clichês vulgares em direção das suas mentes que, num momento ou noutro de descuido, de aborrecimento natural, de cansaço ou insatisfação, são alcançadas pela onda, sendo impressionadas pela contínua mensagem que lhes chega. Noutras vezes, conflitos arquivados no inconsciente, que não foram resolvidos, assomam durante esse período de paz, e que, para serem eliminados, devem ser aceitos, pensados naturalmente e liberados, sem o tormento de estar-se desejando libertar pelo simples movimento da cabeça, como se pudesse retirar alguma coisa que se lhe encontra aderida... Equivale a dizer que, ao chegar a ideia, o médium deve examiná-la, reflexionando no seu conteúdo e logo substituindo-a por outra de natureza edificante. Como ninguém pode ficar sem pensar, quando se é acuado por uma ideia infeliz, o melhor é passar a mentalizar algo superior.*

A atividade mediúnica sempre libera informações arquivadas no inconsciente profundo, às vezes, misturando-as com as transmissões produzidas pelos desencarnados. De alguma forma, é sempre positivo esse fenômeno, porque, ao largo do tempo, os tormentos não resolvidos, as heranças perniciosas de existências recuadas ou próximas, são diluídos ao influxo dos pensamentos que se exteriorizam. Por essa, assim como por outras razões, ocorre o animismo inconsciente, também salutar na liberação emocional do médium. Tudo está previsto nas Leis de Deus sempre de maneira favorável à evolução, desde que utilizado corretamente.

O amigo Bruno, que se mantivera em silêncio, reflexionando em torno das lições ali ministradas, aguardou oportunidade, e interrogou o benfeitor solícito:

– *Considerando-se a agressividade das Entidades espirituais obsessoras, violentas e dispostas aos enfrentamentos, como medida de preservação do médium, seria aceitável que se colocassem nas salas mediúnicas, como nesta, em razão da especificidade dos atendimentos, colchonetes ou equivalentes, nos quais a psicofonia atormentada se daria, facultando maior proteção ao sensitivo?*

– *Cabe ao médium educado* – respondeu o lúcido interlocutor – *filtrar os conteúdos emocionais das mensagens de que se faz portador, assim evitando verdadeiros pugilatos físicos entre os desencarnados e os encarnados. A questão não será resolvida através da força bruta, mas por meio das energias superiores que influenciarão o comunicante, diminuindo-lhe a ferocidade e mantendo-lhe o equilíbrio possível durante o fenômeno mediúnico. O Espírito jamais entra no corpo do médium, conforme equivocadamente algumas pessoas desinformadas acreditam, sendo toda e qualquer comunicação sempre através do seu perispírito, que irá atuar nos centros nervosos e neuronais, decodificando a mensagem e proporcionando a sua exteriorização. Desse modo, por mais que seja fiel a comunicação, nunca o será totalmente, como é compreensível, e em casos como o que estamos analisando, ocorrerá com a diminuição das forças perturbadoras...*

Uma que outra vez, algo raramente, em casos de zoantropia, sob segura direção dos dirigentes de ambos os planos, o médium pode levantar-se, movimentar-se, assumindo a deformidade *mediante a transfiguração, sem a necessidade de interferência do psicoterapeuta espiritual, por meio da qual o perispírito do comunicante reajusta-se, recompõe-se ao contato com o do encarnado, em mecanismo de refazimento da* estrutura – *da forma – que se encontra alterada. No entanto, somente através de médiuns sonâmbulos e profundamente moralizados, é que o fenômeno ocorre em atividades socorristas programadas. Fora delas, dá-se a injunção penosa, por assimilação fluídica, nos processos de vampirização, nos quais o indivíduo transtorna-se, perdendo a lucidez e padecendo de cruel subjugação. Nos outros casos de natureza caridosa, são necessários procedimentos dignificantes, esses que também elevem os Espíritos em sofrimento, em vez de preservar-lhes os comportamentos enfermiços.*

A mesa tem a função de proporcionar comodidade pelo apoio que faculta aos braços dos que a cercam, assim como de facilitar a postura correta na cadeira, para o corpo, evitando posições desagradáveis e prejudiciais. Ademais, nesses fenômenos em que os doutrinadores e seus auxiliares atracam-se com os Espíritos em psicofonia dolorosa, observamos um tumulto que agride a disciplina que deve viger em operações de tal monta.

Deve-se respeitar sempre o médium, evitando-se abraços e toques, controles manuais e seguranças que podem transformar-se, embora sem que se deseje de imediato, em recurso perturbador de natureza física... Quando se reúnem pessoas evangelizadas ou em processo de evangelização para servir, atraindo os Espíritos benfeitores, os recursos de proteção e de apoio procedem do Alto e são aplicados com sabedoria, sem alarde nem correrias ou vexames... Educar-se as forças mentais constitui, desse modo, um dever de todos, especialmente daqueles que se dedicam aos misteres mediúnicos de desobsessão.

Ante discreta expectativa, o caroável José Petitinga solicitou permissão para entretecer algumas considerações:

– As atividades mediúnicas, especialmente aquelas que se dedicam às terapias desobsessivas, constituem belo capítulo da Psiquiatria espírita, por penetrar nas causas profundas dos distúrbios psicológicos e mentais. Sendo o Espírito o enfermo, nele devem ser trabalhados os fatores que respondem pelos desequilíbrios, que são a rebeldia, a insensatez, o desalinho dos sentimentos, as heranças predominantes da sua natureza animal,

que o esclarecimento amoroso e persuasivo modificará. Todas as terapêuticas que apenas alcancem os efeitos são transitórias, porque a matriz do padecimento continua enviando vibrações desconcertantes, que se refletirão no conjunto orgânico, aparecendo como distúrbio de tal ou qual natureza. O importante não é o que se apresenta, mas o mecanismo através do qual se manifesta, sempre enraizado nos débitos morais do paciente.

Não poucas vezes, conforme constatamos amiúde, são necessárias cirurgias espirituais para retirar do perispírito as matrizes *de algumas afecções, de diversos transtornos, para que os efeitos saudáveis apareçam, posteriormente, no corpo somático.*

Tendo-se em vista a magnitude das intervenções desta natureza, a responsabilidade daqueles que se dedicam às práticas desobsessivas é muito grande, exigindo-se a presença de pessoas responsáveis, sérias, dedicadas e ricas de sentimentos de amor. É claro que não poderemos esperar que as equipes sempre se encontrem possuidoras desses requisitos. No entanto, como vivemos em contínua aprendizagem, cabe-nos trabalhar incessantemente para melhorar-nos, em vez de nos deixarmos arrastar pela monotonia, pelo deslocamento mental durante as reuniões. Cada membro do grupo mediúnico, desse modo, deve assumir responsabilidades que auxiliem o conjunto. A mediunidade é somente a faculdade que o organismo expressa. A sua função é neutra, cabendo àquele que lhe é portador a consciente aplicação dos seus inestimáveis recursos a serviço do Bem, assim como ao orientador espiritual valores morais para manter o clima de equilíbrio e ordem, indispensável em quaisquer serviços dignificantes.

A agitação, as movimentações de pessoas em socorro *aos médiuns em transe têm mais o objetivo de manter superstições desnecessárias e gerar ideias de força e de poder, que não existem, do que realmente produzir resultados benéficos. Jesus jamais necessitou de utilizar-se desses recursos grosseiros, ensinando-nos que através do amor, do diálogo honesto e grave, podemos influenciar os irmãos ignorantes com muito maior proveito, do que através da gritaria e da justa.*

Sempre me sensibilizo quando, atendendo aos irmãos sofredores, que se perderam a si mesmos, em recebendo a psicoterapia da palavra no intercâmbio mediúnico, vejo-os reconfortar-se, libertar-se da ignorância, da cegueira em que permaneciam, despertando para a realidade de que não se davam conta. Decênios de perturbação e dor, largos padecimentos e incontáveis aflições, em poucos momentos diluem-se ante a claridade e a pujança da divina luz do Evangelho que lhes abre os olhos da alma para entender realmente a finalidade da vida...

O adendo apresentado pelo querido amigo fez-me recuar no tempo, recordando nossas reuniões de socorro, quando a blandícia da sua voz e o seu sentimento de amor esclareciam os irmãos sofredores, levando-me às lágrimas de gratidão a Deus pela oportunidade que fruímos de haver convivido com o amigo no corpo físico...

Enquanto dialogávamos, os cooperadores desencarnados trabalhavam conduzindo os que se haviam comunicado para o recinto adrede reservado para retê-los antes da remoção definitiva para o Hospital Esperança ou outro local, conforme a necessidade de cada um.

Outros médiuns, convidados para as futuras atividades, apresentaram as suas interrogações, propuseram questões pessoais vinculadas à faculdade, que foram atendidas com bondade pela proverbial sabedoria do psiquiatra de Uberaba.

Avançávamos pela madrugada, quando se encerraram completamente os labores, e os companheiros encarnados foram reconduzidos aos lares, ensejando-nos prosseguir no recinto em observação e planejamento especial para os dias porvindouros.

O casal Antonelli exultava de justo júbilo ao lado de Jacques Verner, como antegozando as bênçãos que ali seriam vivenciadas em relação aos pacientes internados.

7

AS OBSESSÕES SUTIS E INSIDIOSAS

A sala onde, a partir de agora, iriam realizar-se as atividades socorristas de desobsessão, em face de ser um recinto, no qual os pacientes anteriormente recebiam os esclarecimentos espirituais e se beneficiavam com os passes fluídicos, ministrados pelos dedicados seareiros da caridade, irradiava suave luz que se alongava pelos corredores do pavilhão, no qual se encontrava instalada.

Espíritos afetuosamente ligados aos internados acorriam àquele recinto formoso para rogar, em oração, benefícios em favor da sua recuperação.

É certo que qualquer lugar onde se enuncia o nome de Deus e n'Ele se pensa logo se transforma em santuário.

Jamais um apelo da Terra é desconsiderado pelo Céu. Mecanismos sutis e de delicada engrenagem encarregam-se desse sublime intercâmbio, através das ondas de energia que preenchem todo o espaço, em variedade quase infinita, demonstrando que o amor está presente em tudo e vitaliza a todos que se lhe façam permeáveis.

Logo mais, em razão da ampliação dos serviços, com a presença de técnicos espirituais em socorros desobsessivos, que embora os houvesse antes, mais operacionalidade teria lugar no recinto, que se iria transformar em posto avançado de atendimento especial.

Amanhecia, quando Petitinga, Dr. Juliano e nós, afastamo-nos do pavilhão, dirigindo-nos a uma bela praça arborizada no centro da cidade.

A pujança de luz do Sol vencia lentamente as sombras que fugiam colorindo-se, enquanto a passarada em sinfonia fascinante bendizia a Natureza em festa.

Raros veículos e transeuntes movimentavam-se àquela hora, e o ar apresentava-se levemente perfumado.

Espíritos ociosos e vadios, viciados e em desalinho emocional, transitavam de um para outro lado, como se ainda estivessem vestindo a indumentária carnal, sem perceber-nos a presença na agradável pérgula adornada de rosas vermelhas que se abriam à luz em vitória crescente onde nos encontrávamos...

Percebi que a grande maioria era constituída de antigos residentes do lugar, que ainda não se haviam dado conta do fenômeno da desencarnação, apegados aos velhos hábitos que mantiveram durante a existência. De quando em quando, podíamos identificar também *rastros de luz* cortando o ar na direção do Alto, deixados por nobres mensageiros, quer encarnados ou não, que se afastavam das residências onde ali estiveram durante a noite...

Nesse clima de suave renovação, Dr. Juliano, ainda impressionado com o que tivera oportunidade de acompanhar, esclareceu:

– *A esquizofrenia, por exemplo, sempre me despertou um grande interesse. Na minha visão unicista da vida, delegava à genética a quase total responsabilidade pela então enfermidade mental, que também se apresentava como decorrência de doenças letais ou de recuperação difícil, do alcoolismo, das drogas, tornando-se-me difícil entender esse mecanismo. Reduzia toda a responsabilidade ao acaso que elegia uns, mais infelizes do que outros, para cercear-lhes a felicidade, interessando-me em encontrar procedimentos hábeis para diminuir-lhes os padecimentos ou, quem sabe, liberá-los totalmente deles.*

Fascinado pelas descobertas do Dr. Emil Kraepelin, nos seus estudos em torno da melancolia, hoje conhecida como depressão, passei a interessar-me pelos fatores psicológicos que a desencadeavam. Igualmente interessado pela incomparável contribuição do Dr. Eugen Bleuler, o eminente psiquiatra suíço que denominou a dementia praecox *como esquizofrenia, aprofundei os estudos nas causas endógenas a que ele se referia para entender essa terrível doença mental que ataca o ser humano em todas as idades, mas de preferência entre os 15 e 25 anos, quando a vida começa a florescer no corpo. As alterações de pensamento, as alucinações e delírios, a falta de discernimento, a ausência de interesse social, o abandono de si mesmo ou a agressividade, acabrunhavam-me, e envidei os melhores esforços para contribuir em favor da recuperação das suas vítimas.*

Hoje, com a visão das causas profundas, compreendo a justeza das Divinas Leis que alcançam os infratores conforme o estágio moral em que se encontram. Ninguém defrauda a vida inutilmente, sem deixar de ser alcançado pelo desencadeamento dos males que se permitiu. É natural, portanto, que as denominadas causas atuais, *nada mais sejam que efeitos daqueles desastres que cada qual se permitiu. Atualmente reconhecida, não mais como uma doença mental, mas como um conjunto de patologias diversas, é um látego aplicado à consciência leviana, a fim de reajustá-la aos Códigos Superiores.*

Felizmente, a Farmacologia conseguiu sintetizar diversas substâncias que mantêm o paciente em parcial equilíbrio, permitindo-lhe uma vida social relativamente normal, desde que permaneça em tratamento cuidadoso. Nessa ocasião, o discernimento pode induzi-lo à renovação moral, à mudança de comportamento, que lhe trarão benefícios muito maiores, reduzindo a intensidade da doença *em face da melhora espiritual do* doente. *Mediante a visão espiritista, no entanto, modifica-se totalmente o conhecimento em torno desse terrível transtorno psicótico, que toma conta de 1% da população terrestre. Podemos incluir nessa taxa os casos tipicamente obsessivos, muito difíceis de separá-los daqueles considerados clássicos, pela razão da semelhança de sintomas com que se manifestam.*

Deduzo que o perseguidor desencarnado, reencontrando aquele que o infelicitou, acerca-se-lhe e, pela Lei de Afinidade – débito-crédito –, emitindo as ondas do sentimento rancoroso, alcança e sincroniza com as matrizes *morais do endividado, como verdadeiros* plugues *que se lhe fixam, utilizando-me da linguagem recentemente aprendida, passando este último a experimentar o pensamento invasor, que lentamente o aliena, por desequilibrar as sinapses neuronais, o sistema nervoso central e algumas glândulas de secreção endócrina... Ao largo do tempo, o que era apenas uma influência perniciosa destrambelha a harmonia das comunicações mentais, transformando-se na decantada loucura...*

Quando silenciou, demonstrando o entusiasmo pelo que houvera visto e acompanhara, Petitinga completou:

– A reencarnação é a luz que aclara o entendimento lógico em torno dos incontáveis quesitos afligentes da existência humana. Demonstrando que cada Espírito é autor de suas conquistas e desgraças, faculta a reabilitação de quem erra e

estimula o progresso de quem acerta através dos mesmos processos pedagógicos do amor e do trabalho.

Chama-me a atenção, porém, na atualidade, a alta estatística de portadores do mal de Alzheimer, *padecendo de lamentável degeneração neuronal, em processo expiatório aflitivo para eles mesmos e para os familiares, nem sempre preparados para essa injunção dolorosa. Incompreendido o processo degenerativo, a irritação e a revolta tomam conta da família que maltrata o enfermo, quando este necessita de mais carinho, em face do processo irreversível. A segurança dos diagnósticos já contribui para que, no início, se possa atenuar e retardar os efeitos progressivos dessa demência assustadora. Sem dúvida, trata-se de um veículo expiatório para o paciente e o seu grupo familiar. Embora a gravidade de que se reveste essa degenerescência, adversários desencarnados pioram o quadro, afligindo a vítima em tormentosos processos de agressão Espírito a Espírito, em razão de o paciente encontrar-se em parcial desdobramento, pela impossibilidade de utilizar-se do cérebro, então alucinando-o pelo medo que alcança as vascas do terror...*

– Ignorava que, nessa demência, também pudessem ocorrer influências nefastas – referiu-se o psiquiatra baiano.

– Sem dúvida que, em todos os processos de resgate espiritual – continuou Petitinga –, *sempre existem dois envolvidos, e aquele que foi vítima sempre aproveita de qualquer oportunidade, sem compaixão, para desforrar-se de quem o prejudicou. A obsessão, por isso mesmo, é mais volumosa e sutil do que se conhece, mesmo nos estudos espiritistas atuais, porquanto, nem todos os quadros podem ser percebidos exteriormente, sendo muito comuns nos estágios do coma, da morte aparente, das degenerações cerebrais...*

– *Recordo-me de quando Alois Alzheimer* – referiu-se o psiquiatra – *estudou uma paciente, a senhora Augusta D., portadora de um tipo de degenerescência mental e nela encontrou os elementos cerebrais de estruturação dos seus alicerces para o conhecimento da enfermidade que posteriormente lhe recebeu o nome, em homenagem ao seu trabalho extraordinário, ainda mais se considerando o atraso da pesquisa óptica através dos microscópios, que ele conseguiu de forma exaustiva nas suas longas necropsias. Desencarnando a paciente, embora o diagnóstico estabelecido, foi constatado que ela falecera de outro tipo de enfermidade, mas abrira o caminho para o conhecimento desse flagelo neurodegenerativo. Foi ele quem descreveu, por primeira vez, em 1906, o que sucede com os* novelos neurofibrilares, *que são as modificações intracelulares que se apresentam no citoplasma dos neurônios, complicando diversos departamentos cerebrais.*

Como efeito desse processo, os pacientes têm afetada inicialmente a memória, sofrem distúrbios cognitivos, especialmente aqueles que respondem pela fala, pela capacidade de concentração, ampliando-se o desequilíbrio no raciocínio, na perda da orientação espacial, da habilidade para calcular, enfim, dos processos normais de lógica e de comportamento...

Anteriormente ignorada, a enfermidade era tratada como um estado de demência progressiva, sem possibilidade de reversão. Ainda hoje continua sem grande esperança de cura, em face dos danos graves produzidos ao cérebro, que se atrofia expressivamente, mas que, detectada precocemente, pode ter diminuídos os efeitos desastrosos... Então constato que, em se tratando de uma expiação, num processo terminal, não tem como ser estacionada, e menos, recuperada. O curioso, nesse quadro, é a hereditariedade, que exerce um papel fundamental na sua manifestação, comprovando que esses pacientes são Espíritos incursos em delitos idênticos e praticados juntos, não lhe parece? Pesquisadores atenciosos identificaram uma base hereditária através da descoberta de um marcador genético no cromossoma 21 em determinado grupo familiar, enquanto noutro a evidência induz à ação do cromossoma 19...

– *Exatamente* – concluiu Petitinga. – *Graças a essa ocorrência infeliz, os Espíritos acumpliciados retornam no mesmo grupo biológico, a fim de encontrarem os fatores predisponentes e preponderantes para a ação do perispírito na elaboração do corpo que propiciará o aparecimento da enfermidade moralizadora do endividado. Aquele, porém, que não consegue a dádiva da reencarnação, permanece na Erraticidade em aflição, vinculando-se ao antagonista quando as circunstâncias se fazem propiciatórias.*

As obsessões sutis são muito graves, porque passam quase despercebidas e, quando são anotadas, ei-las já enraizadas nos departamentos mentais e emocionais das suas vítimas.

Silenciou, um pouco, como que ordenando o raciocínio, e prosseguiu:

– *Em face dessas degenerações, o parkinsonismo, cujas raízes profundas estão no Espírito endividado, ao manifestar-se, enseja também a vinculação morbígena com os adversários vigilantes que lhe pioram o quadro, ensejando, desse modo, a recuperação moral do enfermo... Eis, portanto, como se inicia o tormento obsessivo que nem sempre culmina com a desencarnação do paciente.*

– *Assim considerando, a questão em torno das obsessões é muito grave* – adiu o Dr. Juliano. – *Conforme dados estatísticos confiáveis, a população de portadores da doença de Parkinson na Terra alcança na atualidade 1% das pessoas de mais de 50 anos, o que não deixa de ser quase alarmante. Surgem os primeiros sinais em forma de leves tremores que se tornam mais graves, aumentando progressivamente e consumindo a vítima. Graças à identificação dos neuropeptídeos, a dopamina especialmente, produzida na região denominada* substantia nigra, *no cérebro, que é encarregada de conduzir as correntes nervosas por todo o corpo, responde por essa cruel problemática da área da saúde. A sua ausência causa o desequilíbrio neurotransmissor, afetando os movimentos e dando lugar a outros distúrbios orgânicos sempre graves, porque irreversíveis.*

– Como se encaixa aí a vinculação obsessiva?

Petitinga refletiu calmamente, e respondeu:

– Algumas vezes, desde o berço, os litigantes permanecem mais ou menos vinculados psiquicamente. Aquele que reencarnou sofre a presença doentia do inimigo que o aflige, levando-o a uma infância atormentada, hiperativa ou molesta. Através dos anos, o sitiante aguarda que ocorra algum fator orgânico que lhe proporcione o desforço, instalando o seu pensamento nos delicados tecidos mentais, passando a desestabilizar as sinapses e a gerar perturbações nos diferentes sistemas nervosos: simpático, parassimpático, voluntário e central... Lentamente têm início os distúrbios em relação à vida vegetativa, à pressão arterial, aos fenômenos respiratórios, facultando a instalação de doenças orgânicas.

Nos processos degenerativos parkinsonianos, esse procedimento vibratório mais inibe a produção de dopamina e afeta igualmente as musculaturas vinculadas ao sistema nervoso autônomo, dando lugar à perda de equilíbrio. Compreendemos, porém, que nem todos os casos tenham influenciação obsessiva, porque há muitos Espíritos em recuperação dos seus delitos, mas portadores de outros valores que os resguardam da interferência malsã dos inimigos desencarnados.

Quando os investigadores científicos puderem dedicar maior atenção às pesquisas parapsíquicas, especialmente aquelas de natureza mediúnica – pois que, na base da ocorrência, sempre se está diante de um fenômeno mediúnico de longo porte –, serão encontradas respostas para muitas incógnitas defrontadas nas terapêuticas aplicadas às enfermidades. Em alguns pacientes – não obsidiados – os resultados são surpreendentes, enquanto noutros – os obsidiados – os efeitos são quase nulos, quando não apresentam sequelas, às vezes, injustificáveis, que são decorrentes dos fluidos doentios emitidos pelo agressor e assimilados pelas delicadíssimas engrenagens nervosas.

Após o silêncio natural, dando-nos conta de que as horas avançavam, resolvemos pelo retorno à clínica, onde nos aguardavam as atividades sob a direção do Dr. Ignácio Ferreira.

O dia estuava de luz, e, em lá chegando, encontramos o caro amigo na sala de repouso que nos fora reservada, acompanhado pelos demais membros do compromisso espiritual.

Com bonomia e bem-humorado, recebeu-nos, explicando que iríamos acompanhar um paciente que logo deveria ser internado, procedente de uma cidade próxima. Ele fora informado da problemática por devotado cooperador da Casa.

Ato contínuo, acercamo-nos da recepção da clínica, e vimos chegar uma ambulância que trazia um senhor praticamente hebetado, com aproximados quarenta anos de idade, em deplorável estado de desgaste orgânico. Visivelmente vencido pelo medicamento que lhe fora aplicado, observei-lhe as companhias perversas que se nutriam das parcas energias de que era portador. Deduzia-se que se encontrava dominado por pertinaz obsessão de efeitos devastadores e de demorado curso...

Após os procedimentos formais, foi levado a uma enfermaria onde se alojavam mais outros três pacientes quase dementados, onde ficou instalado.

Algum tempo depois, com o prontuário em mãos, um jovem psiquiatra acercou-se-lhe, para uma avaliação, não ocultando a preocupação que se lhe estampou no semblante. O enfermo era um cocainômano inveterado, que ali estivera anteriormente em processo de *desencharcamento*, de modo que pudesse ter uma sobrevida maior, caso se resolvesse pela libertação do vício, o que se constatava não haver conseguido.

O especialista fez as anotações competentes ao seu atendimento, deixando-o sob a vigilância e os cuidados da enfermagem.

Enquanto isso, Dr. Ignácio auscultou-o com cuidado e, solicitando a ajuda de Petitinga, para que lhe aplicasse passes dispersivos, a fim de desligar parcialmente o Espírito atoleimado, facultando-lhe melhor exame da ocorrência em profundidade.

Silenciosos, em atitude de prece, acompanhamos o trabalho de socorro em processamento, vendo o paciente deslocar-se do corpo que entrou em pesado torpor. Simultaneamente acompanhamos a algazarra dos vingadores que se compraziam em atormentá-lo através de doestos que não eram escutados e das gargalhadas de mofa em relação a qualquer possibilidade de refazimento orgânico para ele.

Nesse momento, adentrou-se nosso irmão *justiceiro*, que vinha informar-se a respeito do novo paciente, no que foi atendido por um dos perseguidores do recém-chegado. Embora o seu fastígio e arrogância, não nos pôde ver, assumindo a ridícula postura de representante da organização de justiça local, como fez questão de enfatizar.

Pudemos observar que o Dr. Ignácio, sem preocupar-se com a presença do indigitado obsessor, deteve-se na análise do Espírito em atendimento, apontando os fulcros energéticos nos quais se instalavam algumas *matrizes* psíquicas deletérias, que serviam de vinculação entre ele e os seus exploradores.

Convidando a querida senhora Modesto, pediu-lhe que aplicasse a mão direita sobre o *chakra cerebral* do paciente e que procurasse identificar as causas do problema inscritas nos recessos do inconsciente profundo através da ação plástica do perispírito.

Não se fazendo de rogada, a dedicada médium acercou-se, e profundamente concentrada, tocou a região indicada, proporcionando que a mesma se abrisse em pouco tempo, desvelando sucessivos cenários de ocorrências arquivadas que nos surpreenderam.

Com voz pausada, Dr. Ignácio esclareceu que o enfermo trazia escrita a história dos seus crimes na memória do passado, de cujos acontecimentos resultara o desequilíbrio que agora enfrentava.

– *Nosso irmão* – enunciou, sereno – *aqui esteve reencarnado, nesta região, em dias não muito distantes do desenvolvimento agrário destas terras. Europeu de nascimento, fez parte de uma grande migração que se instalou neste Estado, trabalhando com afinco e amealhando sólida fortuna. Inescrupuloso e venal, passou a explorar outros compatriotas, que também anelavam por independência econômica, escravizando-os praticamente em trabalhos exaustivos e degradantes. Tornados seus colonos, muitas das famílias que trabalhavam para ele sofreram o guante terrível das suas perversões e desvarios sexuais, infelicitando jovens indefensas que eram posteriormente entregues ao comércio carnal na cidade, nas cercanias ou na capital, graças a sequazes mantidos a seu soldo. Os anos transcorreram enganosos para ele e terríveis para as suas vítimas até que a morte a todos arrebatou.*

O seu despertar no Além foi terrífico, pois que, de imediato, defrontou o grande número de vítimas que providenciaram severas punições em redutos infames de ódio e torpeza moral, onde esteve por mais de vinte anos. Graças à interferência da mãezinha, foi recambiado à reencarnação, voltando aos mesmos sítios, como herdeiro de si mesmo, a fim de recuperar-se dos muitos males praticados...

A consciência de culpa afligiu-o desde a infância e as vinculações com as vítimas que não puderam ser impedidas, em face da Lei de Afinidades vibratórias, facultaram o ensejo de atormentá-lo, desde cedo, fazendo-o reviver as cenas hediondas do presídio na Erraticidade inferior onde esteve em punição, enquanto o sítio do ódio aturdia-lhe o pensamento. Na adolescência atormentada, descobriu-se com incapacidade para o uso do sexo, que o atirou em depressão profunda, quando começou o uso de alcoólicos, de cocaína... Os estudos não puderam oferecer-lhe um título universitário apesar dos esforços dos genitores atuais, que terminaram por sucumbir de angústia à morte, pelos disparates e escândalos perpetrados pelo quase alienado...

Recolhido anteriormente a este nosocômio, depois de conveniente atendimento especializado e abstinência das drogas, apresentou melhoras não muito significativas que o levaram de volta ao lar, onde, passado pouco tempo, voltou à lamentável dependência da droga...

O seu conflito mais grave é na área sexual, assinalada pelos abusos e crimes praticados anteriormente. A impotência fisiológica é resultado do desgaste perverso da sagrada função procriativa, de que se beneficiou na extravagância e na hediondez da sua prática.

Sentindo-se poderoso, porque jovem, formoso e rico, não podendo dar vazão aos impulsos malcontidos do organismo, debate-se no desespero, açodado pelos inimigos que o estimulam e lhe pioram o quadro através de pensamentos libidinosos e desestruturadores... Ei-lo, então, com os problemas derivados do comportamento mórbido, açulado pelo ódio das suas vítimas...

Nesse momento, nobre Espírito em vestes femininas adentrou-se na enfermaria e logo percebemos tratar-se daquela que lhe fora mãe nos dias anteriores à atual existência, e que intercedia por ele, o filho alucinado e infeliz.

Saudou-nos com delicado sorriso e agradeceu ao Dr. Ignácio a síntese biográfica apresentada, que confirmou, entristecendo-se.

Dona Modesto retirou a destra da fronte do paciente e desapareceram os quadros que ali podíamos observar, como se fossem impressos num pequenino *écran* de televisão.

Com a ternura habitual às mães, explicou:

– Anselmo é Espírito muito querido, que o tempo vem trabalhando sem que se operem os resultados positivos almejados. Enrijecido pelos hábitos doentios, não tem conseguido realizar a necessária mudança de comportamento mental, a fim de ajustar-se aos programas iluminativos que estão ao seu alcance. Aqueles que o amamos, temos investido um expressivo cabedal de afeto e paciência, que ele não tem conseguido absorver, transformando em conquistas libertadoras das paixões que o encarceram na ignorância e na crueldade. Em face do processo longo de alucinações cometidas, aqui chega hoje em deplorável estado de aflição, para mergulhar em recurso expiatório irreversível, nesta existência, como delineamento para as experiências do futuro...

Muito agradecemos a cooperação dos queridos amigos que se dispõem ao misericordioso concurso terapêutico. Nas minhas rogativas ao Divino Médico, havia suplicado para o querido infrator mais uma oportunidade, e eis que a resposta celeste chega em forma de compaixão e apoio.

Dr. Ignácio, que estava informado da problemática, acercou-se-lhe, e gentilmente anuiu, complementando:

– *Quando recebemos o seu prontuário espiritual e observamos a gravidade do seu problema, procuramos penetrar-lhe as causas profundas da alienação, detectando o transtorno de conduta que se tem permitido.*

Pelo que nos foi possível observar, é muito grave a sua atual situação. Isto, porque entre as várias Entidades espirituais que o odeiam, uma delas localiza-lhe a concentração mental no aparelho genésico, agravando a perturbação funcional de que é objeto. Concomitantemente, outro inimigo insidioso domina-lhe o centro da vontade mediante contínua indução ao consumo da droga perversa. Como consequência, a arritmia cardíaca denuncia grave conjuntura no órgão, visivelmente afetado pela ação química da substância longamente absorvida.

– *Acredito que o filho querido* – assinalou a dama espiritual – *deverá retornar dentro de algumas horas. A minha preocupação é com o prosseguimento do seu martírio obsessivo, desde que as vinculações com os adversários são muito poderosas. Assim pensando, venho interceder junto ao dedicado psiquiatra, no sentido de impedir o seu arrastamento pelos inimigos a alguma região inferior ou, por sua vez, permanecer em deperecimento de energias absorvidas pelos seus atuais verdugos.*

Ela silenciou, por brevíssimo instante, logo aduzindo:

– As suas têm sido dores morais muito profundas, que o levaram à fuga espetacular pela drogadição e pela obsessão... Não dispôs, na sua angústia, de tempo mental para a reflexão, martirizando-se com a culpa inconsciente instalada nos refolhos da alma, sem valor espiritual para o enfrentamento. É uma existência talada em pleno desenvolvimento. O seu retorno ao Grande Lar faz-se inadiável, a fim de que não mergulhe no abismo do suicídio conforme planejam os seus adversários.

Dr. Ignácio reflexionou um pouco, e expôs:

– Poderemos induzi-lo a um longo sono, qual se fora um coma de longo porte, preparando-o para o desprendimento espiritual definitivo, de acordo com a anuência do Plano superior, que certamente a nobre genitora já conseguiu.

– É claro que sim – afirmou, comovida. *– Interferimos junto aos elevados programadores da reencarnação, explicando a necessidade de ser-lhe concedida uma nova chance com caráter expiatório, após esta existência, na qual teria tempo para meditar a respeito das Leis Divinas, havendo recebido o necessário consentimento.*

– Como o momento é propício, intentemos, então, a terapêutica oportuna e salvadora.

Convidando-nos a todos à oração, vimo-lo concentrar-se de forma inabitual, envolvendo-se em diáfana claridade, quando se adentrou na enfermaria nobre Espírito que examinou o paciente, e explicou ao Dr. Ignácio:

– Será fácil deslocar um pequeno coágulo sanguíneo e encaminhá-lo ao cérebro, ensejando-lhe um acidente vascular cerebral de expressivo curso, localizando-o no hemisfério esquerdo, cujos efeitos lhe serão benéficos...

Demo-nos conta que o visitante era um hábil neurocirurgião, ora sediado no Sanatório Esperança, que lhe atendera a solicitação mental e viera em seu socorro.

Observamos o esculápio examinando o aparelho circulatório do paciente, logo explicando:

– *Notamos que o nosso enfermo é portador de grave problema nas carótidas, especialmente na lateral esquerda. Será muito fácil deslocar-lhe um pequeno trombo que irá proporcionar-lhe uma isquemia cerebral de larga proporção, obstruindo-lhe delicada área de comunicação motora, verbal, sem anular-lhe o raciocínio, o fluxo do pensamento, ajudando-o a despertar para a autoconsciência.*

Ao contínuo, Dr. Ignácio convidou-nos a uma atividade desobsessiva, na qual dona Matilde e dona Modesto deveriam contribuir mediunicamente, atraindo as duas Entidades mais vinculadas ao paciente, deslocando-as dos *chakras* aos quais se fixavam, ao mesmo tempo que seriam realizados os procedimentos para a produção do acidente vascular cerebral.

Eu me encontrava encantado com os recursos para mim desconhecidos, de que se utilizam os benfeitores espirituais a fim de contribuírem para a recuperação moral dos calcetas e impertinentes defraudadores das Divinas Leis, trabalhando sempre com amor. Assim pensando, dei-me conta que, invariavelmente, o que se apresenta como um mal constitui terapia salutar para excelentes resultados no bem e na saúde.

Não fora essa a primeira vez que acompanhava algo dessa natureza, porém, não do mesmo porte.

Isto posto, ficou estabelecido que, naquela mesma noite, após as 23h, seria realizado um labor desobsessivo no plano espiritual, tendo em vista a desestruturação de Anselmo, o paciente irresponsável e recalcitrante que, nada obstante, era amado e credor de carinhosa ajuda, embora dolorosa, tendo-se em conta os promissores resultados futuros.

O médico especialista convidado e a nobre genitora devotada solicitaram permissão para retirar-se, ficando estabelecido o horário referido para os procedimentos espirituais em benefício do paciente adormecido.

Logo depois, Dr. Juliano Moreira interrogou o colega uberabense:

– *Confesso que ignorava totalmente este programado recurso terapêutico. Equivale a dizer que os Espíritos nobres podem desencadear distúrbios orgânicos com vistas à recuperação moral dos enfermos?*

– *Sim* – concordou o interlocutor. – *Convém não esquecermos que nos encontramos no mundo das causas, da energia, e que os fenômenos orgânicos podem ser produzidos desde aqui, através da movimentação de forças específicas. Vejamos o caso do nosso Anselmo. Ele se encontra com diversas artérias muito comprometidas com excesso de gordura, com alguns depósitos lipídicos nas suas paredes – ateromas – e que, estimulados por vigorosa descarga mental bem orientada, podem ser deslocados e seguir a corrente sanguínea até obstruírem vasos de pequena calibragem, porém essenciais na irrigação, especialmente no cérebro. Advirão, por consequência, as paralisias correspondentes às áreas afetadas...*

– *É bastante lógico* – concordou, meneando a cabeça afirmativamente.

Quanto vã é a nossa filosofia, na Terra! Não posso deixar de parafrasear Shakespeare...

Como ficam sem qualquer respaldo as teses afrontosas de que o pensamento é resultado do quimismo cerebral, quando esse é, em realidade, o fator que mantém a produção dos agentes eletroquímicos para as neurocomunicações!

Passamos o dia observando os pacientes psiquiátricos e procurando encontrar a linha provável de divisão entre o transtorno fisiológico e o de natureza obsessiva, que se confundem, em face das idênticas manifestações doentias com muito sutis delineamentos específicos.

O espetáculo no pátio em que se reuniam era deprimente, em razão da perda de discernimento de alguns em delírios da imaginação e em captação telepática das imagens mentais que lhes eram impostas.

Alguns enfermeiros de formação espírita, pacientes e gentis, dialogavam com alguns pacientes, enquanto outros cooperadores mantinham o sentimento de fraternidade e de compreensão dos seus distúrbios emocionais e mentais.

Em razão das vibrações e das preces que ali eram habituais, faziam-se menos penosas as exsudações psíquicas dos doentes e dos Espíritos infelizes misturados no comércio tenebroso das explorações de energias.

8

Operações socorristas

Em conversação edificante, Dr. Ignácio Ferreira esclareceu-nos que a decodificação do genoma humano, que houvera sido decifrado e apresentado num primeiro rascunho, algo recentemente, oferecia aos estudiosos terrenos de mais ampla visão em torno dos quadros da saúde e da doença, por se encontrarem assinalados na sua estrutura.

Desejando que entendêssemos o que gostaria de elucidar, informou-nos:

– *Esse código da hereditariedade da vida, segundo os especialistas, encontra-se escrito em 3 bilhões de letras, de forma complexa e muito delicada, expressando-se em quatro letras (ou caracteres). Desse modo, cada célula do corpo humano possui toda a história do ser, através de informações especiais, que são fixadas pelo perispírito durante a vilegiatura carnal de cada Espírito.*

As mutações que nele ocorrem, muito intrigantes para os pesquisadores, são responsáveis pelos registros de futuros fenômenos orgânicos, emocionais e mentais, como resultado das vibrações emitidas pelo ser real – o Espírito – que imprime, através do seu órgão intermediário, todas as necessidades *evolutivas que se expressam como saúde ou enfermidade.*

Processos degenerativos, como parkinsonismo, mal de Alzheimer, *distrofia muscular, diabetes, câncer e outros, por exemplo, estão codificados no genoma do DNA, aparecendo oportunamente, na ocasião em que se devem cumprir as determinações das Leis da Vida. A morte dos neurônios produtores da dopamina, por exemplo, responde pela* síndrome de Parkinson, *reduzindo o volume do cérebro e* petrificando-o, *o que o torna irrecuperável.*

Nada obstante, embora a ocorrência traduza uma deficiência ou mutação genética, defrontamos aí o impositivo da necessidade de reabilitação do Espírito calceta, sob a injunção provacional ou expiatória, conforme se apresente a doença.

Com os avanços derivados da decodificação do Projeto Genoma Humano, acreditam os neurocientistas que a futura Medicina, qual sucede hoje, terá um caráter preventivo, quando se poderá obter um documento digital de cada indivíduo, com os dados informativos a respeito de futuras enfermidades graves que se lhe encontram programadas, realizando tratamentos especiais antes do seu desencadeamento. Embora a nobreza de propósitos dessa possibilidade, muitos desafios surgem, especialmente no campo das informações pessoais e confidenciais que podem ser vazadas, gerando diversos problemas para aqueles que apresentem sinais de futuros cânceres, diabetes ou outros males, que ficariam impedidos de conseguir emprego, adquirir apólices de seguros de vida etc. Entretanto, um avanço de tal porte já enseja melhores possibilidades para a existência humana saudável, aguardando-se o estabelecimento de uma bioética valiosa, para esse como para outros campos de pesquisas, quais os das células-tronco embrionárias, da clonagem e de diversos procedimentos ora em estudos e debates acirrados.

Reflexionando, mediante uma pausa oportuna, o nobre psiquiatra continuou:

– *Prosseguindo-se nessa marcha evolutiva de conquistas quase inabordáveis na Genética, na Biologia molecular, na interação mente–corpo, logo chegarão os investigadores mais dedicados à realidade Espírito–matéria e aos significados disso decorrentes. Quando tal acontecer, a Medicina Preventiva terá um alto grau de representação moral, cujo código impresso no Evangelho de Jesus, será o mais seguro processo terapêutico preventivo e curador para todas as mazelas humanas, contribuindo essa conduta espiritual para impedir algumas das mutações que ocorrem no genoma, como imposição de doenças necessárias ao crescimento moral do Espírito.*

Mais próximo do projeto divino, o ser humano compreenderá melhor a finalidade da vida física e se aplicará os melhores métodos para bem vivenciá-la.

Quando silenciou, observou que as suas palavras finais foram também ouvidas pelo nosso gentil amigo Dr. Hermínio, o neurocirurgião do Sanatório Esperança, que chegara para a tarefa programada.

Como a solicitar-lhe opinião, Dr. Ignácio sorriu para ele e desculpou-se:

– *Reconheço que essa não foi a área a que me dediquei na Terra, nada obstante, venho participando de um grupo de estudos, no Sanatório Esperança, em torno do genoma humano, por ser especialmente fascinante esse portador de tão grandiosos caracteres encarregados de atender aos impositivos do processo da evolução, ensejando-nos entendimento mais completo em torno das Leis da Vida.*

Sentindo-se diretamente convidado a opinar, o amigo, que aparentava pouco mais de 50 anos, considerou:

– A minha desencarnação sucedeu como efeito de uma desgastante leucemia. Aparentemente sempre gozara de saúde invejável. Mantinha o carro da existência dentro dos padrões de equilíbrio: alimentação saudável, exercícios regulares, trabalho sem excesso, leitura, a bênção do lar e de uma família harmoniosa, quando, aos 54 anos, surgiu-me o processo degenerativo dos órgãos hematopoiéticos, que me levou a severo tratamento hospitalar. Todos os recursos possíveis, em respeitável hospital da cidade de São Paulo, no qual eu trabalhava, foram colocados à minha disposição, incluindo a cirurgia de transplante de medula... Tudo redundou inútil, trazendo-me de volta ao Grande Lar.

Passado o largo período de adaptação e ajustamento às circunstâncias, intrigado com a leucemia que me vencera, logo me foi possível passei a estudá-la com venerando mestre de nossa Comunidade, vindo a descobrir que ela procedia não de qualquer possível hereditariedade, mas da mutação de alguns genes, uns deles denominados saltadores, *que me proporcionaram o desenvolvimento desordenado dos leucócitos, assim como das células que os precedem no sangue e na medula óssea... Era como se eu estivesse marcado desde o nascimento para experienciar esse doloroso processo.*

Sem dúvida, surgiram-me indagações profundas, levando-me a pensar na possibilidade de haver podido evitar essa fatalidade, caso houvesse tido conhecimento anterior. Apesar disso, essa ocorrência procedia de comportamentos extravagantes que me permitira em anterior existência e que me assinalaram de maneira irreversível... Por essa razão, acredito que, mesmo quando seja possível identificar-se as futuras enfermidades fatais nos indivíduos, a maioria delas resistirá à terapia preventiva, por se tratar de reabilitação moral do Espírito que a padecerá.

Atualmente, mais bem informado a esse respeito, considero de notável significado as conquistas científicas nessa área na Terra, mas não acredito que se deva atribuir à hereditariedade todos esses fenômenos. No meu caso, eu fui a primeira vítima da ocorrência na família e não mais um na lista das heranças... Isso me leva também a considerar que o livre-arbítrio exerce um papel de importância no comportamento, proporcionando antecipar esses acontecimentos ou postergá-los.

A ditadura *genética, portanto, tem limites, no que diz respeito aos fenômenos psicológicos, desde que a educação e o meio ambiente operem valiosa contribuição, imprimindo no perispírito novas condutas que se transformarão em energias desencadeadoras ou retardatárias dessa fatalidade...*

Os comentários valiosos constituíram-nos material para meditação oportunamente e aprofundamento quando as circunstâncias o permitissem.

Às 23h, dirigimo-nos à sala reservada às atividades espirituais, a fim de nos prepararmos para o atendimento a Anselmo, que se encontrava assistido por devotado trabalhador espiritual da clínica, embora permanecessem as vinculações com os adversários do passado, que lhe exploravam as resistências psíquicas, emocionais e também físicas, em vampirismo prolongado.

Nesse comenos, a sua genitora adentrou-se no recinto com o semblante inundado de paz, confiando no Supremo Pai, em face da questão de alto significado que seria solucionada em breves momentos.

As bondosas senhoras Matilde e Modesto, sempre joviais, aguardavam confiantes os labores que seriam realizados, entregues, totalmente, ao sentimento de caridade.

Dr. Ignácio e Dr. Juliano ausentaram-se, rumando na direção da enfermaria em que se encontrava o nosso paciente e, após alguns minutos, trouxeram-no desdobrado parcialmente, sobre uma padiola conduzida por dois servidores desencarnados que ali operavam.

Sob a orientação segura do Dr. Ignácio, formamos um semicírculo em volta do leito que recebera Anselmo e, após uma oração repassada de imensa ternura proferida por Petitinga, foram aplicados passes longitudinais no enfermo, objetivando retirar-lhe as densas concentrações de morbo espiritual transmitidas pelos perseguidores.

Durante a operação o paciente gemia dolorosamente, porque na mente ressumavam as imagens afligentes que não conseguia impedir de experienciar, até que, após alguns instantes, asserenou-se em sono tranquilo e refazente.

A um sinal com a cabeça em direção de dona Modesto pelo diretor da reunião, a gentil senhora concentrou-se e, de imediato, em transe mediúnico, transfigurou-se. Automaticamente atraindo um dos perseguidores de Anselmo, a senhora convulsionou um pouco e com estertores na voz, pôs-se a vociferar:

– *Que se pretende fazer com o miserável? Tomá-lo de nós e libertá-lo, sem que se recupere da hediondez que lhe é natural? Onde a decantada Justiça Divina? Após todos os crimes praticados, pensa-se em recompensá-lo, liberando-o do sofrimento, sem o menor respeito pelas suas vítimas que somos muitos de nós aqui presentes?*

Com serenidade e compreensão, Dr. Ignácio esclareceu-o:

– *Longe de nós o desejo de libertar o encarcerado antes que se ajuste aos impositivos da Lei de Ação e de Reação. O nosso propósito constitui-se de auxílio fraternal a ele e aos demais que fazem parte da sua infelicidade. Sabemos dos horrendos crimes por ele praticados, no entanto, não ignoramos a cobrança perversa que algumas das vítimas se atribuem o direito de impor-lhe. Não é esse o método que deve ser aplicado, mas o do perdão, porquanto todos erramos e temos direito à reabilitação. O nosso amigo já sofreu o suficiente, amargando praticamente toda uma existência sob a sujeição que lhe tem sido imposta, sem paz nem alegria de viver, transitando entre perturbações interiores e punições que lhe são aplicadas indevidamente.*

O fato de buscarmos atendê-lo, de forma alguma constitui recompensa pelos erros, com o consequente olvido das suas vítimas. O nosso trabalho tem por objetivo libertá-los também, considerando que todo cobrador é infeliz em si mesmo, malbaratando o tempo que poderia aplicar para a felicidade em injusta cobrança que não lhe é permitido realizar, porque somente Deus dispõe de todos os elementos para estabelecer os critérios de resgate, sem gerar novos devedores...

– Não concordamos com o que diz, nem aceitamos essa explicação, nós todos, aqueles que sofremos sem receber qualquer auxílio de Deus e dos seus representantes que nos relegaram ao abandono, à mercê da própria sorte, aos desatinos do perverso...

– Não nos consideramos representantes de Deus – elucidou o orientador espiritual –, *antes somos irmãos deambulantes pelo mesmo caminho das dificuldades pessoais, sob a Tutela Divina que nunca nos esquece...*

Enquanto o amigo informa que esteve sem o auxílio do Pai Celeste, olvida-se de que essa não foi a sua primeira existência, trazendo pesada carga de deslizes morais de outras que não soube perlustrar, o que deu origem aos sofrimentos que Anselmo não tinha o direito de impor, em razão da impossibilidade de qualquer criatura utilizar-se da adaga da Justiça como portador de poderes para tanto. Não existem acasos nas Soberanas Leis, desse modo, os efeitos que se observam em toda parte procedem de ocorrências que, mesmo esquecidas, produziram-nos em longo prazo. Todavia, não nos cabe aqui relacionar os fatores que desencadearam as suas e as dores das demais vítimas do nosso infeliz companheiro, mas evitar que novas injunções sem cabida venham transformar-se em geratrizes de futuras e complexas aflições para os seus autores.

– Que pretendem fazer com ele? Ouvimos dizer que irão liberá-lo do corpo, assim escapando de nossos propósitos?

– O nosso planejamento – redarguiu Dr. Ignácio – *prevê a libertação espiritual do enfermo, retirando-o do presídio material, o que ocorrerá com ou sem a nossa interferência. Através da nossa cooperação, o fato lhe permitirá recursos mais próprios para o ressarcimento de todos os males que praticou, o que lhe é um direito concedido pela Misericórdia do Amor. Esse procedimento irá auxiliá-lo a comprometer-se menos, conforme vem ocorrendo na sua descida aos abismos do vício das drogas...*

– E nós, os seus desditosos dependentes, como ficaremos?

– Todos serão atendidos e encaminhados a lugares especializados em recuperação interior, com abençoados ensejos de renovação interna e de crescimento para Deus.

– E se nos recusarmos, usarão algum recurso de força para impor-nos aquilo que não desejamos?

– De maneira nenhuma! O nosso é trabalho de persuasão e não de imposição. Esperamos que os nossos sentimentos de amor e de compaixão logrem sensibilizá-lo e aos demais irmãos que fazem parte do grupo de vítimas, a todos despertando para o renascimento interno, para a constatação de que todo esse tempo gasto no ódio em nada os tem ajudado, antes, pelo contrário, a

todos tem prejudicado, adiando projetos de iluminação e programas de libertação pessoal.

Enquanto se dirigia ao comunicante com bondade e ternura, uma das Entidades do grupo, que apresentava uma fácies cadavérica, por certo resultado de um processo tuberculoso de longo curso, com aspecto de quase louca, pôs-se a gritar:

– *Socorram-me, por amor de Deus, porque estou muito cansada de tanto sofrimento! Já não suporto mais a agonia que me consome. Ajudem-me...*

Petitinga, sempre vigilante e em perfeita sintonia com o diretor do trabalho, tomou-a carinhosamente pelas mãos e confortou-a, acalmando-a e propondo-lhe proteção e paz. O seu doce verbo, banhado pelas consoladoras palavras de Jesus dirigidas aos sofredores do mundo, escorria-lhe do íntimo e balsamizava o Espírito sofrido, que se lhe recolheu ao regaço, qual se fora uma criança atemorizada que acabara de encontrar apoio.

Dr. Juliano tomou-a pela mão e encaminhou-a a um leito adrede colocado na sala, entre outros que aguardavam os futuros pacientes.

Logo depois, mais alguém se rendeu ao verbo do doutrinador, que embora dirigido àquele com o qual dialogava, alcançava os demais ouvintes presentes, iniciando-se a libertação de Anselmo, em face da mudança de atitude dos seus algozes.

O ligeiro tumulto parecia haver sido previsto, porque não houve qualquer distúrbio na atividade, mantendo-se todos em tranquilidade, sendo tomadas as providências compatíveis com cada ocorrência.

Nesse ínterim, o *justiceiro* com os seus sequazes apareceram à porta e tentaram entrar, sem o conseguir, em razão das defesas magnéticas que guardavam o ambiente, pondo-se todos a blasfemar em desvario.

Foi quando o irmão comunicante esbravejou:

– *Que se passa com esse bando de covardes, que desertam do campo de batalha antes da vitória? Que artes demoníacas estão usando para atemorizá-los? Todos temos um compromisso com o desgraçado que nos vitimou, destruindo nossos lares e nossas existências. Por que a deserção?*

– *Como o irmão constata* – redarguiu, muito calmo, o orientador – *as nossas são as* artes *do amor e da luz, que lhe estamos colocando à disposição, a fim de que aproveite a feliz oportunidade que o Senhor lhe concede. Já se passaram muitos anos desde a ocorrência nefasta que os afligiu, não se podendo prolongar indefinidamente, por capricho da ignorância e da perversidade também das suas vítimas.*

Ninguém sofre sem razões justas, embora desconhecidas na ocasião em que surgem as dores. A Lei de Causa e Efeito funciona por automatismo, recolhendo, nas suas malhas, todos aqueles que estão comprometidos com a Divina Justiça. Não cabe, pois, àquele que se considera vítima, o direito de impor cobrança indébita por desconhecimento dos fatores que desencadearam o transtorno.

Felizmente, os irmãos da agonia despertam ante a nova realidade e optam pela felicidade ao invés do ódio, preferindo a liberdade à escravidão, ao capricho da vingança que somente conduz a dores mais acerbas. Com sabedoria buscam o auxílio do Amor que nunca nos abandona, enquanto o irmão e amigo prefere a alucinação do egoísmo e do desforço, sem dar-se conta de que infringe a Lei na qual deseja apoiar-se. Desperte, portanto, e renove-se, porque este é o seu momento de iniciar novo roteiro na direção da felicidade.

Nesse instante, a mãezinha de Anselmo acercou-se do infeliz e deixou-se perceber, enquanto lhe falou com ternura:

– *Recordai-vos de mim?*

O sofredor olhou-a com expressão de espanto e não sopitou a emoção que irrompeu de chofre:

– *Senhora! Sempre fostes um anjo, embora sendo mãe do desnaturado. Vindes dos Céus buscar-nos no inferno ao qual o vosso filho nos atirou?*

– *Não, irmão querido* – respondeu com doçura e emoção. – *Sois todos filhos do coração que ama, cada qual numa postura humana. Também vos tenho na condição de filho da alma, embora as circunstâncias diferentes em que nos encontrávamos quando na Terra. O meu desvairado Anselmo sempre foi um enfermo espiritual, digno de receber compaixão ao invés de ódio. Os dramas existenciais que o maceram, tornam-no cada vez mais inditoso. Desse modo, tem também ele necessidade de misericórdia, aquela que não soube oferecer, a fim de poder reparar os males praticados, porém, de forma consciente e edificando o bem. Não vos pedimos desconsideração pelas dores experimentadas, mas suplicamos oportunidade reabilitadora para o calceta.*

Bem sei as dores que vos dilaceram, em face dos sofrimentos experimentados pelas vossas filhinhas no passado... Nada obstante, elas, que aqui estão, optaram pela renovação, esquecendo-se do mal, a fim de trabalharem no bem. Agora é vossa a decisão de iniciardes novos programas em favor da felicidade. Tende compaixão!

O Espírito revel, diante de apelo tão significativo e profundo, tomado pelas lágrimas, redarguiu:

– *Sempre fostes justa para com os vossos agregados na Fazenda, distendendo bondade e carinho para com todos nós.*

Em homenagem ao vosso amor, como retribuição mínima a tudo quanto nos ofertastes, mudaremos de conduta em relação ao sicário de nossas vidas.

Após breves instantes de pranto convulsivo, aduziu, em desespero:

– *Tende, então, piedade de nós, os reais desgraçados de ontem e de hoje...*

Não pôde continuar, porque a nobre Entidade afagou-lhe a cabeça, ainda incorporado na médium, e depois fê-lo desprender-se, envolto em um abraço de amor e de compaixão que a todos nos comoveu.

A médium retornou à consciência objetiva, refazendo-se, a pouco e pouco, enquanto o comunicante era colocado em um dos leitos à disposição no recinto.

De imediato, dona Matilde entrou em transe profundo e, transfigurada pelo ódio da Entidade que se comunicava, bradou com desespero:

– *Comigo será muito diversa a questão. Fui empurrada pelo infame para a prostituição de baixo nível, após abusar de mim longamente, até a saturação, quando me entregou a desgraçado* mercador de escravas brancas, *que me levou à capital, a pretexto de tratamento da saúde, então abalada, sem que eu soubesse que se tratava de gravidez, submetendo-me a um aborto que, por pouco, não me roubou a vida, o que seria uma bênção de Deus, depois me jogando em um bordel da mais baixa classe no meretrício da cidade...*

Vendida como se fosse um animal, fui obrigada a trabalhar com o sexo até a exaustão total das forças, vencida pela sífilis e pela tuberculose, que me devoraram como se fosse um verme, num quarto imundo, sem ar, sem luz... Nunca encontrei qualquer compaixão, nenhuma solidariedade, porque ali, onde nos encontrávamos, as desgraçadas, não havia piedade nem misericórdia. Por mais que nos buscássemos amparar, umas às outras, não havia tempo nem recursos de proteção em favor de qualquer de nós. Durante as crises contínuas e as dores superlativas, via o rosto do detestável que me violentara, aplicando-me antes o açoite que me cortou as carnes do corpo e da alma, assim se comprazendo enquanto eu estertorava...

Quase não pôde continuar, tal a convulsão, o pranto, o desespero que a tomaram.

A médium agitava-se dolorosamente, traduzindo os sofrimentos do Espírito infeliz, que estava a ponto de desmaiar de angústia e ódio.

O eminente psiquiatra, profundo conhecedor da psique humana e dos humanos sofrimentos, com a voz repassada de ternura, chamou-a, nominalmente, enquanto Petitinga aplicava-lhe recursos fluídicos regeneradores:

– *Irmã Esmeralda!*

Tomada de espanto, e ainda aflita, inquiriu:

– *Você conhece-me? Foi cliente meu, por acaso? Já não sou nada, senão putrefação, desespero. Quem é, e por que está aqui?*

– *Sou seu irmão de caminhada terrestre, também necessitado de compaixão. Não fui seu cliente, porque não a buscaria para torná-la mais desventurada. Sou um servo de Jesus, Aquele que recolheu as mulheres infelizes, sem perguntar-lhes de onde vinham e que faziam, amparando-as com misericórdia e doçura... Fui médico na Terra e estou destacado para conduzi-la a um ambulatório para cuidar da sua saúde espiritual e renová-la na experiência do amor.*

– *Nunca amei, nem fui amada* – explodiu em novo pranto.

– Sim, você foi e é amada por Aquele que é o pastor de todas as ovelhas e que as conhece todas individualmente. Eis-me aqui, em seu nome, a fim de recolhê-la e levá-la até o Seu rebanho amoroso. Chegou o momento de parar de sofrer, de ter as suas inenarráveis angústias diminuídas, o seu coração cicatrizado dessas feridas pungentes. Jesus é a Porta, é o Caminho para a redenção, é a Vida em abundância.

É necessário esquecer esse passado que a faz desditosa e pensar na possibilidade de ser feliz. Todos estamos destinados à felicidade, mas até alcançá-la, passamos por experiências que nos ensinam a encontrar o verdadeiro caminho, do qual, após encontrá-lo, jamais nos afastaremos.

Não relacione mais os acontecimentos que a vitimaram, nem se recorde daqueles que a empurraram ao abismo e a esqueceram. Jesus nunca se esquece de nenhuma das Suas queridas ovelhas, estejam no lugar em que se encontrem. É preciso olvidar o mal, a fim de pensar no bem e instaurá-lo na mente e no coração. Há quanto tempo você aguardava este momento de renovação! Não o desperdice. O ódio é uma brasa que se carrega no coração, e enquanto permanece acesa, queima os tecidos que o agasalham. Apague, pelo menos, por agora, a chama devoradora que a combure, respirando esperança de paz e pensando na possibilidade de ser amada e recuperada.

A pobre sofredora não podia captar todo o ensinamento que lhe chegava à mente e à emoção. As palavras não eram entendidas conforme pronunciadas, porque se encontrava em turbilhão de sentimentos desenfreados, de emoções confusas e dores insuportáveis. No entanto, a entonação de voz e a emissão de misericórdia, as ondas contínuas de ternura e de bondade real transformavam-se em vibrações de harmonia que a penetravam, restabelecendo a normalidade da organização perispiritual bombardeada durante diversas décadas por cargas mentais desestruturadoras.

Enquanto, compungidos, diante do martírio da sofredora, orávamos em seu favor, vimos, subitamente, um jato de luz em tonalidade solferina descer sobre a médium e ela, envolvendo-as em claridade especial e penetrando-as de tal forma que lhes dominou as organizações perispirituais, produzindo, na comunicante, um tão especial benefício, que ela exclamou:

– *Deus meu! Parece que estou morrendo novamente...*

– *Sim, minha irmã Esmeralda, permita libertar-se desses terríveis* cascões mentais, *que a têm mantido encarcerada por tanto tempo, deixando esse infeliz casulo de forças dolorosas para transformar-se numa borboleta leve e bela, que voará na direção do infinito...*

Petitinga, orientado mentalmente pelo diretor do trabalho, aplicou revigorantes fluidos nos *chakras* cerebral e cardíaco da desencarnada, utilizando-se de movimentos rotativos no sentido horário, permitindo-lhe absorver as energias que a penetraram, acalmando-se e momentaneamente olvidando-se da própria desdita.

Dr. Ignácio, sempre compassivo, encerrou o diálogo, informando:

– *Esqueça todo o mal, a fim de que haja lugar na sua mente e no seu coração para o bem que lhe está destinado. Não pense mais no seu algoz, que também se encontra em carência de amor, e agasalhe-se na doce Compaixão de Jesus, que a todos nos ama. Voltaremos a encontrar-nos em outro lugar, noutra ocasião. Agora, durma em paz, a fim de despertar em feliz recomeço espiritual...*

A bênção do sono reparador tomou conta do Espírito desditoso, que foi retirado carinhosamente do corpo perispiritual a que se imantara em nossa irmã Matilde e também colocado em reconfortante leito que o aguardava.

Uma psicosfera de paz, caracterizada por vibrações harmônicas e refazentes, dominou o ambiente, produzindo indizível bem-estar em todos nós.

Outras Entidades, que não poderiam comunicar-se, naquele momento, embora presentes, a pouco e pouco, acalmaram-se, criando condições para serem transferidas para nossa Colônia de socorro.

Dr. Juliano Moreira, que participara da emocionante psicoterapia espiritual, não ocultava o júbilo que o dominava.

Rompendo o silêncio que se fizera espontâneo, balbuciou, comovido:

– *Quando for possível compreender-se a vida, partindo-se do mundo causal em que se origina, para a Terra, e experienciar-se as atividades que se operam de cá para lá, ter-se-á alcançado o momento clímax da evolução planetária.*

Todos, emocionados, anuímos de boa mente com o conceito exposto.

9

A DESENCARNAÇÃO DE ANSELMO

Havia chegado o momento esperado, quando o atormentado Anselmo deveria ser desalojado dos implementos carnais.

Adormecido, em Espírito, foi examinado pelo Dr. Hermínio, que de imediato constatou o desgaste orgânico, refletido na organização perispiritual, torpedeada pelos pensamentos deletérios da revolta e da insensatez contumazes, bem como pela absorção das contínuas doses de cocaína e outras substâncias destrutivas.

O aparelho cardiovascular apresentava-se gravemente comprometido, com obstrução de algumas artérias de grande porte, incluindo-se também as carótidas...

Convidado, nominalmente, a observar a circulação sanguínea, detive a mente na corrente circulatória e pude perceber a presença de organismos microbianos destrutivos, que se alojavam nas placas de ateromas produzidas pelo colesterol em alta dose, que se encarregavam de obstruir os condutos de irrigação do órgão cardíaco.

– *Alguns desses agentes destruidores* – informou-me o neurocirurgião abnegado – *procedem da mente desarvorada do nosso paciente, provocando a desimantação do perispírito em relação às hemácias, facultando mais ampla debilidade orgânica por falta da vitalização das energias que procedem do Espírito. O fenômeno mortis está delineado para dentro de pouco tempo, em face da falta de recursos específicos para a manutenção das funções orgânicas.*

– *Assim sendo, por que, então, faz-se necessária a antecipação dessa ocorrência?* – indaguei, surpreendido.

– *Para evitar-se males maiores, como o suicídio e outros danos que poderiam ser causados àqueles que dependem da sua administração social* – respondeu-me, paciente, o hábil cirurgião.

– *O nosso contributo* – informou-nos a todos que lhe acompanhávamos as observações – *é muito simples e de curta duração, acelerando o deslocamento de algumas dessas placas de ateromas e provocando a interrupção circulatória do sangue no cérebro, que redundará em paralisia irreversível.*

Porque estivesse de pleno acordo com a explicação do colega, o respeitável psiquiatra mineiro, após ouvir a genitora do enfermo, igualmente, ao nosso lado, concordou que tivesse prosseguimento a intervenção espiritual.

Utilizando-se de delicado instrumento que emitia uma onda luminosa parecida com o raio laser, vimos desprender-se de uma das paredes da carótida um pequeno trombo, que foi conduzido pela corrente circulatória até alcançar o cérebro, bloqueando a passagem do sangue, o que produziu imediata falta de alimentação do órgão, gerando imobilidade quase total do aparelho mantenedor dos movimentos, da inteligência, da comunicação...

O mesmo procedimento foi executado com outras placas de ateromas que se romperam na artéria coronária produzindo cascatas de trombos que, impossibilitando a irrigação natural do músculo cardíaco, deu lugar a um enfarte fulminante. Imediatamente Anselmo foi conduzido ao corpo físico pela equipe devotada e, seguindo-a, pudemos verificar a ocorrência, agora no aparelho físico. Ao ser realizado o acoplamento do perispírito no corpo, o paciente experimentou uma grande dor no peito e desferiu um grito estridente, para logo tombar em um colapso, enquanto os outros fenômenos aconteciam automaticamente.

O ruído produzido pelo paciente atraiu a atenção do enfermeiro, que veio em seu socorro, logo se dando conta da grave ocorrência e solicitando providências de um colega, enquanto lhe massageava o peito em tentativa de refazer as contrações sístole–diástole, tardiamente, porém.

Poucos minutos depois, o médico plantonista acorreu em ajuda ao paciente, que foi declarado morto oficialmente.

O Espírito aturdido, experimentando a dor imensa que agredira a aparelhagem física, debatia-se no corpo inerte, tentando erguê-lo, como que para ter diminuída a aflição que lhe era transmitida pela corrente de energia perispiritual, pondo-se a gritar desarvoradamente, inspirando compaixão.

A mãezinha carinhosa acercou-se-lhe e acalmou-o com palavras dúlcidas que eram mais sentidas do que ouvidas, em face da irradiação vibratória do sentimento de amor que exteriorizava, fazendo-o adormecer.

Ocorreu grande movimentação de desencarnados atraídos pelo fenômeno pouco habitual naquela clínica, inclusive o *justiceiro*, que compareceu com a sua corte de asseclas infelizes, pondo-se a blasfemar, revoltado por não haver podido explorar as energias do insensato...

Como o apartamento, para onde fora transferido da enfermaria em que se alojara à chegada, houvesse sido adredemente resguardado por defesas magnéticas, para evitar a invasão de vampiros desencarnados e outros Espíritos infelizes, observamos o Dr. Hermínio procedendo aos primeiros trabalhos de desencarnação, após a morte física.

As imantações defluentes da existência entre o perispírito e o corpo respondem pelas sensações que seguem o Espírito no Além-túmulo, produzindo dificuldade em sua libertação do jugo da matéria, mesmo quando em estado de decomposição, o que ocorre de imediato à morte orgânica...

Logo surgem voluptuosas microvidas que passam a devorar o cadáver em turbilhão inimaginável, ao lado dos vibriões psíquicos gerados e mantidos pela mente e o caráter desarvorados, que sempre foram nutridos pelos pensamentos sórdidos, ainda persistindo na voragem das últimas energias que se evolam até serem diluídos por falta de vitalidade.

Como o recém-desencarnado recebera tratamento especial, decorrente da interferência da mãezinha que se fazia portadora de grande mérito e por ele intercedera, facultando-lhe o resgate por outros meios, não sofreu a danosa perturbação produzida pelos adversários espirituais, que não eram poucos.

Felizmente, alguns deles haviam sido orientados, libertando-se das afligentes injunções do ódio e do ressentimento, sempre responsáveis pela infelicidade de todos aqueles que os agasalham.

A desencarnação de Anselmo de forma alguma o liberava dos resgates necessários à sua recuperação moral. Tratava-se de mais uma expressão da Divina Misericórdia, que não deseja a infelicidade dos maus, porém a sua recuperação.

Não são excepcionais as ocorrências de tal porte, demonstrando que a Justiça está vinculada ao Amor e a recomposição espiritual do dever não constitui um ato punitivo, mas uma oportunidade reeducativa. A dor é gerada pela imprevidência do ser, que, mudando de atitude para melhor, de imediato altera o mecanismo afligente, que dá lugar ao bem-estar e à alegria de viver, no corpo ou fora dele.

Esse Amor do Pai Criador é tão profundo e transcendental, e a rebeldia humana tão sistemática e persistente, que se não houvesse a Misericórdia, a Justiça apresentar-se-ia severa em demasia, dificultando o refazimento moral e espiritual do equivocado.

Enquanto eram tomadas as providências pertinentes ao óbito de Anselmo, retornamos à sala de nossas atividades, a fim de serem transferidos para as respectivas comunidades os Espíritos atendidos, assim como outros que se permitiram modificar, podendo agora recomeçar a nova experiência de iluminação.

Amanhecia, suavemente, quando recebemos a visita de Jacques Verner e do casal Antonelli, visivelmente jubilosos ante os resultados da empresa espiritual que nos reunia naquela entidade hospitalar.

Jacques comentou, com emoção, que foram necessárias mais de quatro décadas de atividades enobrecedoras para que fosse instalada ali uma extensão do Sanatório Esperança, facultando o intercâmbio lúcido e eficiente entre as duas esferas: a física e a espiritual.

– *É verdade* – adiu com simplicidade – *que, desde os primeiros momentos após a inauguração do hospital, foram realizadas reuniões mediúnicas objetivando a recuperação dos enfermos internados. Apesar disso, em razão da insipiência doutrinária dos cooperadores e do desconhecimento das técnicas espirituais então observadas, não fora possível efetivar por muito tempo a tentativa, inclusive, em decorrência de vários fatores que tiveram lugar antes da minha desencarnação. Agora, com a visão dilatada, superadas as dificuldades de relacionamentos que sempre ocorrem durante a vilegiatura carnal, a união de todos os trabalhadores vinculados à veneranda obra, facultou a anuência dos benfeitores do mundo maior para a concretização do anelo.*

E concluiu:

– *Certamente, todos os recursos que têm sido aplicados no atendimento aos enfermos mentais e aos obsessos, encontram-se sob elevada supervisão, ensejando resultados saudáveis e compensadores em relação ao esforço dos seus dedicados trabalhadores. Agora, no entanto, como resultado de todos os esforços conjugados entre os dois planos, estava sendo possível a instalação desse departamento da obra espiritual que o venerável Espírito Eurípedes Barsanulfo edificara no mundo maior.*

O amigo Antonelli, encorajado pelos comentários do companheiro dedicado, igualmente se referiu:

– *Quando os estudiosos da Terra se identificarem com os métodos educativos e curadores do mundo espiritual, poderão ampliar expressivamente a sua capacidade de entendimento das ocorrências humanas, dispondo de melhores e mais hábeis recursos e instrumentos para a solução dos conflitos e das dificuldades que enfrentam. O conhecimento da vida verdadeira é essencial para uma existência feliz. Isso não quer dizer que aqueles que o não possuem sejam, necessariamente, desditosos. Se, ignorando a realidade, conseguem adquirir harmonia, com a identificação do mundo das causas, muito mais amplas lhes seriam as possibilidades de construir a existência ditosa, vivendo com mais valiosas experiências iluminativas.*

O escafandro físico, apesar de ser abençoado recurso para intelectualizar a matéria, *como afirmaram os benfeitores da*

Humanidade ao nobre codificador do Espiritismo, é, também, de certo modo, um impedimento para ter-se a visão correta da existência e das suas finalidades. Felizmente, durante os estados oníricos de desprendimento parcial da personalidade, as experiências fora do corpo contribuem significativamente para a recordação *das memórias de antes da reencarnação, ao mesmo tempo que facultam os contatos com os amigos da retaguarda, que a todos inspiram, estimulam e trabalham pela sua identificação com a verdade.*

Essa tarefa inabordável, felizmente, vem sendo realizada pelo Espiritismo, especialmente nestes dias de turbulências e de sofrimentos individuais como coletivos, esclarecendo as mulheres e os homens a respeito da finalidade existencial e de como devem considerar os acontecimentos, cujas causas encontram-se nos atos anteriores.

Lamentavelmente ainda predominam os sentimentos egoísticos, os melindres, os movimentos da vaidade e da insensatez entre os frágeis servidores de Jesus, que se esquecem do essencial – o respeito pelo próximo, a caridade para com ele, a compaixão em relação aos seus desaires e inconsequências, a solidariedade nos momentos difíceis –, conforme preconiza a Doutrina, detendo-se no lado negativo e nas lamentáveis disputas entre pessoas e grupos. Isso, no entanto, é provisório, demonstrando que o período de mundo de provas e de expiações *é assim caracterizado. Logo mais, porém, quando passar a grande e necessária transição para* mundo de regeneração, *o amor real e o entendimento fraternal a todos conduzirão da melhor maneira possível.*

Anelamos por essa ocasião, que ensejará a libertação de imensa faixa de seres humanos ainda deambulando sob os camartelos do sofrimento, que ascenderão produzindo ações dignificantes por onde transitem.

Quando silenciou, tinha lágrimas nos olhos que não chegavam a cair pela face iluminada como resultado da alegria do serviço com Jesus.

Dr. Ignácio, sempre vigilante e diligente, concordou com o amigo, e considerou:

– *Porque os seres humanos movimentam-se em diferentes níveis de consciência, defluentes do estágio moral e espiritual no qual se encontram, mesmo aqueles que são possuidores de sentimentos nobres e contribuem em favor do progresso e do bem-estar da Humanidade, ainda não conseguem entregar-se ao labor do bem sem os impositivos que lhes caracterizam a evolução. Promovem o bem, divulgam-no, trabalham com afã, mas necessitam de retribuição, que são as homenagens, os destaques na comunidade, a adulação e os elogios dispensáveis, mas que lhes constituem estímulo para o prosseguimento. Um grande número desses amigos servidores não consegue convergir para o mesmo objetivo, porque isso anularia a sua personalidade em favor do grupo, então prefere divergir, competir, embora na mesma lavoura, o que não deixa de ser paradoxal.*

A grande conquista da criatura humana é sobre si mesma, suas paixões, os seus atavismos primários, as suas más inclinações, *o seu egotismo... Iniciado, porém, o processo de iluminação interior, lentamente vão sendo conquistados outros patamares na direção da consciência plena.*

Desse modo, confiemos nos companheiros ainda enganados em si mesmos, auxiliando-os no crescimento pessoal, tendo paciência com os seus conflitos infanto-juvenis, que procuram disfarçar nas agressões contra os outros, convictos de que já se encontram no caminho seguro da felicidade, contando com a bênção do tempo para a superação de si mesmos.

Dr. Juliano Moreira, que acompanhava os comentários com certo entusiasmo que lhe transparecia no semblante, considerou:

– Eu próprio, quando me encontrava na Terra, enfrentei não poucos desafios pessoais, institucionais, sociais, ignorando as Soberanas Leis da Vida que agora procuro penetrar com sofreguidão e respeito. No começo do século XX, o doente mental era uma chaga na sociedade, alguém que sempre significava perigo, sem mérito nem direito a um atendimento digno. Quando algum indivíduo se erguia em seu benefício era, invariavelmente, contestado, quando não ridicularizado. Embora houvesse sido aluno do eminente mestre Nina Rodrigues, fui constrangido a discrepar do mesmo na sua tese apresentada contra a raça negra, demonstrando, por exemplo, que a loucura atinge todos os indivíduos de todas as raças, não sendo, portanto, privilégio de somente uma delas...

Mais tarde, ao criar, com outros alienistas cariocas, os Arquivos Brasileiros de Psiquiatria, Neurologia e Ciências Afins, *não foram poucas as lutas travadas com outros psiquiatras que pensavam de maneira diversa, embora todos, honestamente estivessem interessados na promoção da saúde e dos pacientes mentais. Dois anos depois, com muito sacrifício criamos a* Sociedade Brasileira de Psiquiatria, Neurologia e Medicina Legal, *cujos serviços à sociedade brasileira são incontáveis. De lá, até este momento, à medida que se identificam as causas da loucura, se toma conhecimento dos arcanos sublimes do cérebro, quando as neurociências alcançam níveis comovedores de conhecimento, a loucura é muito melhor compreendida e cuidada, merecendo o paciente mental algum respeito e direito a uma vida saudável e socialmente permitida no ambiente familiar. Os velhos e terríveis manicômios transformaram-se em clínicas abençoadas, facultando ao enfermo uma existência quase normal, mantendo a convivência doméstica e recebendo o tratamento ambulatorial, com exceção apenas dos compreensíveis casos mais graves...*

As discórdias, quanto à aplicação de terapias que prometiam melhoras e recuperação nos pacientes, naquela época, geravam atritos lamentáveis, desperdício de tempo com as vaidades mesquinhas e lutas opinativas sem fim, que, a pouco e pouco, vêm cedendo lugar à compreensão de que o doente merece atenção imediata e oferecer-lhe o melhor ao alcance é o que importa. Surgiram, então, o imenso elenco das terapias alternativas, o apoio eficiente e especial da Psicologia e mais recentemente da Quarta Força ou Psicologia Transpessoal... *Permanecem ainda, é certo, alguns bolsões de intolerância, como efeito da inferioridade moral dos interessados em criar obstáculos ao progresso, sem a elevação de reconhecerem a própria ignorância em torno do que não sabem, mas a evolução dá-se com ou sem apoio de quem quer que seja.*

É da natureza humana contradizer, contrapor, impor-se... Somente quando se transpõe a aduana da morte e descobre-se a grandeza da vida, como ocorreu comigo e muitíssimos outros, é que se pode avaliar com segurança o comportamento mantido e as excelentes possibilidades malbaratadas ou perdidas por efeito da presunção e da bazófia pessoal.

A cada dia, mais me deslumbro com a realidade do ser e sua transcendência, anelando pelo momento de retornar ao corpo físico, guardando a lucidez possível em torno das nobres experiências de que tenho participado, anelando por contribuir em favor do despertamento das mentes adormecidas e das atividades de promoção e dignificação do ser humano.

O clima de bom humor e de gratidão a Deus prosseguiu, quando fomos informados pelo Dr. Ignácio que, naquele dia, a partir das 23h, seria instalado o departamento mediúnico e de desobsessão vinculado ao Sanatório Esperança.

De imediato, reunimo-nos em pequenos grupos de interesses recíprocos e permanecemos na clínica aprendendo e participando das atividades junto aos companheiros encarnados no atendimento aos pacientes.

Admirava-me da contínua onda de pessoas que desejavam internamento e/ou tratamento para si mesmas ou familiares, sem que a nobre clínica dispusesse de vagas suficientes para atender a grande procura. Entretanto, considerando-se a orientação espiritual que vigia primordialmente, sempre era encontrada uma forma para atender ao maior número possível de candidatos, sem que isso trouxesse prejuízo à qualidade dos serviços.

A maioria dos funcionários, médicos, psicólogos e demais profissionais, de formação espiritista, sempre se empenhava em manter os procedimentos recomendados pela Doutrina Espírita e pelo Evangelho de Jesus, unindo às terapêuticas ministradas a bondade pessoal, a conversação edificante, a esperança e a caridade em todos os seus aspectos.

Como consequência, o número de benfeitores desencarnados que acorriam até ali, com o objetivo de auxiliar os afetos e as pessoas que lhes rogavam proteção, era muito grande.

O venerável mentor acompanhava todos os movimentos sempre com bondade e alegria, estando acessível às propostas que objetivassem o bem-estar dos pacientes e de todos os membros da Casa, mantendo, porém, grande disciplina, que é responsável pela ordem e pelo progresso em todo lugar, assim como em qualquer realização.

Sempre informado de tudo quanto vínhamos realizando, através de relatórios que lhe eram fornecidos pelo Dr. Ignácio Ferreira, o nobre Espírito exultava por ver atendida a sua rogativa permanente a Jesus, a fim de que aquele núcleo de saúde mental fosse transformado em uma escola de bênçãos para os desencarnados e em um verdadeiro modelo para outras instituições que tivessem interesse em cuidar da psique humana e da saúde sob qualquer aspecto considerada.

10

Inauguração da Clínica Esperança

Passamos o dia em atividades educativas para nós próprios, ora ouvindo explicações dos dedicados psiquiatras a respeito dos transtornos nos clientes internados, momentos outros, em diálogos elucidativos com Jacques e Bruno sobre os providenciais benefícios que ali eram auferidos, em face da compreensão do Espiritismo e da sua aplicação no trato com os pacientes.

A larga experiência adquirida no socorro aos enfermos de ambos os planos da vida, naquela oportunidade, iria alcançar um patamar, desde há muito desejado, ampliando a vinculação espiritual com o Sanatório Esperança, tornando-se-lhe uma continuação na Terra, e mantendo as mesmas características que o celebrizaram como um superior núcleo de educação moral e saúde mental.

Assim, às 23h, quando a clínica silenciou, em face da diminuição das atividades naturais pelo repouso que desceu sobre a maioria dos pacientes, exceção feita a alguns agitados e a outros obsessos que lutavam contra os adversários que os afligiam, a psicosfera fez-se mais suave, ensejando o início das atividades de inauguração.

Observei que o recinto adquirira dimensões superiores aos limites impostos pela edificação material. Ampliando-se, à nossa vista, poderia receber grande número de desencarnados e de dedicados trabalhadores em desdobramento parcial pelo sono, a fim de que participassem do evento especial.

Chegaram, de imediato, os Antonelli e Jacques Verner. O irmão Bruno trouxe o diretor encarnado da clínica, em desdobramento espiritual, o Dr. Norberto, e diversos diretores desencarnados que ali mourejaram e a dirigiram anteriormente, a nossa caravana, logo seguida por Dr. Bezerra de Menezes e Eurípedes Barsanulfo, todos demonstrando inusitada alegria pela conquista de mais uma área de amor para a edificação da verdadeira fraternidade e do bem entre as criaturas humanas. Diversos médiuns que cooperaram no início da obra de amor e de saúde foram convidados, e se apresentavam dispostos a participar do banquete iluminativo quão dignificante.

A seguir, deram entrada os Espíritos residentes na clínica, acompanhantes dos internados, convidados especiais de ambas as esferas da vida.

Dr. Ignácio Ferreira, fazendo as vezes de mestre de cerimônia, explicou com simplicidade que aquele era o momento aguardado por todos, quando se instalaria, por definitivo, na Terra, uma secção espiritual do Sanatório Esperança, com o objetivo de atender mais amplamente os Espíritos sofredores de todo matiz e pertencentes a quaisquer crenças ou sem elas, em homenagem a Jesus, o Divino Médico das almas.

Pairavam no ar suaves melodias produzidas por Espíritos artistas musicais, não visíveis à minha óptica.

Ato contínuo, depois de organizada a mesa diretora dos trabalhos, solicitou ao amigo Jacques que proferisse a oração de abertura da solenidade, o que foi feito com grande emoção, gerando um clima de alta espiritualidade. Em determinado momento, exorou o orante:

– *Divino Médico de todos, Espíritos enfermos que reconhecemos ser, tem compaixão de nós!*

Distende a Tua misericórdia sobre nossas vidas, facultando-nos a aquisição da saúde real, aquela que resiste a todos os embates da evolução, meta feliz que estabeleceste para alcançarmos.

Reconhecemos as dificuldades que nos impedem o avanço, mas identificamos os infinitos recursos de que dispões e podes ofertar-nos em forma de luz e de sabedoria, a fim de que nos libertemos dos limites que nos retêm na retaguarda.

Nesta noite, em especial, quando buscamos criar um porto de segurança, nas encostas sombrias das praias terrestres, vencidas por vendavais e agredidas pelas ondas encapeladas do oceano da existência humana tumultuada, deixa que brilhe a Tua luz no farol das nossas edificações, para evitar os naufrágios que vêm ocorrendo, por falta de conhecimento dos perigos existentes.

Sabemos que a tarefa é árdua, mas não Te pedimos que a desvies de nós, antes rogamos que nos dês sabedoria para os enfrentamentos, especialmente com os Espíritos que se consideram Teus e nossos adversários, na indimensional loucura que os vence.

Ajuda-nos a amá-los, cada vez mais, de modo a conquistá-los para a recuperação de si mesmos e para o processo de crescimento interior do qual ninguém se impede.

Faze-Te, por fim, presente, em nossa inauguração, abençoando-nos com paz e sabedoria.

Quando silenciou, pingentes de luz de variada cor, transparentes e perfumados, caíam em flux sobre todos, comovendo-nos, até às lágrimas.

A seguir, por solicitação do psiquiatra uberabense, Eurípedes Barsanulfo levantou-se, no local em que se sentara à mesa, e com emoção, deu início à sua mensagem:

– Irmãos queridos de ambas as esferas da Vida!

Que o Senhor de bênçãos nos abençoe com a Sua paz!

Enquanto estrugem, em muitos lugares, os látegos do desespero e da loucura, dilacerando o dorso das criaturas humanas, aqui, com o Incomparável Mestre de Nazaré, sentimos vibrarem as dúlcidas ondas da harmonia, que nos renovam e fortalecem para o serviço de amor a que nos dedicamos.

Permanecendo distraídos a respeito dos deveres da elevação moral-espiritual, que lhes cumpre vivenciar, os indivíduos avançam pelos rios do tempo, fixados aos interesses materiais e às ilusões deles decorrentes, sem que se apercebam da aproximação do fenômeno inexorável da morte, que é porta de acesso à vida.

Vivem empolgados pelo corpo de breve duração, sem que se preocupem com a realidade inevitável do Espírito que são, entregando-se aos dislates de todo porte, até o momento quando são convidados ao despertamento da consciência, em face do sofrimento e das angústias, dos desencantos e das aflições que os surpreendem.

Não têm faltado para a Humanidade as informações essenciais à compreensão da imortalidade da alma, através de embaixadores iluminados do Reino dos Céus, bem como das mais diversas denominações religiosas, tanto quanto as resultantes das investigações honestas realizadas por homens e mulheres dotados de sabedoria e de abnegação.

Ainda se cultiva a ideia de que religião e conduta moral devem pertencer a pessoas idosas, que de nada mais possam desfrutar, mergulhando, então, na expectativa da morte que as ronda com avidez. Esquecem-se, aqueles que assim pensam, que o fenômeno da desencarnação não ocorre apenas com as pessoas portadoras de longa existência física, mas sim, com todos aqueles que se encontram no corpo somático, nos mais variados períodos orgânicos.

Outrossim, também pensam que a oração e a meditação constituem medicamentos de emergência para utilização miraculosa quando surpreendidos pelos denominados infortúnios e provações...

Multiplicam-se, no sentido inverso, as distrações, e enxameiam, por todo lado, os programas de divertimentos e prazeres, como se outro objetivo não tivesse a vida inteligente na Terra.

Como consequência lamentável, o número daqueles que desencarnam diariamente desinformados e ignorantes do prosseguimento da vida após o túmulo, é incalculável, gerando tumulto e aflições que se adensam na psicosfera que envolve o planeta.

O demasiado apego às sensações físicas, as lutas defluentes das paixões em que se comprazem, vinculam-nos àqueles que ficaram no domicílio orgânico, dando lugar a influenciações de efeitos perturbadores, que se transformam em problemas de grave porte, ameaçando-lhes a saúde física, emocional e mental...

A pouco e pouco, o desvario toma conta das multidões, iniciando-se, no indivíduo desajustado e distanciado dos compromissos de iluminação, e espraiando-se nas massas, que se entregam aos disparates da violência e dos prazeres exacerbados, em fuga espetacular da realidade...

Os milênios de lições de ética, assinalados pelos resultados dos comportamentos humanos, quase não têm servido para chamar a atenção dessas pessoas, a respeito de si mesmas e de como viveram todas aquelas que as anteciparam...

A embriaguez dos sentidos físicos predomina nos comportamentos alienantes, exigindo dos trabalhadores espirituais das Esferas Superiores maior soma de atividade, de compaixão e de assistência, a fim de diminuir-lhes a tragédia do cotidiano.

Os quadros do sofrimento aumentam desesperadamente, levando as multidões inquietas ao desalinho mental e moral como forma de ignorarem as ocorrências infelizes.

O benfeitor fez uma brevíssima pausa e relanceou o olhar sobre os ouvintes interessados, logo prosseguindo:

– *Embora o quadro um tanto desolador, a Divina Providência tem feito mergulhar nos tecidos carnais, mais especialmente nos últimos decênios, Espíritos nobres e lúcidos, encarregados de recordar às criaturas, as suas responsabilidades em torno da imortalidade e dos comportamentos éticos que devem viger no contexto social, preparando a sociedade para as grandes mudanças que já se vêm operando no globo terrestre.*

Missionários do amor e da caridade, ao lado de cientistas e estudiosos sinceros da verdade, vêm alargando o pensamento humano e despertando-o para o autoconhecimento, a autoiluminação, como preventivos aos males da época e, ao mesmo tempo, como programa facilitador do progresso que é lei de inexorável cumprimento.

As grandiosas descobertas das neurociências a respeito do cérebro, a aceitação natural dos fenômenos mediúnicos por grande parte da sociedade, o interesse pela mudança de comportamentos políticos, sociais e econômicos, tendo em vista os miseráveis que se multiplicam geometricamente, enquanto os recursos que lhes estão ao alcance crescem aritmeticamente, demonstram que é chegado o momento da sublime revolução interior que dignificará o Espírito para todo o sempre.

Novos educadores, firmados nos propósitos da dignificação infantil, apresentam grades e programas escolares capazes de modificar a deplorável situação humana, oferecendo os exemplos de Jesus Cristo, na Sua condição de Mestre por Excelência, como o mais seguro recurso para a real alteração das paisagens morais da Humanidade.

Tendo em vista todos esses fatores, o desdobramento das atividades do Sanatório Esperança, num departamento terrestre, ora em inauguração nesta clínica psiquiátrica, muito bem se justifica pelos serviços relevantes que pode oferecer, não somente aos pacientes internados, mas também à comunidade local e adjacências, porquanto terá amplitude complementar aos serviços especializados. Desejamos referir-nos ao setor educacional, onde serão estudadas novas técnicas de atendimento ao enfermo mental e ao obsidiado, como também cursos de extensão espiritual e de desobsessão, favorecendo o equilíbrio de quantos venham a participar espiritualmente dos novos cometimentos.

Nesse sentido, gostaríamos de nomear responsável direto pelo desenvolvimento do trabalho futuro, o nosso atual diretor espiritual Dr. Norberto, cuja folha de serviços ao alienado mental por distúrbios orgânicos ou obsessão, credencia-o ao prosseguimento das atividades, ora acrescidas com a responsabilidade de orientar e dirigir o novo departamento terrestre...

Novamente silenciou, olhando diretamente o diretor psiquiátrico, que não pôde dissimular a emoção que o tomou, levando-o às lágrimas, o que ocorreu, também, com muitos de nós outros...

Logo concluiu, com um leve sorriso nos lábios e brilho especial na face:

– Rogando ao Celeste Psicoterapeuta de nossas vidas que nos abençoe os propósitos edificantes, declaramos inaugurado o novo Departamento do Sanatório Esperança, na Terra, a serviço da caridade e do amor.

No silêncio natural que se fez, Dr. Ignácio Ferreira, visivelmente comovido, interrogou o novo diretor, indagando se o mesmo desejava externar algum sentimento, no que foi atendido de imediato.

– *Reconheço não merecer a grave responsabilidade com que sou honrado* – iniciou o Dr. Norberto –, *mas não me cabe recusar a oferta de trabalho de que necessito para a desincumbência dos compromissos abraçados.*

Confio que a Misericórdia Divina jamais me deixará a sós, e que o nobre irmão Eurípedes, assim como os demais mentores da nossa clínica estarão vigilantes para socorrer-me, evitando-me comprometimentos negativos ou insucessos nos tentames de enobrecimento.

Que o Senhor da Vida compadeça-se da minha ignorância e da minha fragilidade, ajudando-me na desincumbência que a tarefa me apresenta, e que procurarei honrar com dedicação e sacrifício se for necessário...

Foi embargado pelas lágrimas.

Muito diferentes são as reações no Grande Lar ante os desafios e as atividades que devem ser executados. Normalmente, despertam emoção e reconhecimento a Deus pelo ensejo do trabalho, abrindo campos abençoados para a ensementação do amor, com singulares diferenças com a conduta terrestre, quando são aumentadas as responsabilidades, quase sempre geradoras de temor e de aflição.

Dr. Ignácio, expressando a alegria que a todos nos dominava, agradeceu ao gentil psiquiatra.

Observei a alegria estampada na face do Dr. Juliano Moreira, que se sentia dominado por emoções de ordem superior. Participar daquele evento, na condição de convidado especial, em face das realizações deixadas na Terra, constituía-lhe compreensível motivo de júbilo, ainda mais, por vincular-se, a partir de então, ao programa do Sanatório Esperança.

A seguir, a palavra foi concedida a Dr. Bezerra de Menezes, o apóstolo da caridade que, assomando à tribuna com peculiar humildade e especial iluminação interior, deu início à sua mensagem, referindo-se:

– *Exoro a proteção da Mãe Santíssima para todos nós.*

Evocando-a, com imensa emoção, tenho em mente suplicar-lhe bênçãos para mais este educandário de almas rebeldes, que reconhecemos ser quase todos nós.

Com o seu inefável amor maternal, suplicamos envolver-nos em ternura, preenchendo os vazios interiores da nossa emoção e enriquecendo de sabedoria os Espíritos imperfeitos que somos, de maneira a possuirmos forças e discernimento para o prosseguimento na seara do Seu incomparável Filho Jesus.

Havia tal unção na súplica proferida que, de imediato, um coral muito suave de vozes infantis tomou conta do auditório, penetrando-nos o cerne do ser, como resposta da Rosa Mística de Nazaré ao apelo do filho dileto do seu coração.

Com uma tonalidade de voz repassada de imensa ternura por todos os seres, o amorável servidor de Jesus continuou:

– *O egoísmo e a ignorância em torno dos objetivos superiores da existência fazem-se responsáveis pelo materialismo e pela crueldade que se desenvolvem no caldo de cultura da presunção humana.*

Considerando-se as incontestáveis conquistas do conhecimento científico e tecnológico, que se desenvolvem em todos os quadrantes do planeta, não vemos correspondentes valores no que diz respeito ao comportamento e aos relacionamentos humanos, sejam individuais, em pequenos grupos, ou internacionais, globalizados...

O monstro da prepotência domina as grandes nações do mundo, enquanto a mesquinhez e a indiferença pelo destino do próximo tomam conta dos indivíduos.

Ao lado da mais avançada aplicação tecnológica encontram-se as agressões em forma de barbarismo, revivendo as fases trogloditas, que foram superadas na forma, permanecendo na essência. As suas moradas sofisticaram-se, mas a sua conduta é idêntica, salvadas as exceções compreensíveis.

O ódio e o medo, a ansiedade e a insegurança, a solidão e o vazio existencial dominam os seres humanos e atiram-nos em abismos de dor e de desespero que inspiram compaixão, principalmente porque se negam receber a assistência espiritual e a edificação de si mesmos, através da humildade, do amor e do autoaperfeiçoamento, lutando contra as tendências inferiores que neles predominam.

Há excesso de luxo, de extravagância e infinita carência de misericórdia e de comedimento.

A desenfreada luta para ter e poder favorece o engalfinhamento em batalhas perversas, que devem ser vencidas pelos mais astutos, mais impenitentes, mais desatinados... E o progresso da sociedade tem sido assinalado pela vergonha e despautério de muitos dos seus triunfadores e condutores, que o túmulo arrebata um dia, conduzindo ao país da consciência plena...

A revivescência das profundas lições de amor exaradas no Evangelho de Jesus, no entanto, são o antídoto para todos esses males, quando aplicadas na conduta dos indivíduos.

De alguma forma, multiplicam-se as religiões e escasseia a religiosidade inspirada na unção, na adoração a Deus através do amor ao próximo, desenvolvendo-se a preocupação desatinada por bens amoedados, por templos faustosos, confortáveis e luxuosos, quando Jesus contentou-se com a Natureza, onde distendeu os tesouros de sabedoria e de misericórdia de que se fazia portador.

Entoam-se hinos de exaltação ao Seu nome e mata-se de mil maneiras, longe de qualquer sentimento de piedade ou de compaixão.

Nessa desatinada correria, para onde ruma a Humanidade, rica de coisas nenhumas e presunçosa a respeito dos valores que nomeia possuir?

Todo o esforço possível deve ser envidado por aqueles que compreendemos a realidade da vida e o significado da existência corporal, trabalhando os metais dos sentimentos, a fim de moldá-los dentro dos padrões da fraternidade e do respeito, de modo a alterarmos a conduta vigente, mediante a transformação moral de cada um.

Trata-se de um empreendimento de grande porte, porque de dentro para fora do ser, num trabalho de autoiluminação contínuo, através do qual os recursos superiores da oração, da meditação e da caridade devem sempre estar sendo aplicados, a fim de constituírem sustentação do compromisso e de suporte para a superação dos vícios e das heranças perniciosas do processo de evolução, que já deveriam ter ficado no passado.

Ao lado desse labor excepcional, a educação das gerações novas impõe-se como de importância fundamental, sem cujo contributo, o êxito se fará em tempo que virá distante, senão tardio... Trata-se da educação moral, daquela que constrói hábitos saudáveis, que ensina a ver no próximo o irmão e cooperador, jamais o competidor, a tolerar as suas falhas conforme gostaria de ter as suas dificuldades compreendidas, a auxiliar dentro dos recursos possíveis, qual se necessitasse desse contributo...

A educação espiritual que deve ser iniciada no Grande Lar, despertando as consciências anestesiadas para a compreensão dos altos empreendimentos a realizar no mundo, começando na superação da natureza animal, *e fixando as lembranças do mundo espiritual onde se encontram e para onde retornarão após a experiência de breve curso na Terra...*

Eis por que o ministério de esclarecimento espiritual, nas reuniões mediúnicas, em relação aos que se demoram na ignorância e no despotismo, na loucura e na soberba contumaz, é de significação profunda, predispondo os futuros viajantes do corpo físico para não se embrenharem no matagal das aflições desnecessárias, iniciando a trajetória orgânica com o pensamento vinculado à espiritualidade.

Este departamento de socorro, de educação e de esclarecimento é portador dos recursos próprios para a construção da Nova Era, para a preparação dos jornaleiros do futuro, daqueles que se empenharão pela vivência do bem e da caridade em todas as suas expressões.

Os servidores da Vinha do Senhor aqui sempre estarão de braços e corações abertos para atender as necessidades humanas, pertencentes aos deambulantes carnais, assim como aos desvestidos da roupagem física.

Trata-se de um empreendimento de alto significado pelos objetivos de que se constitui. Entretanto, todos aqueles que aqui nos encontramos e já somos conscientes das próprias responsabilidades estamos dispostos a oferecer o melhor de nós mesmos, para que as fronteiras, por enquanto limitadas, deste posto avançado no campo de combate ampliem-se ao infinito, porque muitas são as ovelhas ainda tresmalhadas do rebanho que o Senhor conduz, e que necessitam de nossa compreensão.

Vibravam no ar as emoções de todos, em silenciosa oração ao Supremo Pai, a fim de que nos tornássemos dignos do trabalho que nos seria confiado.

O amado benfeitor silenciara, logo dando continuidade:

– Este, pois, é o nosso momento de servir sem interrogações ou exigências, não amanhã ou mais tarde, e sim agora. Agora, eis que se apresenta o nosso santo momento de ajudar.

Entregues ao Sublime Galileu, que nos tem conduzido até aqui, Ele prosseguirá guiando-nos no rumo das estrelas, sob os auspícios e a intercessão de nossa Mãe Santíssima, a cujo amor entregamos nossas vidas.

Muita paz!

Chegávamos ao clímax da festividade, quando a querida médium, dona Modesto, visivelmente em transe ergueu-se e totalmente transfigurada, começou a falar:

– Queridos irmãos trabalhadores do bem!

Jesus continue protegendo-nos.

As vossas palavras e preces chegaram às Regiões Sublimes e foram recebidas pela Senhora e Mãe Santíssima da Humanidade, que nos enviou especialmente para informar-vos a respeito da sua ventura e gratidão pelo vosso amor.

A obra que pretendeis ampliar na Terra sob os divinos auspícios terá no seu sentimento maternal um lugar especial de apoio e de ternura, de forma que jamais vos faltem os recursos hábeis para a sua preservação e crescimento.

Que a caridade seja a bandeira desfraldada em todos os momentos e o conhecimento da verdade se transforme no guia eficiente para libertar os Espíritos das suas paixões escravizadoras, constituindo-se o amor a âncora para proteger a barca das vidas físicas na trajetória das reencarnações.

O mundo estertora e o amor de Jesus Cristo é o combustível superior que manterá acesa a chama da verdade, ao mesmo tempo que se transforma em vitalidade e força para os desfalecentes.

As lutas com as forças organizadas do mal, que conspiram contra o apostolado da fraternidade e do bem, prosseguem árduas e assinaladas pela compaixão que nos merecem...

Jesus, porém, é o Vencedor de todas as refregas. Segui-lO e fazer como Ele o realizava, é a diretriz deste momento.

Esta é a hora da sementeira, para mais tarde chegar o momento da colheita.

É provável que as mãos se abram em feridas no amanho com o arado no solo dos sentimentos humanos, bem como o enfrentamento nas horas de invernia e de desolação constituirão fenômenos naturais. No entanto, assim deve ser, a fim de que o suor e as lágrimas de devotamento selem o compromisso da solidariedade entre as criaturas que por aqui passarão, necessitadas e infelizes.

Ela própria teve o coração trespassado pelos punhais da agonia, acompanhando o Filho na via crucis *e nos momentos extremos do holocausto, a fim de poder viver ao lado d'Ele no Reino de ventura incomparável.*

Velando por nós, concede-nos sua bênção maternal, em nome do Filho querido.

Segui, pois, adiante, trabalhadores do Senhor, no rumo da plenitude, confiando nas divinas concessões.

Vosso irmão e devotado servidor,

Antônio.

Um silêncio feito de harmonia e de felicidade dominava o ambiente.

Choviam pétalas de rosas brancas, perfumadas e etéreas, que se desfaziam em contato conosco e com os objetos que adornavam o recinto.

Todos chorávamos discretamente.

Jacques Verner, os Antonelli, todos os membros da clínica, de mãos dadas, selavam aquele momento como de inesquecível significado, pelo que acabavam de acompanhar e viver.

Nesse momento, circunspecto e delicado, Dr. Ignácio Ferreira, após breve oração rica de gratidão e de amor, declarou encerrada a festividade de inauguração daquele Departamento de socorro...

Afastamo-nos silenciosamente, procurando refletir com cuidado em torno das lições de incomparável beleza que tivéramos a felicidade de ouvir e sentir.

Faz muita falta ao Espírito humano o silêncio para meditar, a fim de insculpir no cerne do ser as ocorrências felizes, as páginas de alentamento moral e os ensinamentos que podem ser aprendidos em toda parte, desde que se esteja disposto a captá-los.

As bênçãos, por nós, ali colhidas, não constituíam prêmio, pois que o não merecíamos, os modestos trabalhadores do Evangelho do Senhor, mas nos chegaram por acréscimo de Misericórdia dos Céus, assim aumentando-nos a responsabilidade perante a vida, tendo em vista o sublime ensinamento de Jesus, quando se refere que mais se pedirá àquele que mais recebeu, como é perfeitamente justo.

Não eram poucos os tesouros que acumulávamos na convivência com os Espíritos nobres, nossos amorosos guias e instrutores, razão pela qual nos cabia amealhar as moedas-luz que nos haviam sido ofertadas, logo as aplicando, a fim de que fossem multiplicadas.

Quando as concessões são relevantes e muito altas, somente o silêncio responde as muitas interrogações que, não poucas vezes, bailam em nossa mente, necessitadas de interpretações que ocorrem lentamente, por meio da compreensão defluente das doações recebidas.

Pessoalmente, recorri a um banco de cimento no jardim banhado de luar, recolhendo-me à oração e ao agradecimento a Deus pela felicidade que desfrutava em poder participar do trabalho de iluminação e de libertação das consciências atormentadas.

11

Novos empreendimentos

No dia imediato, diminuídas as emoções da noite inolvidável, sem que tivéssemos confabulado em torno das mensagens recebidas, o amigo Jacques Verner convidou-me a examinar as *fronteiras vibratórias* da área destinada ao trabalho em curso.

Confesso que não me havia dado conta de tal providência.

Informado pelo amigo, pude constatar que o espaço reservado ao novo setor abrangia grande parte da clínica, que se encontrava defendido por uma construção fluídica, com espessura de, mais ou menos, dois palmos, em tonalidade azul suave, dentro do pavilhão e expandindo-se para além da edificação convencional.

Observei que não era exatamente redonda, mas obedecia a um traçado especialmente delineado, com duas pequenas torres de mensagem, em cada uma das quais se alojava um vigilante para resguardá-la de qualquer assalto programado pelos adversários do Bem.

Equipamentos especiais estavam próximos do guardião, fazendo lembrar aparelhos de emissão de *laser*, que tinham por finalidade disparar raios de ação afligente, caso houvesse necessidade.

O gentil Verner explicou-me que os vigilantes eram voluntários que já trabalhavam espiritualmente na clínica, e que se ofereceram para resguardar o novo setor, que deveria permanecer sempre preparado para as finalidades a que se destinava.

Nem todos os Espíritos que se movimentavam na clínica podiam ver a edificação, porém sentiam o impedimento vibratório sempre que tentavam ir além dos limites que estabeleciam. Outrossim, experimentavam choques, que faziam lembrar descargas elétricas, emitidos pela condensação fluídica, quando, sem dar-se conta, entravam em contato com as defesas.

Curioso, interroguei se a clínica também se encontrava sob igual segurança, ao que fui informado positivamente, porém de natureza diferente.

Em razão dos relevantes serviços prestados aos sofredores, ao largo do tempo as suas defesas sofreram alterações, sendo as atuais constituídas por um tubo de luz que descia do Alto envolvendo toda a área material na qual se encontrava instalada, embora houvesse também um tipo de muralha defensiva a erguer-se do solo...

Curiosamente, podiam ser vencidos os impedimentos quando se tratava de Espíritos vinculados aos pacientes para ali conduzidos, a fim de que pudessem também, por sua vez, ser beneficiados pelos serviços espirituais a que seriam submetidos. Exerciam, no entanto, resistência em relação àqueles tumultuados ou desordeiros, que desejassem invadir as dependências para gerar conflitos e prejuízos à organização do trabalho relevante.

As energias que formavam a defesa eram sensíveis ao pensamento dos Espíritos, que disparavam ondas portadoras das intenções, produzindo, quando negativas e perversas, efeitos prejudiciais aos seus emitentes. Equivale a dizer que a onda mental disparada chocava-se na *parede vibratória*, retornando, potencializada, e atingindo o autor, produzia-lhe grande desconforto e específica sensação de mal-estar.

– *As obras de amor* – esclareceu o gentil amigo – *devem estar defendidas dos maus, em qualquer parte em que esses proliferem. Não compreendendo, por enquanto, os nobres significados da vida, é justo que recebam de acordo com o que lhes apraz.*

Não fossem as providências de tal porte, que se encontram em todo lugar onde o bem opera, e estaríamos em constante combate com os semeadores da desordem e do crime.

A nossa clínica, por motivos óbvios, é detestada pelos emissários da alucinação, orientados por organizações iníquas, que agem com segurança em regiões inferiores do planeta, cujos chefes se acreditam dotados de poder para enfrentar as hostes do Cristo de Deus. Ninguém, que se dedique à benemerência, às realizações do progresso, com objetivos de promover o desenvolvimento moral da sociedade, que esteja isento da sua ação morbífica, da sua interferência pertinaz e inclemente. Todavia, como a Misericórdia de Nosso Pai não cessa de socorrer aqueles que se vinculam ao dever e à edificação do amor na Terra, nunca lhes faltam socorros hábeis, desde que sintonizem nas faixas da harmonia pela prece e pelas atitudes que os caracterizam.

Depois de uma breve pausa, na área do jardim de entrada do edifício central, ele prosseguiu:

– *Quando não se trata da ação criminosa direta, esses Espíritos buscam gerar dificuldades por meio de conflitos agressivos e desestabilizadores, em que têm ação direta, utilizando-se de pessoas de mau caráter, que se comprazem complicando o trabalho dos operosos, que invejam, instilam pensamentos perturbadores, criando grupos que se combatem reciprocamente, dando lugar a prejuízos incalculáveis ao labor que deveria desenvolver-se em clima de harmonia. Observe-se qualquer escola de fé, qualquer setor de dignificação humana, e logo se constatam os divisionismos, as lutas pelo poder, as maledicências, as calúnias e os comportamentos traiçoeiros que tanto fazem sofrer, quando não conseguem destruir os projetos de alta valia para a Humanidade... São as expressões do estágio moral em que se encontram os indivíduos, além disso, estimulados por esses desditosos inimigos do bem.*

Mesmo no Movimento Espírita, que deveria unir todos os adeptos como verdadeiros irmãos, infelizmente a inveja, o ciúme, a inferioridade moral abrem as portas para a incursão dos Espíritos levianos do mesmo porte, favorecendo o desenvolvimento das situações deploráveis, das desmoralizações covardes, das agressões, e o que é pior, fingindo-se estar servindo à Causa, que é de amor, de perdão, de esclarecimento, de caridade... Nem o insigne codificador transitou indene às agressões dos companheiros da Sociedade Parisiense de Estudos Espíritas...[5]

De acordo com o que sucedera com Jesus, o mestre de Lyon também experimentou nas carnes da alma *os espículos e flagelos da sordidez humana...*

Ainda perdura em a natureza humana esse atavismo combativo, que não sabendo ou não desejando cooperar, dissente, divide, para melhor dominar. O indivíduo, quando não possui valores ético-morais e espirituais para sobrepor-se àquele que considera competidor, atira-lhe lama, a fim de ocultar-lhe o brilho, exibindo a própria baba...

[5] Vide *Obras póstumas*, de Allan Kardec. Nota de rodapé, após o capítulo “Minha missão”. 14. ed. FEB (nota do autor espiritual).

Recordo-me de uma história de sabor popular, que expressa muito bem o que desejo expor.

O amigo silenciou um pouco, a fim de coordenar as ideias, e narrou:

– *Um sapo coaxava, à beira de uma lagoa. Anoitecia lentamente. Em determinado momento, ele notou sobre delicada violeta um pirilampo que brilhava sem dar-se conta. Tomado de despeito, o anfíbio anuro, não suportando a beleza da luz do inseto ingênuo, expeliu baba peçonhenta que atirou certeiro, cobrindo o lampirídeo, ao tempo que exclamou, exultante: "Apaguei-te a luz, infeliz!", e sorriu vitorioso antes do tempo. O vagalume, tomado de surpresa, sacudiu as asas, libertando-se da gosma pegajosa, ergueu-se, lépido no ar e respondeu, tranquilo: "No entanto, continuo brilhando"...*

Não acontece algo equivalente em nosso Movimento, guardadas as devidas proporções? Felizes, porém, todos aqueles que, embora a baba da inveja com que tentam empanar-lhes o brilho, continuam luminosos, iluminando...

Estava sinceramente feliz, constatando a sabedoria que o advogado terrestre, que não quisera exercer a profissão, exteriorizava, como resultado de observações bem fundamentadas e saudáveis.

Não tive tempo de ampliar reflexões, porque o afável trabalhador convidou-me a retornar ao núcleo de atividades, já que o dia avançava na direção do entardecer.

Em lá chegando, encontrei os amigos espirituais que dialogavam sobre os labores que deveriam ter lugar no recinto dedicado ao Departamento do Sanatório Esperança.

Em muitas ocasiões, ali seriam realizados cursos especiais sobre a problemática da alienação mental e da obsessão, preparando candidatos espirituais para os serviços socorristas em clínica e ambulatórios terrestres dedicados a esse mister.

Noutras, permaneceria como um santuário de preces e reflexões, ao mesmo tempo dedicado às terapias especializadas em favor dos Espíritos em recuperação do trauma da desencarnação ou com resíduos dos transtornos vivenciados no corpo, tanto quanto para atendimento aos pacientes que ali se refugiassem quando lhes aprouvesse.

A sua finalidade essencial, todavia, dizia respeito à iluminação de consciências daqueles infelizes que se prendiam ao ressentimento e ao ódio, permanecendo em situação lamentável de perseguidores daqueles que eram considerados como inimigos.

O caro amigo Dr. Ignácio Ferreira, comentando a situação desses irmãos atormentados, referiu-se com muita justeza, que sempre vemos a vítima atual, dela compadecendo-nos, como fenômeno natural da nossa emotividade, sem levarmos em conta o gravame que gerou a situação dolorosa.

Sentindo-se acompanhado nas suas reflexões, elucidou:

– *Quando me detenho a pensar na situação dos atuais perseguidores, imagino-me na condição deles, caso houvesse experimentado a adaga decepadora que lhes interrompeu a existência física ou a urdidura do crime que lhes desencadeou sofrimentos por anos a fio, e não sei, honestamente, se não me comportaria conforme o fazem.*

Graças aos Céus, fui honrado na Terra com o conhecimento espírita, libertador e sublime, que me desenleou dos sentimentos hostis, remanescentes do processo evolutivo, que muito me afligiam... Ademais, a convivência com a alienação dos atormentados que chegavam ao hospital, alguns em estado terrível de loucura, outros vitimados pelos surtos devastadores, ensinou-me ao longo do tempo a compaixão, a misericórdia e a caridade para com todos. Ouvindo aqueles que os excruciavam, narrando os males que deles sofreram, em momentosas comunicações mediúnicas, confesso que me sentia impulsionado a considerar justas as cobranças, não fossem elas armas destruidoras para quem as utilizava...

A Compaixão de Jesus para com os afligentes inspirava-me sentimento de misericórdia em relação aos afligidos.

Quantas narrações supremamente dolorosas ouvi emocionado, em forma de justificativa, apresentada pelos perseguidores, que estertoravam de angústia e de desesperação malcontidas, gritando-nos para que os não interrompêssemos nas tristes lutas que travavam! As evocações dos crimes nefandos de que foram vítimas sempre me comoviam, tornando-me solidário à sua gigantesca aflição.

Reflexionava, porém, com eles, sobre o amor, o perdão e a Justiça Divina que nunca faltam, sensibilizando-os e propondo-lhes o abandono do combate inglório, porque lhes desencadeava sempre novos tormentos. O Senhor da Vida dispõe de recursos – dizia-lhes – para reeducar os infratores sem necessitar da interferência das suas vítimas, que têm o dever de perdoá-los, considerando a própria imperfeição e as defecções que se permitiram anteriormente...

Informava-os, então, que ninguém escapa ao tribunal da própria consciência, depositária das Leis de Deus e muito menos das corrigendas impostas pelas Soberanas Leis, que se impõem a todos indistintamente, dando lugar à harmonia universal, conseguindo sensibilizá-los e dispô-los à compaixão, assim despertando-os para os valores legítimos da fraternidade que se impõe no processo de crescimento para Deus.

Ainda hoje, quando vejo essas vítimas que enlouqueceram de dor, que perderam a forma *em processos de automutilação, autotransformação, auto-hipnose, de deformação perispiritual pelo impacto dos sentimentos de ódio, de sensualidade, de vingança, comovo-me, agradecendo ao Amigo Incomparável por encontrar-me noutro nível de consciência.*

Nunca deixo de louvar o amor e suas benéficas messes de compaixão, que nos espiritualizam, dando-nos resistência para o enfrentamento das vicissitudes e compreensão dos acontecimentos existenciais. Fosse, porém, apenas o amor, sem o contributo das elucidações espíritas, e não alcançaríamos os elevados patamares da verdadeira afeição, da construção da família universal.

Desse modo, o conhecimento das verdades espirituais que iluminam o amor, torna-se indispensável para a conquista do equilíbrio interior.

Fez uma pausa, emocionado, como se houvesse recuado ao tempo terrestre de tantas valiosas experiências e lutas redentoras, em que forjara as emoções para alteá-las a superior patamar de humana compreensão das fraquezas das criaturas.

E porque o silêncio se prolongasse, concluiu:

– *O discernimento que nos é propiciado pelo conhecimento do Espiritismo contribui expressivamente para que o amor não se entibie nem se fascine, mantendo-se neutro e justo em todas as circunstâncias, de modo a ajudarmos as vítimas atuais e aquelas que padecem desde* ontem...

Aqui estamos para preparar o ambiente que receberá logo mais nossos irmãos reencarnados, realizando a primeira reunião mediúnica formal, deste novo período.

O Dr. Norberto, guardando parte das reminiscências dos acontecimentos da noite passada, convocou os cooperadores mais próximos para um encontro às 20h de hoje, reiniciando os trabalhos desobsessivos, seguro dos resultados felizes que advirão dessa providência. Neste momento, por nós instruído, o

Dr. Juliano Moreira assessora-o, inspirando-lhe paz interior e alegria, acompanhando-o nas atividades e no retorno ao lar, de forma que sejam evitadas situações conflitivas capazes de criar dificuldade para o cometimento em pauta. Nosso nobre psiquiatra baiano, convidado à ação fraternal, estua de contentamento, descobrindo a outra face da realidade no Mundo espiritual.

Três médiuns dedicados foram pelo nosso diretor da clínica selecionados, sendo duas senhoras e um cavalheiro que se entregarão ao ministério da psicofonia atormentada, de modo a iniciar-se com segurança o compromisso novo, que certamente se prolongará pelos dias do futuro...

Ao silenciar, observei as novas disposições do mobiliário e material especializado distribuídos na sala.

Auxiliares espirituais anteriormente convidados dispuseram a aparelhagem emissora de ondas especiais em lugares estratégicos, particularmente próxima aos assentos em que ficariam os médiuns, de maneira a poderem ser utilizados com facilidade. Outros cooperadores que foram destacados para ali permanecer por largo período, diligentes e operosos, receberam as instruções próprias para o cometimento, ficando alertas para quando fossem convocados para alguma necessidade específica.

Buscassem os companheiros do plano físico entender a gravidade dos trabalhos mediúnicos e descobririam quanto labor é realizado antes do momento da reunião, e quanto é importante a contribuição de cada um dos seus membros.

Não existe o improviso entre os Espíritos nobres, assim como não permitem a leviandade de realização de qualquer fenômeno que não tenha sido programado.

A cada um de nós outros foi apresentada uma tarefa, incluindo as nossas queridas médiuns desencarnadas, o amigo Antonelli, o Jacques, a mim...

Todos vibrávamos de emoção feliz, pela satisfação de ampliar o campo de realizações espirituais sob a égide de Jesus, o *Senhor dos Espíritos*, prelibando as alegrias decorrentes do êxito do empreendimento iluminativo.

Motivados para o labor especial, não nos demos conta do relógio e, pouco antes da hora estabelecida começaram a chegar os membros do formoso serviço em instalação.

Havia, no rosto de cada convidado, os sinais da real alegria e da expectativa em torno do que iria acontecer.

Todos se encontravam assessorados por amigos espirituais do seu círculo de afeição e o Dr. Juliano demonstrava inusitado júbilo por haver-se desincumbido da responsabilidade com o êxito desejável.

Cada qual procurava manter o silêncio respeitável que a atividade de alto coturno exige. Sob a orientação do Dr. Norberto, sentaram-se em volta da mesa com capacidade para oito pessoas, os médiuns de psicofonia e de passes, enquanto as demais ocuparam as poltronas fronteiriças à mesma, em duas alas, a partir da porta de entrada.

Pontualmente, à hora estabelecida, o diretor explicou brevemente a razão da atividade e, tomando de *O Livro dos Médiuns*, de Allan Kardec, leu do Capítulo XXIX, que trata *Das reuniões e das sociedades espíritas*, os itens 330 e 331, a fim de que todos se integrassem na responsabilidade do momento, conscientizando-se do significado de que se reveste uma reunião séria, tranquilizando o conjunto, a fim de impedir-lhe discrepâncias de opinião e perturbação emocional, mantendo confiança interior e paz de Espírito.

Logo depois, em perfeita sintonia com o Espírito Dr. Hermógenes, gentilmente convocado para a reunião, tomou de *O Evangelho segundo o Espiritismo*, de Allan Kardec, e leu o item 12 do Capítulo V – *Motivos de resignação*, preparando--nos a todos para o início da nobre tarefa.

A prece foi proferida com verdadeira unção em plena sintonia com os benfeitores espirituais presentes, facultando a perfeita identificação com os delicados campos vibratórios onde nos encontramos os desencarnados.

Sem relutância, Dr. Ignácio Ferreira utilizou-se do aparelho psicofônico de dedicada trabalhadora da clínica, portadora de excelente faculdade mediúnica semissonambúlica, explicando que, a partir daquele momento encontrava-se ali instalado o laboratório de amor e de esclarecimentos em benefício dos alienados mentais de todo tipo, facilitando o intercâmbio lúcido com as Entidades sofredoras que fossem responsáveis pelos distúrbios obsessivos e as interferências mórbidas nos quadros psicopatológicos apresentados pelos enfermos, assim como por todos que participavam dos labores naquele Instituto dedicado à saúde mental, emocional e espiritual.

Solicitou aos membros do labor mediúnico a contribuição consciente em favor do êxito do empreendimento pioneiro, naquelas circunstâncias, de modo a poder-se realizar um ministério grave quão produtivo em benefício dos aflitos de ambos os planos da vida.

Esclareceu, bondosamente, que os médiuns, em particular aqueles que se dedicavam ao intercâmbio iluminativo com os facínoras e perversos do Além, se precatassem contra as ciladas que lhes seriam apresentadas, com o objetivo de desarticular o trabalho, muito do agrado daqueles que ainda se comprazem no mal resultante da ignorância.

Instou, gentil, mas conciso, para que não permitissem medrar no grupo o escalracho das incompreensões, repontando como ciúmes, maledicências, suspeitas infundadas, todas as banalidades infantis que o *ego* preserva, a fim de gerar situações perturbadoras.

Uma reunião mediúnica específica para atendimento aos obsessos e alienados mentais de ambos os lados da vida é de alta responsabilidade para todos os seus membros, que devem compreender-lhe o significado, esforçando-se para corresponder a confiança dos mentores espirituais programadores do trabalho, interessados na boa execução do compromisso.

Advertiu com delicadeza para as situações geradoras do sono, resultado de intoxicações de vária ordem, para a pontualidade que não deve ser desconsiderada, para as disciplinas morais, sobretudo para a discrição em torno das ocorrências que ali tivessem lugar, evitando comentários desnecessários após o seu encerramento.

Sugeriu, igualmente, uma breve avaliação, quando se fizesse oportuno, das comunicações, a fim de criar-se uma segura interação entre o psicoterapeuta dos desencarnados com os mesmos e com os médiuns, cada qual explicando a sintomatologia emocional e física experimentada durante o transe, que poderia contribuir para melhor entendimento da comunicação e união entre todos.

Por fim, emocionado, agradeceu a cooperação da equipe e a sua disposição de servir a Jesus no silêncio da oração e no recato em relação ao serviço mediúnico em favor da iluminação das consciências.

Logo depois, o caro amigo Jacques Verner tomou a instrumentalidade do cavalheiro circunspecto, em profunda concentração e ofereceu palavras oportunas de estímulo e encorajamento ao grupo, relatando algumas das suas muitas experiências na Erraticidade, com vistas ao crescimento da clínica e em favor dos companheiros de jornada que haviam ficado na retaguarda, referindo-se aos irmãos Bertollini e outros antigos cooperadores, que haviam retornado à Espiritualidade e já se encontravam engajados na obra de recuperação moral que se dava naquele santuário.

Confortando os amigos, explicou que ele próprio era o maior beneficiado com a edificação daquele antigo sanatório, em face de graves comportamentos que mantivera quando, à frente de fanáticos religiosos, participando das refregas apaixonadas e infelizes do período inquisitorial, fizera-se responsável por inúmeros encarceramentos e assassinatos de *infiéis*, estimulado, no entanto, pela inveja, pelo ódio e pelos próprios conflitos que dele faziam também um alienado mental em aparente estado de normalidade...

Relatou a gravidade dos comportamentos infelizes no passado, que nos tipificam, especialmente na área religiosa, quando as paixões desordenadas levaram-nos aos calabouços emocionais do desespero, que transformamos em programas de ódio, utilizando-se da incomparável personalidade de Jesus, todo amor e misericórdia, para desfrutarmos do poder temporal que a religião dominante da época facultava aos seus membros.

Lágrimas coroaram-lhe os olhos, evocando os já distantes dias do passado, mas presentes na memória em recuperação, que o levaram a pugnar pela construção do santuário de recolhimento para os aflitos da atualidade, reparando os graves delitos perpetrados. Somente o amor é capaz de lenir as exulcerações morais por ensejar recursos hábeis e oportunidade para o bem em execução.

Pude ver acercar-se do grupo os irmãos Bertollini, jubilosos e gratos a Deus, bem como aos amigos, pela oportunidade incomum de haverem trabalhado com ardor e abnegação em favor dos companheiros do caminho que a loucura dominou, evitando-lhes maior degradação e o retorno à saúde para o trabalho dignificante conseguido por inúmeros beneficiários do serviço com Jesus, na condição de Celeste Psicoterapeuta.

Ao terminar, expressaram a gratidão dos fundadores e dos amigos que haviam retornado à Pátria e ali se encontravam, deixando-nos a todos impregnados de amor e de paz, cantando hinos silenciosos de gratidão ao Senhor da Vida pela imerecida honra de estarmos na lavoura do Seu Filho Jesus.

A seguir, Dr. Ignácio conduziu à outra senhora médium um Espírito que ali desencarnara, vitimado pelo alcoolismo de que não se conseguiu recuperar, e que continuava sob a dominação do adversário espiritual, vingativo e insano. Momentaneamente liberado pela equipe de trabalhadores da nossa esfera de ação, foi conduzido à psicofonia, aturdido quanto infeliz, expressando-se com inquietação:

– Até quando sofrerei, meu Deus, perdido neste abismo de sombras?

A voz estava assinalada pela angústia de longo porte que o retivera na prisão sem grades dos tormentos vividos.

Seguramente telementalizado pelo irmão Antonelli, que se dedicara à doutrinação quando no corpo físico, o orientador da reunião elucidou:

– Até quando lhe aprouver, porque a dor tem a duração que lhe oferecemos. No momento em que o amigo alterar a direção do pensamento e pensar na luz que se irradia de Jesus, logo se lhe modificarão as paisagens interiores, desaparecendo o abismo em que se precipitou por vontade própria.

– Não diga assim – redarguiu o comunicante –, *porque a minha tem sido uma existência infeliz. Nada me acalma nem preenche este vazio interior que me consome, que me devasta, que me aniquila. Uma força maior do que a minha vontade impele-me ao álcool, que me acalma enquanto me amolenta, embora me sugue todas as energias, deixando-me exaurido...*

– Compreendo, sim, o seu problema – respondeu o diligente doutrinador –, *mas não lhe têm faltado os recursos para o reequilíbrio, que o amigo não tem aceitado, deixando-se arrastar pelas correntes perigosas do vício e dos Espíritos que também nele se comprazem, utilizando-se de você para fins ingratos.*

– Como, Espíritos e correntes que me atam e dominam, se me encontro num abismo, perdido, sem noção de tempo nem de lugar?!

– Sucede que têm sido muitos os dias da sua aceitação de escravo do prazer doentio, que lhe foi inspirado por inimigo espiritual que o domina desde há significativo período iniciado na sua juventude...

– Não sou, portanto, responsável pelo que me acontece, desejando, porém, libertar-me de tantas aflições que me perturbam e aniquilam a pouco e pouco. Já não sei quando estou lúcido ou em delírio... Não será este momento mais uma alucinação da minha imaginação doente?

– Não, meu amigo. Este é o momento da verdade, do despertamento do demorado letargo em que você tombou, desde há bom tempo. A verdade sempre luz à nossa frente, porém,

recusamo-nos a recebê-la e agasalhá-la na mente e no coração, preferindo a sombra em que ocultamos as imperfeições, para não chamarmos a atenção... Sim, embora influenciado pelo adversário, você é responsável pelo que lhe tem acontecido, em razão de agasalhar as sugestões do mal e do vício que lhe são direcionadas...

– Mas eu tenho sido infeliz, desde a infância, até onde chegam as minhas lembranças...

– É natural que isto haja acontecido, mas que fez você em benefício próprio, exceto entregar-se à lamentação e ao abandono de si mesmo? Por acaso, nunca viu os danos causados pelas tormentas, e a Natureza, de imediato, reabilitando-se deles? Assim também acontece com todos nós, quando vítimas dos tormentos que tombam sobre nossas existências, gerando transtornos, dores e desastres diversos... Ao invés de nos determos a contemplar os escombros, cabe-nos retirá-los do caminho, refazendo o que foi destruído e seguindo em frente. Nunca nos faltam os recursos da inteligência e do discernimento para refazer e recomeçar. Entretanto, muitos preferimos ficar lamentando, como se as dores somente a nós nos alcançassem, enquanto os outros estão recompondo-se...

Ouça-me com atenção: a vida física, por mais longa se apresente, momento alcança em que se interrompe. A verdadeira vida é a de que desfruta o Espírito, quer no corpo ou fora dele... Desse modo, os acidentes desagradáveis do percurso material, as injunções dolorosas, igualmente, por mais largas que sejam, enfrentam um momento em que se interrompem. E isso se dá através da morte do corpo, que não significa desintegração do ser, mas transferência de uma realidade limitada para outra infinita, isto é, da matéria para o Mundo espiritual, que é o nosso lugar de nascimento e o porto de chegada após a viagem terrena...

– O que você deseja dizer-me? Que a minha trajetória já se encerrou, apesar de tudo quanto continua acontecendo-me?

– Exatamente. Vitimado pelo alcoolismo e por pressão dos Espíritos inimigos que o escravizaram ao vício, utilizando-se do seu organismo para prosseguirem na desdita que elegeram, o seu corpo físico não suportou o imenso desgaste pela exigência do vício e cessou de funcionar...

– *...Mas, quando?!* – interrompeu-o, aflito e em desespero.

O orientador, mantendo-se sereno e dócil, explicou-lhe:

– Procure primeiro ouvir para compreender e tudo se aclarará, modificando a sua vida, a partir de então, que se encontra rica de realidade, após o trânsito pelo vale de sombras da morte. Sim, você já se libertou do carro da aflição, havendo experienciado um bom período de adormecimento, quando ocorreu o despertar assinalado pelas dores habituais, em estado de maior perturbação, como é natural. A verdade é, meu caro amigo, que ninguém morre. Liberta-se a lagarta do envoltório em que se oculta para liberar a borboleta leve que flutua no ar... Assim também se dá conosco. O Espírito é o ser verdadeiro que, envolvido pelo corpo, é lento, arrasta-se pesado no solo, sob injunções complexas que o momento não me permite explicar-lhe, mas de que você tomará conhecimento no instante próprio, libertando-se, pelo fenômeno da morte, para prosseguir evoluindo, embora as circunstâncias em que se encontre...

O desencarnado ouvia apreensivo, em dúvida, ansioso.

Sem qualquer afetação, Dr. Norberto prosseguiu, sereno e lógico:

– Observe-se, neste momento, como se encontra o corpo de que se utiliza para a nossa conversação... Detenha-se em analisar a circunstância em que se depara... Examine-se...

O Espírito começou a observar o corpo feminino de que se utilizava, porque não se houvera dado conta do fenômeno, que ocorrera sem que dele tivesse participação ativa, já que fora induzido pelo benfeitor, sendo tomado de surpresa, logo interrogando:

– *Como pode isto ocorrer? Sou eu, mas o corpo é de outrem, de uma mulher! Compreendo. Trata-se de mais uma alucinação que me toma a mente, e deliro...*

– *De forma alguma, meu amigo. Esta é a realidade que se sobrepõe às alucinações anteriores, facultando-lhe o despertar para uma situação diferente. Você foi trazido por amigos espirituais que o amam, encerrando-se-lhe o capítulo doloroso da contínua embriaguez e abrindo-lhe uma nova perspectiva para o encontro com a paz que o alcançará em momento próprio. As sensações que lhe dominam o corpo são resultado de impregnação mental na matéria sutil que envolve o Espírito ainda não libertado dos hábitos dominadores que o encarceraram por largos anos.*

Notava-se-lhe a aflição sem palavras, a surpresa imensa, que se transformaram em caudal de lágrimas abundantes, impedindo-lhe de exteriorizar os sentimentos através da palavra.

A um sinal discreto, o orientador sugeriu a um dos médiuns passistas aplicar recursos da bioenergia na confreira em transe, a fim de alcançar o Espírito em aflição, enquanto Dr. Ignácio solicitou-nos mentalmente proceder de igual maneira, aplicando-lhe energias calmantes e entorpecedoras que, a pouco e pouco, levaram o Espírito ao sono tranquilo...

Enquanto isso, o psicoterapeuta de desencarnados, compreendendo o que acontecia, disse-lhe:

– Durma em paz e desperte em clima de confiança em Deus, quando tudo o mais lhe será narrado, propiciando-lhe a libertação espiritual. Deus o abençoe e o tenha em Sua Misericórdia.

Enquanto isso acontecia, o Espírito obsessor que fora desligado do psiquismo do enfermo encontrava-se em desespero dentro das nossas barreiras vibratórias, que o impediam de proceder conforme desejava, certamente ali retido para a terapia especializada no momento oportuno.

12

O LABOR CONTINUA

As comunicações eram tão expressivas e a dedicação dos médiuns tão completa, que podíamos observar o intercâmbio saudável entre as duas esferas sem quaisquer inconsequências.

O Dr. Norberto assumira a consciente responsabilidade de psicoterapeuta dos desencarnados, sensível à inspiração do mentor da reunião, enquanto a equipe, perfeitamente sintonizada com o objetivo do trabalho, facultava um bom rendimento espiritual.

Em face da concentração sincera, os membros da mesa vinculavam-se por meio de tênue *cordão* de energia luminosa, que se tornava mais ou menos brilhante, ligando um ao outro, à medida que ocorriam as comunicações.

Do grupo de cooperadores fora da mesa as ondas mentais eram canalizadas na direção dos médiuns que as captavam, fortalecendo os equipamentos delicados propiciatórios das comunicações.

Nesse comenos, vi adentrar-se o *justiceiro*, que teve acesso ao recinto sem a sua corte, graças ao interesse do Dr. Ignácio em conduzi-lo à psicofonia, através de Licínia, a jovem médium portadora de admiráveis recursos magnéticos.

Percebi que ela irradiava energias em direção do Espírito perverso, que se deu conta de que estava sendo *arrastado* por estranha força à comunicação indesejada.

Tentando libertar-se, sem o conseguir, houve a imantação do seu ao perispírito da jovem, e o fenômeno ocorreu espontâneo, surpreendendo-o, e pondo-o a blasfemar:

– *Que desgraça é essa?!* – ele ouviu a voz do médium repetir o que enunciara espiritualmente e foi colhido de surpresa com a ocorrência tão veloz, que não lhe deu tempo de libertar-se da injunção mediúnica.

Embora sem saber de quem se tratava, Dr. Norberto, respondeu-lhe:

– *Não se trata de uma desgraça, mas de excelente oportunidade de conhecer-nos.*

– *Sucede que eu o conheço* – esbravejou o insano.

– *Então, é a minha vez de ter a satisfação de torná-lo meu amigo.*

– *Como será possível uma amizade entre mim, que dirijo esta casa a meu modo, e você que a comanda no sentido contrário?*

O psiquiatra deu-se conta de que se tratava de um Espírito obsessor, e facultando campo mental à sintonia com o Dr. Ignácio, passou a receber-lhe a inspiração.

– *Pois me constitui uma honra conhecer o administrador espiritual de nossa clínica, certamente elegido por si mesmo, porquanto o real diretor encontra-se em esfera muito superior à que ambos nos vinculamos. Compreendo que o amigo pretende ser aquele que se crê capaz de comandar as vidas que aqui se hospedam em processo de refazimento, iludindo-se e aos outros enganando como se fora portador de um poder que realmente não possui.*

– *Como se atreve a desacatar-me? Eu sou o* justiceiro!

– Confesso-lhe que me constitui um prazer inesperado conhecê-lo, passando a ter dimensão do que se passa na Esfera além do mundo sensorial em que me encontro, assim facultando-me melhor entender as ocorrências espirituais perturbadoras que têm lugar em nosso trabalho.

– Pois fique sabendo que estou sendo vítima de uma armadilha, na qual, por descuido, tombei.

– É de estranhar-se – redarguiu o médico *– que uma personagem que se atribui o título de justiceiro, seja vítima de um ardil dessa natureza, incapaz, portanto, de cuidar de si mesmo, menos daqueles aos quais pretende fazer justiça. Igualmente surpreende-me o apodo com o qual se faz designar, porque o real portador de Justiça na vida é Deus, o Soberano Legislador. Não deixa de ser surpreendente, que um Espírito assinalado por injunções afligentes pretenda fazer-se intermediário de algo que lhe é totalmente desconhecido, caracterizando-se exatamente pela falta de discernimento para avaliar as ocorrências e julgá-las com isenção de ânimo...*

– Faço justiça, *porque, para tanto, fui eleito pelos famigerados membros da nossa associação. Certamente você não ignora que os seus pacientes são criminosos reles, que chamados à regularização das suas odientas ações, refugiam-se aqui, na busca do esquecimento e da libertação da infame consciência que os culpa. Desde que a decantada Justiça Divina os protege, a nossa, a justiça humana e espiritual, assume a responsabilidade de chamar à ordem os infratores, cuja passagem pela Terra foi assinalada pelos crimes que não foram conhecidos, e quando o eram, a sua posição social, política, econômica ou religiosa os isentava de punição, porque somente os miseráveis é que devem sofrer em silêncio e sem defesa.*

O argumento sofista, habilmente apresentado como de correção das infrações morais, parecia verdadeiro para aquele que o expunha, fingindo-se consciente do que executava.

O gentil doutrinador, porém, lúcido e calmo, argumentou:

– *Não é crível que o amigo, que parece conhecer a vida além do túmulo, se acredite credenciado a falar em nome da Justiça que defrauda pelo ódio, dominado por interesses egoísticos, parciais e apaixonados, ocultando a mesquinhez e a inferioridade, considere-se em condições de aplicá-la, incidindo em erro mais clamoroso do que aqueles a quem acusa. Vítimas, que foram, de si mesmos, esses algozes agora em função reparadora expungem, enquanto os seus cobradores derrapam em gravames não menores, desde que a Divindade não necessita das humanas contribuições para manter o equilíbrio e a ordem moral na Criação... Além de tudo, a aplicação do que denomina como corretivo nos endividados, não os reeduca, não os corrige, porque eles ignoram esses recursos covardes aplicados nas sombras do mundo além do corpo... Como justiçar, sob descargas de violência, de vingança, de perversidade?...*

Interrompendo o inspirado esclarecedor, blasonou:

– *A nossa é a* justiça *dos infelizes, e não daqueles que são ditosos e parciais... As vítimas agora têm a vez de impor o mesmo ferro em brasa em quem as queimou, usando a Lei de Talião...*

– *O amigo continua sofismando com cinismo* – interrompeu-o, por sua vez, o psiquiatra –, *sem que isso me impressione. Recorre à Lei de Talião, olvidando-se de que os padecentes de ontem, sem qualquer dúvida, estariam inscritos nela que os convidou à renovação... Ignorando a Lei de Amor apresentada por Jesus, uns e outros rebolcam-se em uma luta que não terá fim, porque sempre se encontrarão no corpo e fora dele os mesmos infelizes litigantes, o que de certo não será assim, porque momento chega em que o Senhor da Vida e da morte põe um basta, impondo expiações purificadoras que a todos alcançarão, libertando-os de si mesmos, dos seus rancores...*

Além do mais, não são as vítimas que estão aplicando o seu chamado corretivo, mas o amigo, que nada tem a ver com as ocorrências que as infelicitaram.

– Não estou disposto a ouvi-lo mais – ripostou com acrimônia o comunicante, que espumava de ira...

– Admito que sim, no entanto, aqui, o seu querer é inválido, desde o momento em que se envolveu com atividades que lhe não dizem respeito, porque a clínica tem administradores que não necessitam do seu ou de qualquer concurso não solicitado. Assim sendo, o amigo infringe os códigos de respeito às autoridades morais, à propriedade e às vidas. Como não desconhece a força da Lei Universal, que vige em toda parte, esse comportamento reprochável e a fátua postura que assume, enganando esses atormentados que se lhe submetem com medo, lhe trarão infortúnios e desaires não imaginados.

– Estou disposto a enfrentá-los, desde que outro não é o meu desejo, senão o de fazer justiça, *a meu modo...*

– ...A seu modo – novamente o interrompeu –, *o que não significa equilíbrio ou edificação, mas capricho e loucura. Desde que o nosso diálogo alcançou este ponto, sou-lhe sincero em dizer, que não acredito nos seus argumentos, e que o amigo, fingindo ajudar aos demais infelizes que lhe formam a ridícula associação, necessita dessa condição, em face da inferioridade que o leva a usurpar as energias das suas vítimas, a vampirizá-las, por sua vez, subalterno de outros mais ferozes e insanos, que certamente alojam-se em determinada região infeliz do mundo espiritual...*

– *Como se atreve* – indagou, erguendo a médium – *a desacatar-me novamente!?*

– *Não o desacatamos, somente o enfrentamos, para demonstrar-lhe que o seu reino de sombras e de mentiras começa a ruir ante a luz presente do amor e da verdade. A partir de agora, nossa clínica, que sempre esteve sob a proteção dos Céus, instala um departamento de segurança para os seus clientes e de socorro aos seus adversários, como o amigo se propõe ser...*

– *Vou-me embora, porque é demasiado o seu atrevimento* – novamente o interrompeu.

– *Da mesma forma, que veio trazido sem a sua anuência, daqui sairá somente se lhe for permitido. A sua arrogância é infantil, porque sabe do seu não poder, havendo tombado em uma armadilha como confessou, dependendo, desse modo, de quem o colheu para poder liberar-se.*

O diálogo vigoroso era transmitido para todas as áreas da clínica pelo serviço especializado de comunicação, para esse fim distribuído anteriormente pelos organizadores do Departamento.

Aturdidos, alguns dos asseclas do *justiceiro* descobriam-se vítimas do mesmo e provocavam algazarra e rebelião, enquanto, na sala protegida, o encontro chegava ao seu clímax, porquanto o desejo dos mentores era exatamente o de desmascarar o jactancioso...

– *Como aqui nada se impõe* – concluiu o psiquiatra afetuoso, sem qualquer resquício de aborrecimento – *o amigo poderá desvincular-se da médium, retornando ao seu campo de ação, consciente, porém, de que a sua pífia* administração *é nula, encontrando-se subalterna aos Desígnios Divinos. Que o Senhor de Misericórdia compadeça-se de você e que siga em paz! Aguardaremos futura oportunidade para novo diálogo, certamente em tempo muito próximo...*

Sem nada mais dizer, o desastrado Espírito, tomado de cólera violenta, desejou interromper abruptamente a comunicação, desorganizando os equipamentos sensíveis da jovem médium, no que foi impedido, porque Petitinga, orientado mentalmente pelo Dr. Ignácio Ferreira, envolveu-a em ondas sucessivas de paz e de equilíbrio, deslindando-o das ligações psíquicas com a roupagem física da sensitiva, sem qualquer violência.

Assim mesmo, visivelmente extenuada, Licínia voltou à lucidez, e recebendo o concurso dos passes, tanto de Petitinga quanto de um dos médiuns reservados para esse mister, recobrou-se, equilibrada e feliz pelo desempenho do ministério.

Em face do diálogo enérgico, iniciou-se o desmoronar da *associação* presidida pelo ridículo Espírito que se fazia passar como o *justiceiro*.

Ao irromper, furibundo, no corredor, onde se aglomeravam os seus subalternos atoleimados, um deles, mais ousado, resolveu romper os grilhões da submissão e enfrentou-o, provocando uma luta *física*, na qual saiu perdedor, porque os demais corifeus o agrediram e aprisionaram, levando-o ao recinto em que se homiziavam, para receber corretivo correspondente ao atrevimento.

Não é fácil desbaratar quadrilhas de qualquer porte, seja no mundo físico ou no mundo espiritual. Os ardilosos organizadores caracterizam-se pela crueldade, astúcia e técnicas que transportaram da Terra ou as aprenderam no Além, subjugando os mais ignorantes e ingênuos que, por medo, se lhes submetem.

A reunião prosseguiu, rica de lições libertadoras, graças ao conhecimento dos seus membros acerca do mundo espiritual, particularmente no capítulo das obsessões, do intercâmbio consciente ou não entre as duas esferas da vida.

Ato contínuo, logo foram diluídas as vibrações mais densas no ambiente, resultantes da comunicação anterior, vi o dedicado Dr. Ignácio conduzir à psicofonia, através da médium Armandina, um Espírito visivelmente angustiado, com uma fácies de rancor irreprimível, que a envolveu e, tomando-lhe do aparelho fônico, sem saber o que estava acontecendo, perguntou, rancoroso:

– *Que faço aqui? Quem são os senhores?*

– *Seja bem-vindo!* – recepcionou-o o diretor dos trabalhos. – *O amigo está aqui, a fim de tomar conhecimento de ocorrências que lhe são desconhecidas e nós somos os responsáveis por este trabalho terapêutico de orientações espirituais. Como não ignora, o amigo se encontra libertado do corpo físico, em atividades fora da matéria densa.*

– *Isso eu sei!* – ripostou com mau humor. – *Por que aqui me encontro é que não consigo entender, especialmente porque estou num lugar onde não me interessei em vir, não sabendo, sequer, como cheguei.*

– *É fácil de entender-se* – esclareceu o orientador. – *Esta é uma clínica de saúde mental, onde estão internados pacientes portadores de desequilíbrios emocionais, morais, espirituais, sociais... Entre as suas normas educativas e terapêuticas dispomos de uma atividade especial para falar com aqueles que também aqui mourejam, porém, fora do corpo físico, os Espíritos, como é o caso do amigo.*

– Eu, porém, não tenho interesse em saber desses detalhes secundários, porque o meu problema, estou resolvendo-o com os meus próprios recursos, sem a ajuda de ninguém...

– Entendemos – interrompeu-o o psiquiatra. – *É exatamente para discutirmos o seu problema como o de outros do mesmo gênero, que nos encontramos em uma reunião através da qual podemos dialogar com aqueles que desencarnaram, que morreram, como habitualmente se diz, e que aqui permanecem em atitudes hostis, de vingança e de perversidade, demonstrando-lhes o erro em que operam. Embora tenham os seus motivos, nem sempre legítimos, atiram-se em terrível insânia de vingança, transtornando vidas e esperanças sob os látegos do ódio que vitimam aqueles aos quais deveriam amar, conforme estabelecem as Leis de Deus.*

– E por que amá-los, se eles nos desgraçaram a existência, qual ocorreu comigo? A mulher infame com quem me consorciei, dando-lhe dignidade, uma família e conforto, traiu-me com um empregado inferior, desmoralizando-me ante todos, inclusive os meus filhos, com ele fugindo, após furtar-me expressiva soma, o que me levou ao desespero, ao deperecimento das forças, à vergonha e, por fim, à morte, com o coração esmagado de ódio e de rancor... Os sofrimentos que me advieram, sem saber que houvera morrido, pois ignorava totalmente as questões em torno da imortalidade do ser, são indescritíveis. Fui vítima da chocarrice, da perseguição de seres inclementes, que me arrastaram de um para outro lugar, até que a lucidez alcançou-me o discernimento e consegui libertar--me, tornando-me tão insensível e zombeteiro, quanto aqueles que me molestavam... O tempo, que não consigo avaliar com segurança, fez-me reencontrar a infame, abandonada pelo

bandido que a espoliou, tomando-lhe tudo que conseguira levar, tornando-a desventurada e suicidando-se logo depois...

Nesse momento, o comunicante começou a chorar com revolta e dor. O pranto de desespero comovia-nos.

Logo pôde, prosseguiu, lamentosamente:

– *Não a pude alcançar depois da morte, porque outros mais hábeis do que eu arrastaram-na para as regiões infernais onde permaneceu por longos anos...*

Depois, muitos anos transcorridos, em que a chaga no meu coração continuava pululando, vim a reencontrá-la em corpo novo, jovem, e com muitos conflitos resultantes do seu suicídio, mas ainda leviana e vulgar... Acerquei-me, dei-me conta de que ela percebia-me de maneira confusa na mente, onde se misturavam as lembranças do adultério e da fuga, assim como do suicídio. Vendo-a, tão desgraçada, cheguei a penalizar-me. Mas o orgulho, a dor carpida por mais de meio século terminaram por vencer-me a compaixão. Não sei explicar exatamente como aconteceu a nossa problemática. Ao seu lado continuamente, comecei a experimentar outra vez as sensações carnais, os desejos atormentados e, de repente, vi-me a ela imantado, transmitindo-lhe os meus sentimentos de rancor enquanto vivenciava os seus tormentos pessoais.

Agora, interdependemo-nos. Ela não suportou o peso da culpa, os emaranhados dos remorsos na mente, enquanto eu lhos revivia com fúria, e sei que a trouxeram para aqui, para onde também vim e a matarei em demorada agonia...

Fez uma pausa, na qual o choro continuou ainda convulsivo.

O doutrinador mantinha-se em silêncio, compreendendo que aquela catarse era necessária ao bem-estar do atormentador-atormentado.

Todos orávamos, encarnados e desencarnados, mantendo o clima psíquico de compaixão em benefício de ambos: do atual algoz e da sua atual vítima.

Nesse intermédio, ele concluiu:

– *Verifico, desventurado, no entanto, que não estou feliz. Espero trazê-la para cá, e pergunto-me, que farei depois, como a reterei comigo, reconhecendo que existem Forças que me escapam e legislações que ignoro.*

Foi o momento especial, para que o Dr. Norberto interviesse, explicando:

– *Ouvimos com o máximo de respeito a sua narração, que nos sensibiliza profundamente, constatando que o ódio somente conduz à desventura, qual ocorre com a traição, com a infâmia, com o desespero... Imagino quanto o amigo sofreu e ainda sofre, em consequência da loucura da companheira que não soube ou não quis corresponder aos sagrados compromissos do matrimônio. Meio século de padecimentos é um tempo demasiadamente longo para suportar-se tanta dor! Entretanto, a Divina Misericórdia alcança-o, penetrando-lhe o ser, de modo que agora começa a compreender que alternativa não existe na sua problemática, que não seja a do perdão...*

O Espírito tentou interrompê-lo, desejando falar, no que foi interditado pelo expositor, que lhe explicou:

– *Ouvi-o, longamente, sem qualquer pressa ou interrupção. Por favor, dê-me o mesmo direito, escutando o que lhe tenho a dizer.*

A irmã infeliz tem sido justiçada pelas Leis Soberanas... Enlouquecida de remorso e de abandono, cometeu o hediondo crime do suicídio, ato pior do que o da traição, sofreu as consequências no mundo espiritual inferior como cobaia da insânia de outros Espíritos mais desvairados, renasceu marcada pelos acúleos do sofrimento em forma de conflito e desequilíbrio moral, vem padecendo a sua injunção vingativa, tem as energias sugadas pela sua presença nefasta... Quê mais deseja? Como pensa em punir diversas vezes, aquela que errou apenas uma, prolongando a sua desforra indefinidamente?

Você veio aqui trazido, a fim de poder discernir, utilizando-se do psiquismo da médium que lhe serve de instrumento para transmitir-nos os seus pensamentos e emoções, ao mesmo tempo que se retempera nas suas energias saudáveis, recuperando-se para compreender a necessidade de libertação da sua atual vítima.

São muito justas as suas interrogações a respeito das Leis Soberanas, das Forças que regem o mundo, do que você fará com ela, após vê-la morrer ou desencarnar, que vão além da sua capacidade de segurança e poder.

Sem dúvida, desencarnando nessa situação de vitimada pela sua desventura de cobrador, ela faz jus ao Amparo Divino, como, aliás, ocorre com todos nós, e será amparada pelos mensageiros da Luz, por seus guias e protetores, perdendo-a você, por definitivo... E que acontecerá a você, com a sua finalidade existencial vazia de objetivo? Como aplicará todo o tempo de que disporá? Como recomeçar o seu progresso com dívida tão grave, após a frustração de um prazer que não o preencheu interiormente e que tem o gosto amargo? Como reconhece, a vida prossegue e o denominado mundo espiritual é o causal, de onde se ruma para a Terra e para onde se volta depois da viagem carnal.

Enquanto falava, notamos o amorável diretor espiritual, Dr. Ignácio, aplicando energias no comunicante, que chorava com tranquilidade. Iniciava-se-lhe o despertar para a realidade.

O doutrinador continuou, propondo-lhe:

– Este é o momento feliz da sua reabilitação. Tudo quanto você sofreu, auxiliou-o a resgatar mais antigos tormentos que infligiu a outros. Ninguém tropeça em impedimentos que não haja colocado pela senda que ora percorre. Nunca se justificam aflições impostas, mesmo que sob a justificativa de que têm a finalidade de reeducar os endividados, porque esse mister pertence ao Autor da Vida que dispõe de mecanismos especiais para todos esses fenômenos, não dando lugar ao surgimento de outros lamentáveis dispositivos de perturbação.

Desse modo, seja o vitorioso, conceda o perdão, comece a ser feliz novamente. A vida a todos nos espera, rica de possibilidades que devemos aprender a aproveitar. Siga a correnteza do amor e alcançará os oceanos *da plenitude.*

Na pausa natural que se fez, o vingador aturdido, em atitude de reflexão, anuiu:

– Era o de que eu precisava. Ao longo do tempo, terminei por compreender que é também infame o que faço. Dou-me conta que não vivemos por conta de nós próprios, que há um Poder Maior, porque não é possível que tudo seja resultado do nada e volte ao nada... Com os sentimentos destrambelhados, vivendo a dicotomia do amor e do ódio, os amigos e parceiros de desgraças outras que aqui se desenrolam e os encontros, onde quer que vá, são unânimes em insistir-me na continuação da vingança.

Nunca havia encontrado uma palavra de alento, de bondade, de fé, somente ódio e desvario, cinismo e perversidade, estímulo à continuação do programa de extermínio – extermínio, porém do corpo, porque ninguém elimina a vida.

Quê deverei fazer para começar a mudança de atitude? Como proceder?

– São interrogações próprias de quem deseja alcançar a paz. Pense em Jesus, o mártir da Cruz, o Condenado sem culpa.

Recorde-lhe alguma lição aprendida no mundo. Peça-lhe ajuda e compaixão para você mesmo. Procure arrepender-se, sinceramente. Volte a repetir a Oração dominical, *a prece que Jesus ensinou aos seus discípulos e que todos aprendemos na infância...*

Com esses procedimentos, acontecerão mudanças em seu pensamento e comportamento, energias novas e saudáveis tomarão conta de você, proporcionando-lhe bem-estar.

Essa mudança de atitude mental, moral e emocional irá deslindando-o dos campos de energia em que ela se encontra envolta, emitindo-a e recebendo-a, a fim de que ocorra a libertação de ambos.

A partir deste momento, você estará inscrito em nossas orações, podendo retornar, quantas vezes lhe aprouver, a fim de renovar a sua disposição de crescimento espiritual e de paz.

Os nossos benfeitores irão atendê-lo, conforme já estão fazendo, havendo-o elegido para este momento de convivência conosco, e o orientarão na conduta a seguir.

Quase sem poder enunciar as palavras que se lhe originavam na mente, o antes indigitado perseguidor, com voz trêmula, que a médium assimilou muito bem, despediu-se:

– *Agradeço, na minha rudeza e ignorância, sensibilizado. Não sabendo o que dizer, faço silêncio, na expectativa de que, um dia, renovado, aqui voltarei para melhor expressar os meus sentimentos.*

Vimo-lo ser deslocado da médium, e, ao invés de ser conduzido a alguma das camas para remoção posterior, saiu caminhando de retorno à enfermaria em que se encontrava a enferma.

Dr. Norberto, visivelmente comovido com o resultado do diálogo, expressou profunda gratidão a Deus e ao Mestre Jesus, orando em favor do irmão arrependido.

Outras comunicações tiveram lugar, chegando o momento de ser encerrada a reunião, quando o relógio assinalava 21h30.

Dr. Ignácio Ferreira e todos nós exultamos de contentamento.

A primeira reunião do Departamento fora coroada de êxito.

Havia júbilo natural e discreto entre os membros do trabalho, que não escondiam a felicidade decorrente da vitória sobre a ignorância.

Nos dias posteriores, pudemos identificar a paciente que sofria o assédio do adversário desencarnado, a sua transformação lenta e segura, melhorando de maneira significativa, até quando soubemos, duas semanas depois, que ela tivera alta, totalmente recuperada, conservando, no entanto, os conflitos e traumas decorrentes do suicídio, que lhe cabia trabalhar em processo de recuperação.

Os companheiros encarnados que também a identificaram levaram-na a receber a assistência espiritual mediante os passes e as leituras espíritas edificantes, colocando-lhe na mente e no sentimento as sementes sublimes da Doutrina Espírita.

13

Futuros desafios

Ficou estabelecido que as reuniões de socorro desobsessivo seriam hebdomadárias, ocorrendo uma vez apenas, de modo que os médiuns pudessem manter-se vigorosos, na Seara da Luz.

Simultaneamente, haveria duas reuniões de estudos de *O Livro dos Espíritos* e de *O Evangelho segundo o Espiritismo*, de Allan Kardec, propiciando aos pacientes melhorados e em fase de recuperação da lucidez melhor discernimento em torno dos problemas existenciais e da própria enfermidade que os vitimava.

Outrossim, diariamente haveria passes precedidos da leitura de uma breve página consoladora com singelos comentários, predispondo os enfermos à captação e fixação das energias benéficas. Essa providência era de alta significação, porque além de propiciar renovação emocional, de beneficiar o raciocínio com novos conceitos otimistas a respeito da existência, fazia-se de relevante utilidade também para os seus exploradores psíquicos desencarnados, que os acompanhariam.

No dia seguinte, foram organizadas as equipes de serviço sob a orientação do administrador da clínica e do Dr. Norberto, que revelara uma lucidez acima do esperado, no que diz respeito às questões do Além-túmulo.

A genitora do administrador, que se dedicava totalmente ao ministério e conseguira trazer a família, a fim de ajudá-lo, em face de haver conseguido orientar os filhos no rumo da Doutrina Espírita, fora, na Terra, extraordinária servidora de Jesus. Desde os primórdios da planificação do antigo hospital, que estivera à frente com outros membros do seu clã, cooperando com Jacques Verner e os Antonelli.

Desde quando desencarnara que assumira relevante papel socorrista na obra de amor a que entregara a existência física. Dirigindo um grupo de senhoras desencarnadas, que contribuíram favoravelmente na edificação do apostolado, encontrou apoio de outras Entidades generosas que passaram a auxiliar as demais amigas que permaneceram no corpo físico, em labor de beneficência sob a égide da eminente educadora desencarnada Anália Franco.

A clínica, desse modo, além do ministério específico em torno da saúde, transformou-se também em um educandário espiritual, desenvolvendo excelentes programas doutrinários em favor da mais ampla compreensão dos postulados espíritas.

Lamentavelmente, nem todos os membros necessários para a sua manutenção conheciam o Espiritismo, trabalhando por necessidade do salário dignificante, sem mais significativa emoção espiritual em torno do ministério relevante a que se dedicavam.

Ainda vige nos sentimentos humanos o interesse imediato, que se distancia de tudo quanto seja maior do que ele.

Servidores generosos que laboram em instituições nobres de auxílio ao próximo esquecem-se do significado da obra e veem-na como uma empresa qualquer, sem vincular-se emocionalmente ao seu programa. Desincumbem-se dos deveres conforme estabelecem as leis trabalhistas, mas não incorporam o significado de alto valor ao comportamento, o que representaria uma valiosa conquista para si mesmos e melhor utilização do tempo, assim como aplicação mais consciente do seu esforço.

Nenhuma crítica de nossa parte, na análise desse comportamento normal entre as criaturas, somente uma lembrança de como também podemos ajudar a melhorar o mundo, deixando de ser observadores ou cooperadores distantes da vivência do amor...

A aplicação dos passes magnéticos e espíritas ficou estabelecida para o horário matinal, após as providências de higiene e medicação dos pacientes, quando já houvessem recebido a visita psiquiátrica ou clínica, de acordo com as patologias de que eram portadores.

Dois dias após a reunião de desobsessão, Dr. Ignácio convidou-nos a todos, para que participássemos do recurso terapêutico em pauta.

Um pouco antes do horário estabelecido, reunimo-nos na sala reservada para essa finalidade, e entretecemos considerações em torno da mudança de atitude mental do Espírito obsessor, que resolva alterar o seu programa de vingança e o próprio comportamento.

O Dr. Juliano Moreira, visivelmente jubiloso, em momento próprio, pediu licença para apresentar algumas considerações pessoais:

– *Recordo-me* – iniciou os comentários – *de que, ao despertar além do corpo, liberado pelo fenômeno biológico da morte física, senti-me profundamente aturdido... Experimentava emoções variadas e confusas, ouvia vozes acusadoras, gargalhadas estridentes e apodos diversos, pensando que se tratava de alguma alucinação, já que a tuberculose não me teria vencido... À terrível asfixia defluente da hemoptise violenta, a parada cardíaca, pelo que constatava, não me interrompera o fluxo da vida. Sentia-me debilitado, continuando com dispneia terrível, a mente confusa, embora conseguindo raciocinar um pouco.*

Tudo era muito estranho, porque me sentia em pleno Campo Santo, numa noite aparvalhante, conseguindo, a pouco e pouco, ver o ambiente sombrio no qual se movimentava uma farândola enlouquecida... Alguns desses indivíduos eram supliciados, enquanto outros se lastimavam, e mais outros, totalmente desequilibrados, fugiam em desalinho, em indescritível pandemônio. Embora o materialismo em que me refugiara, ocorreu-me outra hipótese. Será que eu estaria morto e despertara nos umbrais do inferno que considerava mitológico?...

A verdade é que o ambiente chocante produziu-me inusitado pavor, quando, então, escutei alguém me chamando nominalmente com doce voz e suave entonação de ternura. Logo identifiquei tratar-se de minha mãe, por quem sempre nutri profundo respeito e carinho... Ela me convidava à coragem e à paciência, conclamando-me à oração.

Como não era do meu hábito orar, lembrei-me da infância e vi-me nos seus braços, balbuciando a Oração dominical. *Automaticamente, repeti as palavras que Jesus ensinou aos seus discípulos, e, à medida que o fazia, uma invulgar sensação de calma e de paz foi-me dominando, levando-me ao sono reparador...*

Ignoro como fui retirado do cemitério, porquanto despertei em um leito asseado, numa enfermaria suavemente iluminada, que primava pelo silêncio, pelas atitudes cativantes dos enfermeiros e facultativos.

Pensei estar na Terra, tão similar era o ambiente.

Nesse comenos, minha mãe apresentou-se acompanhada por um gentil senhor que se identificou, nomeando-se como o Dr. José Carneiro de Campos, que fora, na Terra, eminente professor de Medicina, ao mesmo tempo que era médico humanitário. Não houve tempo para as apresentações convencionais, porque, gentil e sorridente, sentando-se ao meu lado, observou-me detidamente, como se me estivesse fazendo algum estudo clínico, após o que, informou, amável: – "A morte é abençoada mensageira da vida".

Antes que eu pudesse enunciar uma palavra sequer, ele prosseguiu: – "Trouxe-o de volta ao Grande Lar, o que constitui excelente concessão divina, evitando que se lhe prolongasse a enfermidade cruel. Seja bem-vindo à Pátria que o aguarda com carinho".

Quis protestar, mas não pude, porque as lágrimas me tomaram repentinamente e a vaga suspeita que se encontrava no meu íntimo tornava-se realidade. Ele deixou-me extravasar a emoção, após o que, bondosamente, informou-me: – "Aqui terminam as dúvidas e começam as certezas. A vida é indestrutível e o Espírito é imortal. Agora, o caro amigo receberá conveniente tratamento para libertar-se das fixações e condicionamentos que a doença lhe impôs ao perispírito – que eu desconhecia in totum *– a fim de dar prosseguimento aos estudos que ficaram interrompidos no mundo físico".*

Desnecessário narrar aos queridos amigos e benfeitores o processo de recuperação.

Fez uma pausa, indagou se ainda haveria tempo de completar o seu pensamento, no que foi atendido de boa mente pelo Dr. Ignácio, concluindo:

– Logo me refiz, fui convidado a trabalhar com outros psiquiatras desencarnados, buscando encontrar orientações terapêuticas e informações seguras para o correto estudo da loucura e

suas manifestações. Tive ocasião de visitar manicômios terrestres, câmaras de retificação espiritual, receber informações sobre as psicopatologias obsessivas, dedicando-me a contribuir com os parcos recursos que ia adquirindo em favor dos estudiosos dessa Doutrina na Terra, a fim de que o grande flagelo venha a ser um dia debelado...

Esta é, portanto, a minha primeira experiência in vivo, *no exame profundo e tratamento das obsessões e das parasitoses diferentes que afetam os enfermos, vitimados pelos fantasmas das ideoplastias e construções mentais morbíficas que lhes pioram os quadros.*

Exulto de contentamento com as experiências que venho vivenciando, profundamente agradecido ao Senhor da Vida, em primeiro lugar, e, logo depois, ao nobre grupo dirigido pelo emérito Dr. Ignácio Ferreira, especialmente a ele, dedicado amigo e pedagogo exemplar...

O Dr. Ignácio, citado nominalmente, pareceu enrubescer, como se fora um adolescente surpreendido em alguma traquinagem, procurou diluir a referência, informando que era apenas um aprendiz e que todo o mérito pertencia à equipe, em face, principalmente, da Misericórdia Divina.

Encontrávamo-nos edificados ante as referências estimuladoras em favor de futuros empreendimentos.

A hora avançava, quando começaram a chegar os companheiros encarnados responsáveis pela terapia bioenergética.

Discretos e sérios, sentaram-se em silêncio, e cada qual tomou de algum livro que trazia ou de páginas mediúnicas que se encontravam impressas sobre a mesa, recolhendo-se à leitura e à reflexão.

Logo depois, adentraram-se dois pacientes, mais ou menos equilibrados, e, à medida que os minutos sucediam-se, outros mais se adentraram na sala, alguns acompanhados por enfermeiros e auxiliares de enfermagem, apresentando os sintomas típicos dos estados que vivenciavam.

Um que outro exteriorizava inquietação, enquanto alguns pareciam distantes e indiferentes a tudo que se passava à sua volta.

Às 10h, pontualmente, a irmã da veneranda benfeitora da clínica, dona Isabel, assumiu a direção dos trabalhos, proferindo comovida oração de súplica aos Céus em favor do cometimento espiritual que se iniciava. Ato contínuo, uma jovem leu uma página de delicada obra mediúnica, com muita oportunidade, após o que entreteceu ligeiros comentários, a fim de não cansar os pacientes.

Logo depois, o pequeno grupo, constituído por seis pessoas, começou a aplicação dos passes, todos visivelmente inspirados pelos seus guias espirituais e por alguns de nós, atendendo a orientação do nosso diretor.

Podia ver a assimilação dos fluidos por uns enfermos, enquanto outros geravam uma repelência, sem que, naquela primeira experiência pudessem beneficiar-se. Embora essa ocorrência, o que haviam ouvido, o ambiente onde respiravam, as harmonias que os envolviam se transformariam em benefícios que os alcançariam a longo prazo.

Todo o ministério não excedeu a trinta minutos, após o que os pacientes retornaram aos seus quartos e enfermarias, ou ao solário e aos exercícios físicos.

Os membros do trabalho ficaram por mais meia hora, aguardando algum retardatário, lendo, a meia voz, realizando vibrações em favor de todos, quando, então, com outra oração emocionada foi encerrado o labor.

Demoramo-nos no recinto, quando Dr. Ignácio, utilizando-se do silêncio natural que se fez, explicou-nos:

– *A tarefa, para a qual havíamos sido convidados, encontra-se quase concluída. Em face da instalação do Departamento, das suas primeiras realizações, o serviço deveria avançar naturalmente sob o amparo espiritual dos seus responsáveis. A nossa contribuição vai sendo encerrada sob as bênçãos do Senhor, e, logo mais, retornaremos aos nossos compromissos habituais.*

O casal Antonelli e Jacques, bem como os irmãos Bertollini e outros mais servidores da Causa do Bem vinculados à clínica tinham os olhos úmidos. Foi o caro Bruno quem tomou a palavra em nome dos seus membros:

– *Jamais expressaremos nossa profunda gratidão ao querido benfeitor Dr. Ignácio que, atendendo ao nosso apelo, não se fez de rogado e, de imediato, reuniu a eficiente equipe, ensejando-nos a concretização do abençoado sonho, ora transformado em realidade. Comprometidos, como nos encontramos, com o labor que é comandado pelo Mestre Incomparável, esperamos poder corresponder à expectativa, à confiança com que estamos sendo honrados.*

A partir de agora, nossa clínica terá um canal de comunicação direta com o Sanatório Esperança, o que nos facilitará prosseguir nas realizações iluminativas e na libertação de muitos Espíritos infelizes que o Divino Amor nos enviará para cuidarmos.

Dr. Ignácio, demonstrando saudável emoção, esclareceu:

– *Ainda não encerramos o serviço, porque pretendemos retornar com os amigos que nos ajudaram em equipe, dentro de um mês, mais ou menos, a fim de fazermos uma avaliação dos resultados, permanecendo sempre às ordens, em qualquer circunstância, porquanto o compromisso com o Bem não tem hora nem ocasião determinadas. Ainda ficaremos na clínica até o amanhecer do próximo dia, quando outros desafios nos aguardam, a fim de que continuemos fiéis ao dever de autoiluminação e do crescimento para Deus.*

Houve abraços afetuosos e o intercâmbio fraternal com palavras gentis que nos sensibilizaram de maneira especial.

Quando os sentimentos da fraternidade real vigerem entre as criaturas em ambos os planos da vida, sem qualquer dúvida, o programa de crescimento intelecto-moral dos Espíritos se dará com eficiência e rapidez.

Logo depois, os trabalhadores da clínica seguiram aos seus misteres e o nosso grupo saiu em visita e observação por algumas das enfermarias, contemplando a dolorosa paisagem da alienação mental acompanhados pelo amigo Bruno.

O irmão Petitinga, sempre consciente das responsabilidades que lhe diziam respeito e portador de conhecimentos amplos sobre a vida e a morte, o ser e a existência, os problemas e desafios humanos, as leis que regem a vida, numa das enfermarias em que alguns pacientes debatiam-se em confronto visível com os seus inimigos desencarnados, explicitou-nos, sem afetação:

– *Somos o nível moral que atingimos. Enquanto preservamos as heranças do primitivismo animal, naquele seu momento valiosas, hoje, porém, prejudiciais, somos escravos de paixões e de sentimentos que mais trabalham pelo corpo do que pelo ser que deles se reveste. O deotropismo que nos arrasta irrefragavelmente na direção da Plenitude, lentamente nos vai auxiliando a desbastar as camadas pesadas da animalidade por onde transitamos no rumo da espiritualização que nos aguarda. Trata-se de um processo lento, que exige vigorosa decisão moral e vigilância constante, a fim de não tombarmos nos velhos hábitos que nos retêm na retaguarda...*

Vejamos este espetáculo trágico de vinganças e ressentimentos, no qual vítimas e algozes que mudam apenas de posição periodicamente rebolcam-se nas voragens da loucura, em face da ignorância em que perseveram, vitimados pelo orgulho ferido, esse doentio filho do egoísmo enfermiço. Seria muito mais fácil a adoção do perdão, a todos beneficiando, graças ao qual se pode compreender que o erro é fenômeno das experiências malsucedidas, merecendo os equivocados oportunidade de refazimento, ao invés do tormento de se lhes devolver na mesma moeda o mal transitório de que alguns se dizem vítimas.

Observemos aquele irmão enfermo – e apontou um jovem desfigurado, com o olhar fixo além do mundo das formas – *sob a ação nefasta de uma jovem desencarnada, a quem infelicitou através da leviandade que lhe é conduta normal, abusando-a sexualmente e depois a abandonando ao próprio destino. Sem que o esquecesse, deixou-se finar pela amargura e ressentimento, falecendo em deplorável estado emocional. Nem sequer deu-se conta do processo irreversível que a trouxe ao mundo espiritual e, porque a sua mente estivesse ligada àquele que a desrespeitou, foi atraída automaticamente a ele. Digamos que, possuidor da culpa, uma* tomada *psíquica se lhe insculpiu e ela de um* plugue, *decorrente do sofrimento que lhe foi imposto, logo o identificou, passou a transmitir-lhe sentimentos e pensamentos desordenados de revolta e mágoa, que ele foi absorvendo, fazendo um quadro depressivo ao largo do tempo, agora avançando para mais grave transtorno... O remorso, a culpa, a revolta, o desejo de vingança entre ambos misturam-se e fixam-se numa ideia única, a ambos mais afligindo e infelicitando...*

Advindo-lhe a desencarnação, que poderá estar próxima, caso a Misericórdia Divina e os trabalhos nesta Casa não a posterguem, continuarão chafurdando-se nessa infeliz peleja até que a reencarnação os reconduza ao plano físico em lastimável condição, como gêmeos univitelinos que se detestarão ou em situação ainda mais penosa...

A ignorância de ambos a respeito da vida espiritual é tão vasta, que nem sequer sabem distinguir o que ocorre à sua volta.

Solicitando permissão ao Dr. Ignácio Ferreira, para dar-nos uma demonstração em torno dos amargos frutos da ignorância e da desorientação religiosa, concentrou-se fortemente e, diminuindo a frequência vibratória em que se encontra, condensou-se perispiritualmente, aproximando-se dos dois combatentes. Distendeu-lhes os braços em atitude afetuosa e o paciente físico vendo-o, foi tomado de surpresa, entregando-se a um injustificável pavor e gritando:

– *Fantasma, fantasma!*

A enferma espiritual, igualmente surpreendida, assustou-se e, sem dominar o estado de choque, deslindou-se do parceiro que vitimava e saiu literalmente correndo, gritando que estava sendo perseguida por seres demoníacos...

O benfeitor espiritual acercou-se mais do jovem, e falou-lhe:

– *Sou teu irmão, não temas. Já que te arrependes dos erros que praticaste em relação a esta que é tua vítima, assim como a outras, pede a Deus forças para reparar os males que lhes fizeste. Não sou fantasma, sou teu irmão.*

O paciente, transtornado, ajoelhou-se, expressando o seu atavismo religioso mal exercido, colocou as mãos juntas em atitude de prece que não conseguiu enunciar e, chorando, afirmou:

– Sois um anjo que me vindes julgar pelos crimes cometidos. Tende piedade de mim...

Logo entrou em pranto convulsivo.

O amigo espiritual envolveu-o em vibrações de compaixão, dizendo-lhe:

– Não sou um anjo que te vem julgar, sou teu irmão em Jesus, que te vem ajudar...

Aplicando-lhe energias tranquilizadoras, o paciente, que chamara a atenção de uma auxiliar de enfermagem, que ficou aturdida com esse surto inesperado, ficou acompanhando-lhe as reações até o momento em que ele amoleceu, adormecendo nos braços do nobre Petitinga.

Aquele sono reparador seria o primeiro passo para a sua futura recuperação.

A partir daquele momento, por solicitação do bondoso Bruno que seguia conosco, ficou estabelecido que, na próxima reunião, a irmã tresvariada seria conduzida à comunicação, a fim de ter aliviados os seus sofrimentos e compreender o que lhe ocorrera, assim como o que estava acontecendo.

A cena surpreendeu-nos, em razão de haver sido uma aula viva sobre o amor e a bondade, a compaixão e a caridade.

Quando saímos da enfermaria e o amigo voltou ao grupo, não pude sopitar a curiosidade, e perguntei-lhe:

– Por que especialmente aquele jovem e sua vítima insana?

Petitinga fitou-me com os seus olhos transparentes e luminosos, após haver recuperado o seu estado normal, respondendo-me, bondoso:

– Não foi por acaso. Desde que aqui chegamos que essa dupla de corações me chamou a atenção, induzindo-me *a conhecer-lhe a história, que não tive dificuldade em ler nos seus arquivos perispirituais. O mais curioso é que poderemos*

denominar, em linguagem terrestre, que se trata de um drama de amor. *Será, porém, isso o amor ou o fruto amargo dos impulsos sexuais malconduzidos? A liberação do sexo com os seus prejuízos arrasta multidões constituídas de pessoas de diferentes idades insensatamente a situações lamentáveis e variadas, sendo esta uma das suas mais comuns expressões no Além-túmulo.*

A vítima continua sofrendo como se estivesse no corpo físico, sem entender o mecanismo que a mantém presa ao seu defraudador, nem lhe ocorre pensar na questão, porque a monoideia da vingança toma-lhe todo o campo mental. Foi a sua primeira experiência feminina e última na Terra...

Enquanto as criaturas utilizarem-se do sexo como instrumento exclusivo de prazer e de negócio para enriquecimento ilícito, para a fama, para alcançar metas de poder e de luxo, ei-lo transformado em recurso portador de consequências imprevisíveis. Não são poucos aqueles deuses do sexo, símbolos sexuais *que aportam além da morte com ulcerações morais de grave porte, em face dos desalinhos cometidos, das traições, dos desastres domésticos propiciados, dos transtornos emocionais produzidos em algumas das suas vítimas, tombando em armadilhas preparadas pelos irmãos desvairados do nosso lado, que os aguardam exultantes.*

As obsessões no Além-tumulo, que têm por causa o sexo desorientado, são terrificantes.[6] *Os responsáveis, que o utilizam com objetivo de degradação e de autopromoção, tornam-se vítimas de si mesmos, ainda na Terra, sofrendo as inibições defluentes do abuso, os conflitos emocionais que são gerados pela falta de sentimento no seu uso, o asco de si próprios, embora camuflem*

---

[6] Vide o livro mediúnico de nossa autoria *Sexo e obsessão*, Editora LEAL (nota do autor espiritual).

quanto possível essas estranhas peculiaridades. Infelizes, não se completam, buscando sempre novos parceiros, entregando-se a aberrações na busca de prazer para saciar os desejos desgovernados, a angústia interior...

Sublime instrumento de vida, a criatura humana o transforma por desar em veículo de degradação e de morte.

Ao silenciar, estava sensibilizado, tomado por grande compaixão pelas vítimas desse *anjo-algoz* dos insensatos.

Todos, em uníssono, concordamos com a sua análise oportuna quão convincente.

Desse modo, continuamos estudando alguns dos muitos enfermos e, particularmente, aqueles portadores da loucura fisiológica, nos quais a interferência dos Espíritos era secundária.

Esses mais interessaram ao Dr. Juliano Moreira, que nos apresentou explicações valiosas, convidando-nos à mais ampla compreensão dos mecanismos da Lei de Causa e Efeito.

Chegando a alvorada do novo dia, reunimo-nos todos, novamente, na sala especial e oramos emocionados, agradecendo ao Mestre Jesus e aos seus mensageiros a oportunidade feliz de aprender, de servir e de amar...

Encerrou-se o capítulo inicial do nosso compromisso na clínica...

14

COMPROMISSOS IMPOSTERGÁVEIS

Aos primeiros minutos do amanhecer, profundamente reconhecidos ao Senhor da Vida, que nos facultara as experiências iluminativas que tiveram curso, despedimo-nos, Petitinga e nós, dos amigos que formavam a equipe sob a direção do Dr. Ignácio Ferreira e seguimos de retorno ao nosso reduto de ação habitual, cada qual volvendo às tarefas a que se vinculava.

Dr. Juliano Moreira exteriorizava contentamento incomum, informando que agora possuía instrumentos hábeis para aprofundar reflexões no grave transtorno obsessivo, devendo empenhar-se por mais estudar-lhe o mecanismo complexo.

Estabelecido que nos deveríamos reencontrar na clínica, dentro de um mês aproximadamente, coincidindo com a noite da reunião desobsessiva, seguimos com a madrugada na busca do novo dia.

Para trás ficavam a cidade adormecida e a sua clínica de saúde mental, verdadeiro santuário de comunhão com a vida, laboratório de sublimes experiências humanas e espirituais.

Na oportunidade, sob a direção de José Petitinga, encontrava-me integrado em um trabalho de fidelidade aos postulados da Doutrina Espírita, no que diz respeito à fenomenologia mediúnica, sempre susceptível de perturbações, interferências perniciosas dos Espíritos frívolos, assim como dos perversos, de desconsideração aos ensinamentos do insigne codificador Allan Kardec.

Buscávamos inspirar os grupos mediúnicos ao estudo de *O Livro dos Médiuns*, esse manancial de seguras informações em torno das faculdades medianímicas, do seu exercício, das sessões de desenvolvimento ou educação, das obsessões, etc.

Infelizmente percebíamos certo rechaço na maioria dos núcleos que se dedicavam à prática da mediunidade, sob justificativas, as mais infundadas, algumas de caráter infantil que não ocultavam a indolência, a preguiça mental e o prazer em preservar-se a ignorância.

Aliás, esse recurso de manter-se no desconhecimento a respeito do que fazem os indivíduos constitui um mecanismo psicológico muito hábil, para que eles possam permanecer no erro, porque o esclarecimento logo os liberta das informações incorretas, quando não totalmente equivocadas, em que muitos se comprazem, mantendo as posições de relevo a que se entregam, presunçosos e intolerantes.

À medida que se divulga o Espiritismo e ocorrem adesões expressivas, nem todas as sociedades espíritas encontram-se equipadas de recursos doutrinários para orientar os recém-chegados, através de cursos preparatórios para aquisição dos conhecimentos ou para adestramento das faculdades mediúnicas, assim que se manifestam.

Vulgarizou-se o costume incorreto de generalizar-se todo e qualquer problema como de natureza mediúnica, portanto, criando-se o errado conceito de que os enfermos, os inquietos e portadores de conflitos, de dificuldades econômicas, emocionais, psíquicas, sociais, ou que vêm experimentando dissabores e desafios não resolvidos, devem *desenvolver a mediunidade*, e logo são levados às lamentáveis exibições de fenômenos nervosos, histéricos, anímicos e, às vezes, mediúnicos atormentados, nuns produzindo medo irreversível, noutros produzindo hilaridade e em diversos mais, deslumbramento. Dão a impressão de haver descoberto *o fio de Ariadne*, da mitologia grega, que os irá retirar do labirinto, onde nem sequer conseguiram matar o *Minotauro*, significando suas aflições e tormentos, nos dédalos por onde deambulam em círculo, sem encontrar a porta de saída. Adentraram-se, irresponsavelmente, no tremedal e agora desejam a liberação de forma equivalente, leviana.

Multiplicam-se os núcleos dessa natureza em que se mesclam as superstições com as meias-verdades, as informações de outras doutrinas animistas com a fenomenologia estudada por Allan Kardec, estabelecendo-se dias especiais para um culto e para o outro, conforme a tendência dos interessados.

No que diz respeito à mediunidade, enxameiam as informações descabidas, algumas terrificantes, diversas exageradas, espalhando-se que, todo aquele que não *desenvolve a mediunidade* sofre os efeitos danosos desse comportamento, ocultando lamentável ameaça e chantagem emocional às pessoas que ignoram o Espiritismo.

Por outro lado, a busca por notícias dos familiares desencarnados transformou-se num modismo injustificável, em que se deseja saber como se encontram os afetos logo após a desencarnação, recebendo informações destituídas de veracidade, mas apropriadas ao endeusamento dos médiuns, sem o estudo sério em torno da imortalidade, sem o esforço da transformação moral para melhor, tornando-se um *esporte* de consolação em curto prazo...

As mensagens, nem sempre portadoras de conteúdo próprio de cada missivista, obedecendo, quase sempre, às mesmas fórmulas, em que variam alguns nomes que pertenceriam a familiares, embora verdadeiras, raramente procedem daqueles que as firmam, porém, de Espíritos zombeteiros que se comprazem nesse comércio de vaidades entre os que buscam e os que informam.

Genericamente, os Espíritos que se vêm comunicar em tais núcleos encontram-se muito bem, cercados por familiares queridos que os precederam, pouco importando a conduta moral que tiveram na Terra, as circunstâncias da desencarnação, o uso de substâncias tóxicas e aditivas, as perversões morais a que se entregaram, os acidentes que provocaram por incúria...

Justifica-se que são de grande efeito consolador para os familiares enlutados. Não padecem dúvidas, nada obstante, somente a verdade consegue erradicar as causas das aflições e orientar com segurança aqueles que choram, encontrando os caminhos iluminativos para a real alegria. Por outro lado, o consolo do primeiro momento logo depois desaparece nos tecidos da saudade prolongada e torna-se necessária nova comunicação, num correio espiritual destituído de gravidade, facultando que os indivíduos se jactem do número de mensagens recebidas, sem que, através desse admirável patrimônio, se hajam tornado espíritas, entregado ao trabalho de ajuda ao próximo e em contínuas tentativas de erradicar o mal na Terra.

Criam-se clubes de familiares saudosos, em culto perigoso de personalismo, exaltando os seres queridos e atraindo-os incessantemente para os momentos de encontros, perturbando-lhes a marcha ascensional, os novos compromissos assumidos, as necessidades de evolução...

Os laços de sangue constituem oportunidade de edificação, não permitindo apropriação indébita daqueles que nascem no mesmo grupo. A família real é a universal e, enquanto não é estabelecida, a consanguínea é significativa, não, porém, a ponto de se permanecer vinculado aos que ficaram na retaguarda, como se não houvesse de ambas as partes compromissos sérios a serem executados.

Toda essa ocorrência, por falta de estudo da Doutrina, por precipitação e decorrência do *campeonato mediúnico*, que se vem instalando com vigor, em cujos embates a maledicência de uns médiuns contra outros grassa, nefasta, utilizando formas de desmoralizações recíprocas, erguendo dúvidas perturbadoras, enquanto as acusações infelizes tomam corpo...

Não se dão conta, esses que assim procedem, que o fenômeno é universal e a legitimidade das comunicações é demonstrada depois que muitos e diferentes médiuns, todos respeitáveis e dignos, não competidores uns contra os outros, fazem-se instrumentos da mesma comunicação, variando, certamente na forma de elaboração do texto, porém, de conteúdo idêntico...

Espíritos invigilantes e odientos, sediados no Mais-além, operam nesses núcleos e ao lado desses médiuns invigilantes e ambiciosos por notoriedade, com o objetivo de desmoralizar a mediunidade, e, por efeito, a Doutrina Espírita, que nela teve a sua origem e nela possui o suporte para a confirmação científica da imortalidade.

Allan Kardec afirmou que o *Espiritismo é forte pela sua filosofia e não pelos fenômenos mediúnicos*, o que constitui honrosa verdade. No entanto, se o fenômeno desfalece, perde o vigor de legitimidade, tornando-se banalizado, insustentável, faltarão os suportes demonstrativos da sobrevivência do Espírito ao túmulo, assim como da sua preexistência ao berço...

Desse modo, e em face de muitos outros quesitos modernos perturbadores da boa e saudável prática da Doutrina, o sábio amigo Petitinga criou um grupo de trabalhadores devotados, que vem visitando as sociedades sérias e algumas menos responsáveis, advertindo, convidando à reflexão, inspirando médiuns e doutrinadores a que se reformulem os critérios de trabalho, que se façam avaliações e reciclagens com os cooperadores, especialmente aqueles vinculados à mediunidade.

É compreensível que a ampla adesão de pessoas sinceramente interessadas em conhecer o Espiritismo responda pela precipitação de alguns desinformados, no entanto, portadores de facilidade da palavra, que tendo lido superficialmente alguma obra espírita, logo se acreditam possuidores de recursos para assumir responsabilidades e lideranças, criando grupos, que dirigem com falácia, dando lugar a verdadeiros absurdos.

Por outro lado, as vaidades e presunções humanas, instigadas pelo egoísmo, geram divisionismos lamentáveis, nesses grupos, quando entram em jogo os interesses pessoais, dando lugar à criação de outros, que primam pela competição com aqueles dos quais se originaram.

O codificador, cônscio da fragilidade humana e dos conflitos que aturdem as criaturas, especialmente aquelas que buscam apoio e solução no Espiritismo, estudou com cuidado essas disputas entre as sociedades, isto é, os indivíduos que as constituem.

Concomitantemente, como já referido, os grupos que surgem em torno da figura dos médiuns, dificilmente adquirem maturidade doutrinária, porque o servidor da mediunidade torna-se, invariavelmente, um guru, que tudo sabe, que tudo pode, atraindo Espíritos facciosos que passam a orientá-los, conduzindo aqueles que se lhes vinculam...

Tratando-se de uma Ciência, que é, o Espiritismo aguarda estudo sério e sistematizado, a fim de ser compreendido em toda a sua profundidade. Como Filosofia, propõe reflexões contínuas, diálogos e análise dos seus postulados, de modo a poder-se incorporá-los ao dia a dia da existência. Na condição de Religião, em razão da sua ética moral fundada em o Evangelho de Jesus, estabelece comportamentos dignos e graves, por preparar o Espírito para o prosseguimento das conquistas morais e culturais no corpo e fora dele.

Não é, portanto, uma Doutrina que permita frivolidade, divertimento, que se possa transformar em clube de relaxamento ou de exibição do *ego*. Pelo contrário, trabalha os valores morais do indivíduo, a fim de que se esforce sempre pela transformação interior para melhor, iluminando-se e tornando-se exemplo de verdadeiro cristão, de cidadão de bem.

É claro que esse programa não é tão fácil, e não são poucos os candidatos ao seu conhecimento que desistem com facilidade, por não estarem dispostos a renunciar às ilusões, ao comodismo, aos interesses imediatistas. Não compreendem o objetivo da Doutrina e sentem dificuldade em penetrá-lo, mais entusiasmados com as questões pertinentes ao prazer corporal, aos desejos sexuais e às ambições de poder, de qualquer tipo de poder...

Entendendo-se, porém, que o Espiritismo desvela a imortalidade, conscientiza o ser em torno da sua indestrutibilidade, equipa-o de recursos para bem vivenciar esse conhecimento, demonstrando-lhe, através das comunicações mediúnicas, o que sucede com aqueles que se descuidam do desenvolvimento moral ou se envolvem nos lamentáveis programas de dissipações, de perversões, de comprometimentos graves em relação à vida, ao próximo e a si mesmos.

Profundamente racional, trabalha em favor do progresso perene do Espírito, em vez de tornar-se-lhe um paliativo ou um entorpecente momentâneo aplicado para retirar as dores ou modificar o histórico dos problemas.

Na mediunidade, encontramos o campo vasto a joeirar com cuidado, considerando-se que cada médium tem as suas próprias características e possibilidades, em decorrência das conquistas anteriores, das experiências vividas e mesmo do exercício da faculdade em reencarnação passada... Muito mais fácil, portanto, será o exercício desse já experiente sensitivo em relação àquele que agora desperta para o fenômeno ou que o vivencia sob o estigma de perturbações de vária ordem em manifestação atormentada.

O incansável Espírito José Petitinga, considerando essas questões e muitas outras, por amor à preservação dos paradigmas e compromissos doutrinários, estudando tais ocorrências, profundamente reconhecido aos benefícios hauridos através do Espiritismo, quando ainda reencarnado, estabeleceu um programa de assistência moral e espiritual cuidadoso junto a inúmeros grupos constituídos por pessoas sinceras, porém, desconhecedoras da Doutrina, a fim de estimulá-las ao estudo, à reflexão, à seriedade e ao despertamento para uma real vinculação com O Consolador.

Selecionando alguns de uma grande relação, encarregou-nos, a cada um de nós, da tarefa de oferecer apoio e assistência possível, comunicando-nos, vez que outra, despertando a consciência dos diretores e dos médiuns sinceros, a fim de que se modifiquem as estruturas vigentes, avançando para a correta vivência dos paradigmas espíritas.

Outrossim, muitos desses amigos em despertamento são conduzidos a reuniões especialmente organizadas no mundo espiritual, a fim de que compreendam a magnitude da mediunidade séria aplicada em favor do Bem e orientada com elevação, assim como dos recursos psicoterapêuticos para atendimento dos Espíritos sofredores que enxameiam em torno da Terra...

Diversos deles despertam com lembranças agradáveis e disposições otimistas para realizarem a transformação que se lhes propõe, esforçando-se para melhor integrar-se no compromisso, agora com responsabilidade.

Lentamente observamos resultados animadores, embora grande número prefira a manutenção do descompromisso, da superficialidade, do quase divertimento, isto é, participando das atividades quando nada melhor têm a fazer.

Compreendemos, sinceramente, as dificuldades enfrentadas por muitos amigos do plano terrestre, no que diz respeito à mudança de hábitos, à assunção de novos compromissos que os desviam do habitual e prazeroso, do apressado gozo para o definitivo bem-estar. Por isso mesmo, perseveramos no tentame, auxiliando-os à compreensão daquilo que lhes é mais útil para a existência, fruindo-a de maneira edificante.

Todo trabalho dignificador enfrenta desafios, exigindo perseverança e otimismo, não dando lugar ao desânimo, caso os resultados positivos demorem de manifestar-se.

Há dois mil anos, Jesus esteve conosco diretamente, viveu entre nós, ensinou-nos, sofreu conosco, ofereceu a vida e ressuscitou... No entanto, ainda é apresentado, ora como um mito, um semideus, um deus, um exemplo, uma ficção, não sendo compreendido, inclusive, por incontáveis daqueles que dizem amá-lO e servi-lO.

O Espiritismo, a seu turno, é uma Doutrina jovem, com apenas cento e cinquenta anos desde o seu surgimento codificado entre os seres humanos, portanto, ainda construindo a sua autonomia, definindo rumos e enfrentando as dificuldades que fazem parte de todo programa de desenvolvimento intelecto-moral...

Doutrina dos Espíritos para os homens e mulheres da Terra, Espíritos reencarnados que são, embora a sua admirável estruturação granítica, prossegue sob a inspiração dos guias da Humanidade, também sofrendo a influência dos sofredores e ignorantes, conforme a sintonia daqueles que o adotam como diretriz de conduta.

Outros grupos de Espíritos igualmente se dedicam a semelhante atividade, mantendo os vínculos da mais legítima fraternidade entre os dois planos da vida, reunindo-se periodicamente para avaliação dos objetivos a que nos dedicamos no momento.

15

Compromissos com o Espiritismo

Pessoalmente, encontrava-me cooperando em um núcleo espírita, que durante muitos anos permaneceu fiel aos postulados doutrinários, correspondendo à expectativa dos benfeitores espirituais.

Há menos de um lustro, pessoas frívolas e descomprometidas com a seriedade da Doutrina Espírita foram admitidas nas atividades, e porque possuidoras de recursos amoedados e bem situadas socialmente, logo adquiriram destaque, sendo colocadas em postos administrativos da Casa, sem qualquer preparação emocional e espiritual para o cometimento.

Acostumadas às festas e aos desfiles da vaidade, saltitando sempre de uma para outra novidade, não acostumadas ao estudo sério nem à meditação do conhecimento adquirido, logo foram despertadas para práticas incorretas em torno da mediunidade, assim como de referência à terapêutica para as obsessões. Todo um arsenal de recursos pseudocientíficos que estava sendo debatido no movimento entre os espíritas, logo chamou a atenção desses companheiros inseguros e desconhecedores dos conteúdos profundos da Doutrina.

Fascinados pelas promessas de quase milagres, ansiosos pelos resultados imediatistas da sua aplicação, desejando facilitar o cumprimento da Lei de Causa e Efeito na conduta humana, começaram a aderir às estranhas práticas, sem o cuidado de estudá-las com seriedade, a fim de colherem os bons frutos da sua aplicação, caso os tenham, ficando, apenas, na superfície das informações, e transferiram para o Centro Espírita.

Médiuns despreparados e atormentados, experimentando injunções obsessivas, umas sutis, outras mais vigorosas, logo se deixaram embair pelas possibilidades fenomenais e quase *sobrenaturais* anunciadas, abrindo portas a realizações deploráveis.

Os mentores inspiraram a continuação das tarefas conforme os padrões ensinados pela Codificação, os fundadores desencarnados acorreram gentis em contínuas tentativas de auxílio, mas eram todos rechaçados pela imprevidência dos revolucionários descuidados.

Informavam que se tratava de novas técnicas, apelando para a necessidade de *atualização do Espiritismo*, por se encontrarem, alegavam, ultrapassados alguns dos seus modelos, que foram muito bons para o século XIX e metade do XX, não mais, porém, para os dias atuais, enquanto outros, ainda mais aturdidos, declaravam a necessidade de se abandonar a mediunidade, em face dos transtornos que produz e da impossibilidade de comprovar-lhe a autenticidade...

Uma grande perturbação tomou conta das pessoas e logo se dividiram em grupos: os que preferiram ficar fiéis ao sistema anterior, os que desejavam impor as novas diretrizes, abrindo espaço também para as práticas animistas-africanistas, por sentirem que tinham *missão* nessa área e, por fim, reduzido número daqueles que teimavam em considerar desnecessária a educação mediúnica...

Sinal, sem dúvida, de grave interferência das Trevas, esse divisionismo pernicioso, que passou a dar lugar a sistemáticas provocações de um com os outros lados, a comentários aleivosos sobre alguns como a respeito dos demais, reações de antipatia em relação àqueles que não partilhavam de uma ou de outra corrente, verdadeira competição com todos os elementos da maledicência e da animosidade, a fim de constatar-se quem seria o vencedor...

Quando uma Instituição de qualquer natureza, particularmente espírita, apresenta-se dividida, está às bordas da ruína, porquanto as facções caprichosas, mais interessadas nas próprias paixões do que na preservação do seu patrimônio moral e espiritual, estão pouco se importando com os resultados das dissensões, e somente aspiram à vitória do seu grupo, que faz lembrar a de Pirro...

Especificamente, em uma sociedade que tem por objetivo iluminar consciências, libertar as pessoas da ignorância, servir através do trabalho de amor fraternal, realizar a caridade, preservar a solidariedade e a tolerância, raia ao absurdo um comportamento de tal natureza.

Constituindo-se um recinto de maus humores e de disputas, atrai os Espíritos vulgares e perniciosos que se comprazem em acirrar os ânimos e intoxicar os sentimentos expostos, dando lugar à instalação de processos obsessivos compreensíveis.

Muitas vezes, são esses Espíritos mesmos que inspiram, a pouco e pouco, os seus membros, visando a destruir o trabalho de dignificação existente, que detestam, lentamente aceitos por invigilância ou por inépcia dos seus membros ante os contínuos desafios em favor da preservação dos valores elevados.

As duas hipóteses têm cabida em relação à Entidade a que nos estamos referindo. Inicialmente, a leviandade, logo depois, o desrespeito aos luminosos postulados doutrinários estabelecidos, todos fundamentados na Codificação, que ensejaram a instalação do desequilíbrio.

Os Espíritos-espíritas, no entanto, além dos nossos compromissos cristãos, estamos interessados na preservação do notável patrimônio que nos foi legado pelo ínclito codificador, e, por essa razão, empenhamo-nos em auxiliar as instalações de novos núcleos, a preservação dos existentes, os cuidados para evitar-se desentendimentos e a orientação para a vivência dos paradigmas e instruções doutrinários em todos eles.

Em face do retorno aos compromissos habituais, aos quais nos dedicávamos então, dispondo desses dias até o retorno à clínica, naquela mesma noite, o apóstolo Petitinga invitou-nos a visitar esse núcleo a que acabamos de referir-nos.

Às 19h30, conforme o nosso hábito, rumamos à sede do Centro Espírita, onde se realizavam as atividades de caráter mediúnico.

A situação das disputas havia chegado ao nível infeliz de serem realizadas três reuniões simultâneas em salas diferentes, com metodologias igualmente diversificadas.

Numa delas eram utilizadas práticas animistas-africanistas, noutra se realizavam os labores dentro da nova modalidade em alta consideração, e, por fim, na terceira, o pequeno grupo que permanecia fiel ao programa anterior.

Cada grupo mantinha-se irredutível nos seus objetivos e na defesa dos seus pontos de vista.

O mais lamentável, porém, era que, embora os indivíduos estivessem divididos em ambientes separados, os

Espíritos que se movimentavam em torno deles, diversos eram primitivos, outros profundamente ignorantes dos compromissos da evolução, alguns perversos e portadores de sentimentos conscientes de destruição, ao mesmo tempo que bondosos e gentis, confiantes e pacientes, os fundadores da Casa, os mentores e os seus cooperadores mantinham-se também em ação.

Ao chegar, observamos que os respectivos ambientes, exceção do último, eram destituídos de defesas magnéticas e fluídicas, podendo ser adentrados com facilidade, sendo mais lamentável que, no grupo dos *modernistas*, como passaram a identificar-se, os candidatos podiam participar do labor totalmente desinformados, inclusive alguns dos pacientes que anelavam pela cura imediata, sem o descomprometimento das suas mazelas...

Vige, modernamente, com alarde, no Movimento Espírita, a proclamação de reuniões especialmente dedicadas a curas, atraindo sempre pessoas que não desejam assumir graves compromissos com a vida e que somente planejam libertar-se das aflições, para seguirem de imediato na busca de novos problemas...

Sem qualquer dúvida, toda reunião onde dois ou mais chamam por Jesus, reúnem-se em seu nome, conforme Ele prometeu, ei-lO presente, desenvolvendo o ministério de amor, de saúde e de paz. A cura real, devemos disso conscientizar-nos, vem de dentro do ser, da sua transformação moral, da sua mudança de atitude em relação ao comportamento existencial e não do exterior como alguns pensam irresponsavelmente. As soluções apressadas não erradicam o mal, que permanece aguardando oportunidade para a recidiva piorada com os novos gravames da leviandade.

Em consequência, toda reunião espírita séria e nobre é *de cura*, porque as energias que se movimentam no ambiente possuem qualidades para proporcionar o refazimento das organizações física, emocional, psíquica e espiritual daquele que ali se encontra...

Acostumados, porém, às *bengalas psicológicas* das soluções miraculosas, os indivíduos menos esclarecidos preferem o culto das ilusões e a participação em grupos formados por místicas de ocasião, deixando de lado a responsabilidade e o dever autoiluminativo.

Aqueles que perseveram fiéis aos postulados básicos ironicamente são taxados de *ortodoxos*, antiquados, porque os *modernistas* preferem a superficialidade, as distrações, as comodidades imediatas derivadas do prazer, distanciando-se da consciência da imortalidade e da fugacidade de tudo quanto é material.

Pude observar, nessa ocasião, mais cuidadosamente, os Espíritos que se adentravam nas respectivas salas. As duas primeiras, porque dirigidas por amigos menos vigilantes, recebiam variado número de ociosos, de zombeteiros, de primitivos, ao lado de alguns generosos, de boa vontade, porém desconhecedores da realidade do mundo maior no qual se encontravam. Como não havia barreiras vibratórias impeditivas, por falta de coordenação entre os desencarnados responsáveis e os trabalhadores encarnados, tais reuniões tornavam-se espetáculo público para os que se interessavam ou não em participar. Já o grupo fiel aos labores respeitáveis da Codificação encontrava-se protegido por *construções vibratórias* que evitavam a entrada de quaisquer Entidades que não estivessem programadas para as comunicações ou aprendizagem.

Naquele grupo em que predominavam as práticas animistas-africanistas, a desordem espiritual era generalizada, porque entre os Espíritos que guardavam as marcas da escravidão e aqueloutros que ainda se encontravam com as características silvícolas, apresentavam-se também os zombeteiros, que se faziam passar como os generosos amigos dedicados ao Bem. Certamente, porque, tampouco eram aplicados os rituais característicos e pertinentes ao culto, em razão de os encarnados, ignorando a responsabilidade do conhecimento, aventuravam-se pelos meandros das revelações, sem que tivessem consciência do que faziam. Acreditavam-se bem informados por alguns comunicantes que os orientavam, porém, eram todos *cegos conduzindo cegos*.

Todo culto ao Bem, que homenageia o Senhor da Vida, pouco importa a denominação ou a maneira como expressa os seus sentimentos, recebe apoio do Excelso Pai, existindo os mais diversos, em razão dos diferentes níveis de evolução em que transitam as criaturas. No que diz respeito ao de natureza animista-africanista, nobres entidades zelam pela sua preservação e cuidam das suas raízes religiosas, antropossociológicas, psicológicas, evolutivas, sendo instrumentos de Deus auxiliando os caminhantes necessitados de apoio nessa faixa de consciência.

Suas cerimônias, seus rituais, suas práticas são credores do nosso melhor respeito e carinho, no entanto, devem ser executados em recintos próprios, para esse fim dedicados, ao invés de mesclar-se numa mixórdia que a ignorância presunçosa ali se permitia desenvolver... Os resultados, obviamente, eram perturbadores, porque nem mesmo os Espíritos sinceros conseguiam conclamar a clientela a uma atitude de respeito em relação aos seus misteres, a eles mesmos e à vida...

No segundo grupo, onde se pretendia aplicar os recursos tidos como científicos, superiores aos métodos da doutrinação convencional, pelo diálogo afetuoso e esclarecedor com os comunicantes, a falta de responsabilidade era notória, porque, presunçosos, acreditavam possuir o poder para enfrentar os desencarnados de todo jaez com petulância, dando-lhes ordens, impondo procedimentos ritualísticos cujos efeitos desconheciam, por ignorar o esforço dos seus pioneiros e daqueles que obtiveram resultados positivos na sua aplicação. Esses proveitos eram fruto, sem dúvida, da sinceridade de propósitos, da gravidade com que se comportavam durante as reuniões, da intenção superior de que se revestiam. Como efeito da ignorância pretensiosa, multiplicavam-se as promessas de cura instantânea, de libertação obsessiva a passe de mágica, de aquisição de recursos superiores apenas pelo fato de estarem presentes na reunião e de sintonizarem com as disposições estabelecidas.

Nesse comenos, Petitinga chamou-me a atenção para a presença de um Espírito lúcido e grave, de semblante preocupado, que acompanhava algumas pantomimas que nada tinham a ver com as técnicas que ele desenvolvera em favor da atividade mediúnica.

Sem mais delongas, o amigo generoso informou-me:

– *Trata-se de respeitável trabalhador de Jesus, que muito se esforçou por contribuir em favor dos alienados mentais, dos obsessos e dos enfermos em geral. Dedicando-se com afinco e zelo à observação dos fenômenos mediúnicos e dos seus efeitos, elaborou um programa edificante e saudável para auxiliar o próximo, seja encarnado ou não, jamais se afastando dos postulados espíritas que o conduziram até esse momento. Ainda no corpo físico, muito contribuiu em favor de critérios e roteiros educativos, todos firmados na mais saudável moral e fidelidade ao Bem, como indispensáveis aos resultados que buscamos no processo da evolução.*

Vem observando como pessoas inexperientes, ingênuas ou inescrupulosas utilizam da sua contribuição, gerando divisionismo, agredindo aqueles que agem de maneira diferente, presunçosamente considerando-se superiores, acusando de superadas as orientações exaradas em O Livro dos Médiuns, *de Allan Kardec.*

Caso lhe aprouver, a título de aprendizagem, poderá entabular alguma conversação com o nosso gentil amigo, pois que é portador de títulos de respeito e de elevação, porquanto durante a existência física manteve os valores do Cristo embutidos na mente, no coração e nos atos...

Acerquei-me do servidor de Jesus e apresentei-me com a simplicidade que me é peculiar e a pobreza espiritual que me caracteriza. Expliquei-lhe a minha condição de Espírito-espírita e que vinha dedicando-me a mandar, vez que outra, informações do mundo espiritual ao físico, na condição de repórter que transfere notícias de uma para outra localidade.

Gentilmente, distendeu-me a mão, informou-me de que tinha conhecimento desse trabalho e sorriu com certo ar de tristeza.

Parecendo perceber o que eu desejava, com sinceridade foi diretamente ao assunto:

– *Realmente, a criatura humana, com as exceções compreensíveis, ainda possui a habilidade de tudo adaptar ao seu* modus operandi, *fugindo às regras mais elementares de qualquer aprendizado que lhe exige esforço, de modo que não se sinta constrangida às mudanças de hábitos...*

O Espiritismo é Doutrina dinâmica, portadora de extraordinários recursos ainda não totalmente desvelados, em razão da falta de oportunidade e de demonstrações no campo científico, para serem absorvidos. Em razão disso, são válidas as experiências que visam a contribuir em favor do progresso das criaturas e da atualização dos seus notáveis procedimentos ante as modernas conquistas da Ciência e da Tecnologia, capazes de demonstrar a sua autenticidade.

Veja-se, por exemplo, o que ocorre em relação à terapia a existências passadas, *quantas críticas e quantas resistências ao método que confirma a reencarnação, que faculta inestimável socorro aos padecentes de muitos males, sem que isso fira de maneira alguma o* esquecimento do passado, *conforme a recomendação do mestre Kardec. Não é da sua alçada levar o paciente a recordar-se das existências anteriores, antes conduzi-lo ao momento em que delinquiu, em que se comprometeu, ajudando-o a trabalhar melhor a culpa, a irresponsabilidade, já que a Lei é de Progresso, e o* Pai não deseja a eliminação do pecador, mas a do pecado...

Essa valiosa contribuição da Psicologia Transpessoal merece todo o nosso apoio e respeito, por confirmar que no perispírito encontram-se as matrizes geradoras dos distúrbios de todo porte, que trabalham em favor dos processos purificadores.

Os estudiosos sinceros não informam que se trata de uma panaceia para todos os males, mas de um recurso terapêutico eficiente, assim como a Psicanálise em relação aos conflitos que lhe são pertinentes ou à Psicologia clínica no seu ramo de observações e estudos...

De igual maneira, o nosso propósito é o de contribuir para uma fusão de técnicas que facilitem a libertação do obsidiado, ao mesmo tempo que seja esclarecido o seu adversário, denominado obsessor, sem qualquer conflito com o pensamento kardequiano.

Fez uma pausa, enquanto eu me sentia edificado com as considerações que precediam a qualquer indagação de minha parte. Era como se estivesse desejando expressar a sua melancolia em face do mau uso que se fazia do seu contributo de esclarecimento e de amor.

Logo depois, apontando um médium em transe real, porém vítima de um Espírito turbulento e zombeteiro, considerou:

– *Ocorrem esses fenômenos de mistificação porque o instrumento humano, sem haver-se preparado devidamente para o cometimento da noite, somente aqui, ao chegar, procurou concentrar-se. No entanto, na sua mente intoxicada por vapores deletérios de diversa procedência, as reflexões pessimistas habituais e as conversações vulgares de todo momento, não puderam ser eliminadas de um para outro instante, a fim de ser criada uma psicosfera favorável à comunicação de Entidades amigas e superiores...*

Por outro lado, o orientador, igualmente presumido, desconhecendo a Lei dos Fluidos, não havendo investigado o lado moral do comunicante, ao invés do diálogo esclarecedor, da aplicação de recursos especiais por meio dos passes, impõe-lhe o afastamento, mantendo-o na ignorância e na situação malévola, leviana, em que se encontra. Muito mal fazem os portadores de meias-verdades, que aplicam mais as equivocadas do que as verdadeiras.

Em nosso plano de trabalho jamais recorremos a esse expediente, que nos distancia dos sentimentos de compaixão e de caridade; antes promovemos a conversação edificante, esclarecendo o mistificador, para que desperte para a realidade da sua atual condição de Espírito, ajudando-o na mudança da atitude em que se encontra.

Embora os tropeços naturais que toda ideia nova experimenta, confiamos que, no futuro, os companheiros realmente interessados no Bem, conforme expressivo número que já existe e se encontra empenhado na fusão das técnicas do amor com as decorrentes das experiências do laboratório mediúnico, cooperem juntos, sem disputas nem rancores, sem acusações indébitas nem destaques de presunção, em homenagem a Jesus, o Paradigma excelso para todos nós.

Logo sorriu de maneira gentil, acrescentando:

– *Quando enviar alguma notícia aos companheiros do carro orgânico na Terra, sendo possível reporte-se às nossas rápidas considerações.*

Agradeci-lhe, sinceramente comovido, e abraçamo-nos.

Logo mais, antes do encerramento, em face do programa elaborado por José Petitinga, no qual o novo amigo fora incluído, ele estava encarregado de comunicar-se psicofonicamente, advertindo o grupo e conclamando à paz, à concórdia, à união na sociedade espiritualmente debilitada, a fim de que não se perdessem as conquistas morais e iluminativas conseguidas ao longo dos anos.

Imediatamente, Petitinga dirigiu-se ao terceiro grupo, àquele em que predominavam os métodos habituais recomendados pela Doutrina desde os seus primórdios.

Havia um clima psíquico de muita paz. Os médiuns, sinceramente concentrados, cônscios das suas responsabilidades, embora nos outros grupos um ou outro trabalhador honesto igualmente assim se comportasse, o ambiente convidava-nos à oração, à reflexão, à atividade socorrista...

As comunicações psicofônicas sucediam-se em ordem, sem a balbúrdia do desequilíbrio, cada Espírito de acordo com o seu estado evolutivo, transmitindo as suas sensações e emoções, recebendo a terapia pertinente, ao mesmo tempo que uma equipe espiritual se encarregava de preservar o trabalho, evitando assalto ou invasão dos irresponsáveis... Concomitantemente, alguns visitantes do nosso plano acompanhavam os labores, enquanto a reunião chegava à fase de preparação para o seu encerramento.

Coube ao seu fundador, nobre trabalhador de Jesus que desde a primeira hora primara pela manutenção da ordem e do dever, comunicar-se para a mensagem final.

A médium era uma senhora de pouco mais de sessenta anos; encontrava-se aureolada por vibrações honoráveis defluentes da sua conduta e dedicação à faculdade que sabia preservar das investidas dos maus. Foi carinhosamente envolvida pelo amigo afável e, no silêncio natural que se fez, começou a falar:

– Louvado seja o Senhor!

Enquanto ruge a tormenta vigorosa fora das paredes que nos resguardam, aqui dentro existe paz, a paz que decorre do dever gravemente atendido.

Nunca houve, quanto hoje, tantos desafios e problemas convidando-nos a todos, à reflexão e à paciência, ao amor e à caridade.

O lema da amada Doutrina prossegue tendo vigência total neste momento.

Os Espíritos inquietos e os sentimentos dilacerados aportam na segurança dos nossos sentimentos procurando abrigo, não nos podendo furtar à solidariedade.

Os descaminhos humanos estão repletos de vidas que se estiolam na alucinação e no desconforto moral, gritando pelo socorro que se recusam receber quando o encontram, porque desejam soluções mágicas e salvação generalizada, sem qualquer contribuição de esforço pessoal e de renovação interior.

À semelhança de vagas marinhas que se sucedem, arrebentando-se nas praias que as recebem em carícia, anulando-lhes o vigor, as criaturas correm desvairadas, em contínuos tropéis, espraiando-se por toda parte e sendo rechaçadas, como se batessem em rochedos insensíveis...

A indiferença pelo sofrimento humano, ao lado do egoísmo devastador, assume proporções alarmantes, à medida que se multiplicam doutrinas religiosas e propostas éticas salvacionistas, distantes da realidade existencial...

As lutas encontram-se em ambos os lados da vida, porque os habitantes do mundo espiritual são viajantes que retornaram da Terra e trouxeram os hábitos a que se vinculavam, mantendo-se neles fixados, iludidos ou ignorando a ocorrência da desencarnação.

Simultaneamente, aqueles que sempre se comprazem em gerar conflitos e situações lamentáveis prosseguem na insânia de dividir os grupos que deveriam ser homogêneos, a fim de se tornarem fortes e resistentes às tormentas, encontram guarida nas mentes e nos sentimentos dos chamados à Seara de Jesus, *porque sabem que, separando os seus membros, mais facilmente tomam o controle sobre eles...*

Silenciou, por um pouco, a fim de que se pudesse entender com clareza o seu pensamento e a sua informação, continuando:

– *O Espiritismo é Doutrina de união dos seres humanos em favor da unificação das entidades, em um todo harmônico e produtivo. Qualquer rompimento afetivo entre os seus membros e o edifício geral sofre graves consequências, cujos efeitos podem tardar um pouco, mas não deixarão de apresentar-se.*

É necessário, hoje mais do que ontem, que todos aqueles que realmente encontraram Jesus, na Doutrina Espírita, conscientizem-se da responsabilidade que lhes cabe, desculpando antes que esperando ser desculpado, avançando na direção daquele que se afasta do seu caminho, ao invés de aguardar que o outro venha ter com o seu afeto...

Não há tempo mais para discussões inúteis, nas quais predominam a estultice, a presunção e o orgulho, desde há muito arraigados no imo, repetindo os erros cometidos em outras doutrinas religiosas no passado.

Inconscientemente, ressumam em muitas emoções as lembranças de quando, dizendo representar Jesus, assumiam posturas de destaque na comunidade, eram responsáveis pelas vidas, que não sabiam conduzir com dignidade, extorquiam-nas e maltratavam-nas...

Muitos proprietários de paróquias de ontem, retornam agora com os hábitos doentios, tentando transformar a Casa Espírita em seu alojamento eclesiástico, seja diocese ou uma das suas divisões...

Nunca esqueçamos que o Filho do Homem *não teve na Terra* uma pedra para reclinar a cabeça, embora as aves dos céus tivessem ninhos e as feras, covis...

A única autoridade que prevalece entre nós, em ambos os planos da vida, é a de natureza moral e a nossa aristocracia igualmente é da mesma natureza.

Indispensável, portanto, abandonarmos as prevenções, as antipatias, os anseios de homenagem e as disputas pelos lugares relevantes de significados nenhuns, avançando em direção da fraternidade legítima, do entendimento em torno dos objetivos que todos abraçamos.

Ainda hoje – frisou com especial entonação de voz – *atendamos às recomendações do Mestre Incomparável, fazendo as pazes com o inimigo, se o tivermos, aproximando-nos do irmão que se distanciou com ou sem motivo, demonstrando pelos atos a excelência da nossa fé raciocinada.*

Confiamos em Jesus, com certeza, no entanto, Ele confia que realizemos o seu trabalho de amor com elevação e humildade.

O momento de renovação espiritual é agora e não mais tarde.

Agradecendo a paciência e a generosidade dos seus corações, exoro a proteção do Cristo de Deus para todos nós, abraçando os companheiros queridos com ternura e paz,

Marcondes.

O silêncio estava musicado suavemente por dúlcidas vibrações espirituais, enquanto uma aragem levemente perfumada e em luz penetrava-nos a todos.

A maioria dos presentes encontrava-se comovida, o diretor dos trabalhos enxugava os olhos, encerrando o abençoado labor.

Após alguns minutos, quando todos se recompuseram, após sorverem pequeno copo com água fluidificada, saíram da sala, quando coincidentemente o segundo grupo também terminara o seu labor e todos se retiravam silenciosos após terem ouvido o amigo espiritual que lhes dirigira a palavra esclarecedora.

Vi, algo surpreendido, aquele irmão com quem dialogamos envolvendo o diretor dos trabalhos, ao mesmo tempo que o fundador desencarnado conduzia o seu pupilo na sua direção, no corredor para o qual davam as duas salas. Os dois confrades olharam-se, e tomados de súbita empatia, abraçaram-se, emocionados, sem palavras, sem ruidosas explicações perfeitamente desnecessárias.

Petitinga deu-me o braço, e considerou:

– *Assim, meu caro Miranda, devem agir aqueles que se identificam com Jesus e que, na Doutrina Espírita, encontram o caminho de libertação das paixões que teimam em permanecer-lhes dominadoras sobre a natureza espiritual.*

Inicia-se aqui, neste momento, após inúmeras tentativas e rogativas ao Senhor da Vida, o esforço abençoado em favor da união e do desaparecimento paulatino das dissensões nesta Casa Espírita. Logo mais, os mentores do grupo animista-africanista igualmente providenciarão um lugar apropriado, desde que estão esclarecidos por nós, para onde conduzirão aqueles que estiverem interessados nesse mister, enquanto aqueloutros que o desejarem volverão às suas origens, sem debates, sem ressentimentos.

Toda união tem um preço: a morte do egoísmo!

Voltemos à nossa Esfera para o conveniente repouso.

16

O PODER DA SABEDORIA E DO AMOR

A vitória do Bem é inegável em toda parte, quando os indivíduos estão sinceramente interessados em preservar as conquistas éticas, trabalhando com idealismo e devotamento pelas causas nobres que abraçam. Jamais ocorre a predominância do Mal, exceto quando se lhe dá guarida, mesmo assim de caráter temporário.

Semelhante à sombra que a claridade dilui, o Mal, em si mesmo, não tem consistência, não tem significado. A simples presença do amor que é fruto do Bem o anula sem esforço, imprimindo-se no imo de quem lho permite.

No trajeto para nossa Esfera, Petitinga referiu-se, jubiloso:

– *Como o amigo Miranda recorda, estivemos investindo nesse grupo seis meses do nosso tempo, sem impor qualquer tipo de condição, inspirando e estimulando todos ao dever. Constatamos que, de alguma forma, no íntimo de cada um dos seus membros, há interesse pelo progresso da sociedade, quanto de si mesmo, embora as exceções naturais, o que impediu o sucesso da conspiração das forças negativas, que sempre investem contra o bom êxito dos programas iluminativos. Ei-las parcialmente sendo vencidas sem alarde nem retumbância. A vitória do Bem total se expressa como ampliação dos horizontes da felicidade na Terra.*

Novos cometimentos nos aguardam. Outras Instituições com problemas mais graves, conforme conhecemos, e nas quais estamos também movimentando-nos em favor do programa de fidelidade ao missionário de Lyon e à obra que lhe foi confiada pelos Espíritos guias da Humanidade, continuarão recebendo assistência hábil para a superação das crises em que se encontram.

Com esta alegria de hoje, robustecemo-nos emocionalmente, embora jamais o desânimo ou a dúvida tenham encontrado qualquer ressonância em nossa convicção. Como o trabalho do Senhor tem urgência, mas não é destrambelhado pela pressa, insistindo e perseverando chegaremos à meta, pouco importando quando, embora o nosso desejo de que se instale, quanto antes, na Terra, o Reino do Amor e da Luz.

Com excelente material para reflexões, despedimo-nos, quando a alva abria suavemente o seu manto de luz pálida sobre a região onde estivéramos a serviço da Doutrina Espírita.

Em a noite seguinte, o querido amigo convocou-nos, como de hábito, para visitarmos respeitável Sociedade Espírita onde se instalara o fermento da dissensão, decorrente das paixões administrativas e dos interesses subalternos dos seus diretores, gerando ameaças legais através da Justiça.

Era de lamentar-se que os companheiros espíritas chegassem ao extremo de acusar-se reciprocamente em tribunais terrestres, dominados pelo desequilíbrio emocional, gerador de ódios devastadores.

Como era possível conciliar os postulados do Espiritismo com posicionamentos extremistas de tal natureza? Onde se encontrava a prática da moral exarada em toda a Codificação, no momento das decisões e condutas administrativas? Serão esses os recursos que estão ao alcance dos *herdeiros do Calvário*, empenhados em lutas renhidas pelo patrimônio material, valioso, mas transitório em face daquele de natureza espiritual?!

Infelizmente, porém, sempre medram no mesmo solo o escalracho e o trigo, ameaçado na seara. Mais grave é quando se vai extirpar essa erva daninha à lavoura, quase sempre se perde muita planta boa, porque as raízes de ambos se emaranham, gerando prejuízos.

Enquanto não houver a plena consciência de que vigem as Divinas Leis no Universo, saindo-se do campo da teoria para o da convicção racional, os melindres, as pequenezes pessoais, as ânsias pelo poder enganoso dominarão os indivíduos invigilantes que sempre gerarão dificuldades, toda vez que contrariados onde se encontrem, não importando os ideais que esposem e afirmem defender...

Verdadeiras multidões de clientes que se beneficiavam dos recursos espíritas aplicados na Sociedade estavam, praticamente, à mercê dos Espíritos vulgares e descomprometidos com a elevação pessoal.

Os mentores redobravam esforços, vigiavam todo o tempo, inspirando os mais dúcteis à fraternidade, à união, à conciliação, sem que fossem colhidos os resultados anelados.

O desfile das vaidades e o campeonato da presunção propunham disputas ridículas, demitindo ou liberando cooperadores mais dedicados que não lhes aderiam ao conflito, sendo as reuniões de diretoria verdadeiro campo de justas pessoais, onde as farpas da cólera e os raios da animosidade cruzavam o ar atingindo os seus alvos...

Às gargalhadas, o público invisível de má catadura participava das pugnas, inspirando uns e outros combatentes, levando-os ao desespero e ao aumento do ódio. Espíritos perversos que se comprazem em comportamentos de tal natureza administravam as lutas e aumentavam os estímulos às idiossincrasias, ampliando o sentimento de rancor nos litigantes.

Para essa noite, em especial, fora encaminhada por Petitinga anteriormente uma petição ao nobre Dr. Bezerra de Menezes a fim de que intercedesse junto à Mãe Santíssima em favor do respeito entre os diretores e seus apaniguados, de modo que o lastro valioso da beneficência e da caridade que ali sempre tiveram vigência, assim como a saudável divulgação do Espiritismo, não viessem a perder-se, por efeito das paixões grupais... Ao mesmo tempo, fora-lhe solicitada a interferência pessoal no encontro que estava programado.

Haveria uma reunião para definir-se algumas quizilas geradoras das desinteligências vigentes, embora um dos lados estivesse disposto a resolvê-las em denúncia que seria encaminhada ao tribunal competente no dia seguinte.

Quando chegamos, quatro horas antes, ao recinto no qual se realizaria a atividade, a sala estava apinhada de Espíritos ociosos, que aguardavam os debates insanos, assim como outros vingativos e rancorosos.

Petitinga providenciara a participação de especialistas em recuperação psíquica ambiental, que se utilizando de equipamentos especiais diluíam as densas vibrações de animosidade que eram absorvidas pela assistência espiritual inferior, enquanto instalavam alguns outros apropriados para criar uma psicosfera mais saudável, em face de pequeno grupo de devotados trabalhadores espirituais que permaneceriam em prece, emitindo ondas de simpatia, de ternura, de amor...

Lentamente o local foi-se modificando, os Espíritos burlões passaram a sentir-se mal e foram-se afastando, enquanto os mais hostis, porque conhecedores dos recursos que estavam sendo instalados, saíam furibundos blasfemando contra o Cristo e os seus asseclas, como eles denominavam os generosos obreiros do Bem.

Pouco antes das 20h, quando chegaram os diversos membros da sociedade e adentraram-se na sala, que antes se apresentava asfixiante com elementos nocivos à saúde física, emocional e mental, passaram a experimentar o peculiar bem-estar, que os foi desarmando, favorecendo a tranquilidade.

Equipe especializada em passes fluídicos e magnéticos encontrava-se a postos, e quando o presidente iniciou a oração de abertura da reunião, todos foram beneficiados pelos recursos preciosos advindos do Alto, liberando-os das fixações injustas, do desejo de revide, das maquinações trabalhadas antes e que deveriam explodir durante o encontro.

A prece proferida com unção atraíra alguns Espíritos nobres que ali trabalhavam, bem como alguns dos guias espirituais dos presentes, transformando completamente o recinto para melhor.

Nesse comenos, o Médico dos Pobres, que se nos acercava como pacificador, surgiu jovial, embora reconhecendo a gravidade da incumbência que lhe fora proposta.

A oração sincera ampliou o campo das vibrações favoráveis ao bom entendimento dos participantes do encontro administrativo, permitindo que se fortalecessem as sucessivas ondas de bem-estar que lhes eram dirigidas pelos trabalhadores espirituais e, sobretudo, pelo emérito convidado, que logo mais iria comunicar-se.

A irradiação afetiva do venerável Espírito Dr. Bezerra alcançava cada um dos presentes encarnados e favorecia-os com alegria interior e sadio propósito de servir à Causa de Jesus a que foram convocados.

Experimentando essa superior psicosfera naquele recinto antes saturado de energias perturbadoras, agora em clima de harmonia, os membros da diretoria começaram a despertar do letargo hipnótico a que haviam sido conduzidos por Espíritos obsessores que atraíram com os pensamentos e as atitudes doentias, gerando a situação lastimável a que haviam chegado.

Sob essas vibrações de paz podiam-se olhar, mesmo discretamente, redescobrindo os sentimentos que exornavam todos, antes observados com antagonismos, ideias preconcebidas e perturbadoras.

Os temas apresentados puderam ser discutidos com serenidade, todos procurando as melhores soluções, e mesmo aqueles que eram motivos do divisionismo foram analisados com menos arrogância. Porque alguns membros ainda desejassem manter conceitos impróprios, inspirado pelo benfeitor espiritual, o presidente propôs que aqueles temas que se apresentavam mais delicados voltassem a ser examinados em outra oportunidade, resolvendo-se umas questões naquele momento e as demais ficando para depois.

Houve anuência geral, o que muito facilitou o entendimento do grupo.

A reunião prolongou-se por noventa minutos aproximadamente, em harmonia, quando antes prosseguia por muito mais tempo em discussões acaloradas e prejudiciais.

Na sua etapa final, o venerando amigo dos sofredores direcionou o pensamento a sereno cavalheiro portador de mediunidade de psicofonia, que se mantinha em reflexões elevadas, facultando a vinculação psíquica entre ambos. Suavemente entrando em transe, o que foi percebido pelo presidente que, de imediato solicitou de todos a indispensável concentração para a realização do fenômeno, o amorável comunicante, com voz portadora de inesquecível tonalidade, iniciou a sua mensagem com a saudação cristã:

– *Filhos da alma!*

Que Jesus permaneça conosco!

Neste grave momento que se vive no planeta, os espíritas conscientes das suas responsabilidades, verdadeiros cristãos que devem ser, estão convocados à construção da lídima fraternidade que deve existir entre todas as criaturas.

Há tumulto em todos os segmentos da sociedade, nas mais diversas atividades a que os seres humanos se dedicam, lutas acerbas pela prevalência do ego *tomam corpo, dilacerando sentimentos e fragmentando construções do bem e do progresso, que passam a experimentar riscos dantes não programados.*

O respeito pelos valores éticos cede lugar à anarquia e ao despautério que tomam conta do século, atentando contra as mais nobres conquistas do processo evolutivo.

Parecem vãos os mais de seis mil anos de desenvolvimento intelecto-moral, porque a invasão da loucura em nome dos direitos do cidadão reina em toda parte, inclusive atentando contra esses decantados direitos.

As perversões morais impõem-se, a astúcia política e a malversação do patrimônio dos povos governam mais do que os métodos da dignidade, enquanto os estadistas abandonam a respeitabilidade que lhes é exigida, para tornar-se alucinados representantes do totalitarismo, numa sofredora revolução do proletariado contra as demais camadas sociais, sem condições de conduzir as massas sempre revoltadas, que resvalam para a anarquia e o desconserto... Outros, adornados de títulos universitários, igualmente orgulhosos, esquecem-se do povo, assim que assumem o poder e procuram permanecer vitalícios, alterando as leis vigentes...

O poder econômico esmaga aqueles que não podem competir ou que não têm assento à mesa das negociações nos sofisticados centros da civilização em que se reúnem, gastando somas excessivas que poderiam melhorar a situação de milhões de vidas que se estiolam na fome, nas epidemias, no abandono, na sordidez.

O denominado clube dos países superdesenvolvidos mais exige, com imposições cruéis e intimidações nem sempre veladas, daqueles que lhes dependem da indústria, da economia, das produções, e que, paradoxalmente os sustentam, embora na miséria em que se debatem, sem preocupar-se, em absoluto, com o sofrimento da maioria dos habitantes da Terra...

A emissão de gases que aquece o planeta e o degrada, ameaçando-o de maneira inexorável, é contestada pela força dos mais responsáveis por esse criminoso fenômeno, indiferentes às consequências que também os alcançarão em tempo mais próximo do que pensam, preocupados somente com a manutenção do seu controle sobre os outros...

Gerando guerras infelizes e sem nenhuma justificativa, esses governantes enlouquecidos pela vaidade do poder travestem-se de missionários de Deus, destruindo os chamados inimigos e os seus cidadãos, levando os seus países à ruína econômica, social e moral, gerando mais ódio em toda parte, assim estimulando os terríveis atos do terrorismo de toda ordem, fiéis à presunção pessoal enganosa.

Nos seus desvarios, dão a impressão de imortais fisicamente eternos no corpo, senhores da vida, marchando, porém, inexoravelmente, para o túmulo que os receberá em silenciosa expectativa...

As doutrinas religiosas, que deveriam orientar os fiéis, dividem-nos, para melhor governá-los, lançando umas contra outras greis, pregando o Reino dos Céus e conquistando o da Terra...

O mensageiro silenciou por um momento, enquanto todos acompanhávamos o seu raciocínio e a sua análise, de imediato prosseguindo:

– *À semelhança do que aconteceu no passado, quando veio Jesus, em situação equivalente à que ora vivemos, recebemos o Espiritismo que nos traz de volta a revolução do amor, única possuidora dos instrumentos propiciadores de felicidade.*

Expande-se a mensagem de Allan Kardec, oferecendo esperança e conclamando à paz, à fraternidade, ao auxílio recíproco, à caridade...

Como nos temos portado, os espíritas, diante dos grandes desafios, sejamos desencarnados ou encarnados?

Temos compreendido que a nossa contribuição de amor é de expressiva significação ante o desarvorar do ódio? Censurando os governantes e os violentos que tomam pela força tudo quanto querem, agimos de maneira diferente, em clima de respeito e de dignidade, conforme o Mestre nos ensinou? Fascinados com a revelação da imortalidade e da reencarnação, temo-nos comportado de acordo com esses postulados? Já descobrimos que podemos, sim, mudar, conforme o mudaram os mártires da fé, no passado, os escravos que encontraram Jesus e O seguiram, alterando o rumo da História?

Não escamoteemos a verdade, disfarçando-a em relação aos nossos atos e aguçando-a quando se trata de ações negativas dos outros.

O Espiritismo, igual ao Cristianismo, é Doutrina da consciência reta e do comportamento edificante.

Integrando-lhe as fileiras, não há como denegar-lhe os conteúdos sublimes, senão através dos atos que não correspondem aos objetivos estabelecidos.

Porque somos poucos ou não dispomos de privilégios, sejam do poder, da fortuna, da posição social, isso não constitui impedimento ao desempenho da tarefa de dignificação humana.

"O rociar da asa de uma borboleta no Oriente repercute no equilíbrio do Ocidente" – assevera-se com fundamentos verdadeiros de lógica e da Ciência que estuda os acontecimentos. Assim sendo, toda vibração emitida espraiar-se-á e contribuirá para efeitos inevitáveis até onde chegue.

Não nos podemos furtar ao dever de cooperar em favor do mundo saudável e digno, utilizando os recursos que nos estão ao alcance.

Nós outros, os desencarnados conscientes dessa realidade, estamos fazendo a nossa parte, cabendo a vós outros o dever de realizardes o que vos diz respeito.

Esse mister começa na conduta doutrinária perante si mesmo, prosseguindo em relação à família, à oficina de trabalho, ao grupo social, à Instituição em que labora.

Se a convicção em torno da Verdade não faculta ao espírita o autocontrole, o respeito pelo próximo, a renúncia pessoal, a humildade em reconhecer os próprios equívocos, qual o valor atribuído à mesma?

Jesus nos enviou como ovelhas mansas ao meio de lobos esfaimados, *não admitindo a hipótese de nos tornarmos lobos também.*

Se não somos capazes de conviver com aqueles que também abraçam os nossos ideais e trabalham conosco, porque divergimos num ou noutro ponto, como pretendemos transformar a Terra em um mundo feliz, se não nos transformamos para melhores nem somos felizes?

Urge que despertemos do letargo e voltemos à ação do amor. Nenhuma força é equiparável ao amor.

– "Deem-me uma alavanca e um ponto de apoio – propôs Arquimedes de Siracusa – e eu moverei o mundo".

Usemos o amor e renovaremos o mundo, façanha menor que a proposta pelo matemático, físico e filósofo grego.

O amor dá-nos a dimensão da própria pequenez, mas também da importância que possuímos na Obra do Pai, concitando-nos ao crescimento no rumo do Infinito.

Mediante a sua vivência, as virtudes reais assomarão ao nosso pensamento e tomarão conta das nossas existências, impulsionando-nos ao avanço através dos atos dignificadores.

Não desfaleçamos, evitando, a todo custo, as contendas perversas e destruidoras.

Somos filhos da Luz, *deixemo-nos brilhar!*

Novamente silenciou. Havia um clímax de emoções não exteriorizadas, enquanto harmonias espirituais dominavam o ambiente a todos sensibilizando em ambos os planos da vida.

Retomando a palavra, o mentor concluiu:

Estais convocados para o serviço de edificação do Bem e não para as disputas mesquinhas dos transeuntes no carro carnal, que ignoram as bênçãos que defluem do milagre da vida.

Vencei o mal que, porventura, ainda remanesça em vossos corações, abrindo espaço para o domínio do bem.

Não estais reunidos na família espiritual em que vos encontrais, por efeito de fenômenos casuais... Assumistes compromissos antes de vos reencarnardes, trabalhando juntos na edificação do bem, cooperando uns com os outros, sob o comando d'Aquele que após vos terdes chamado, vos escolherá para tarefas mais graves e relevantes no futuro.

Permanecei fiéis ao compromisso com Jesus e abraçai-vos uns aos outros, haurindo forças para o bom combate e sustentando-vos reciprocamente.

O Amor não amado *vos aguarda por ocasião do término da jornada.*

Que a realizeis de tal forma, que não vos seja necessário volver ao proscênio terrestre para muito corrigir e retificar em situação menos favorável...

Exorando a Ele, nosso Guia sublime, que nos dispense Sua Misericórdia em forma de bênçãos, abraça-vos, o servidor humílimo e paternal de sempre,

Bezerra.

O silêncio manteve-se durante esse tempo sem tempo das emoções sublimes, emoldurado pelas vibrações dulcíssimas da paz.

O médium recobrou a consciência e todos os membros, a pouco e pouco, foram retornando à realidade ambiental com lágrimas nos olhos.

A reunião foi encerrada e o nobre pacificador despediu-se de nós outros, rumando às tarefas sublimes que lhe dizem respeito.

A luz que se irradiava da sala alcançava os diversos outros cômodos, inclusive comovendo os Espíritos sofredores que se aglomeravam do lado de fora do recinto, ouvindo com respeito a comunicação grave e enternecedora.

Os membros da Casa afastaram-se tomados de superiores resoluções, levando as bênçãos recolhidas, enquanto os Espíritos perversos saíram em debandada, o que certamente não os impediria de retornar...

Petitinga, discreto e gentil, sorriu suavemente e, tomando-me pelo braço, como de hábito, convidou-me ao retorno à nossa Comunidade.

17

Prosseguem as experiências libertadoras

Por mais venha buscando entender o inefável Amor de Deus em relação às suas criaturas, sempre sou surpreendido pelo inesperado desse fenômeno ímpar, desde que, além das suas manifestações naturais, automáticas, expressa-se, igualmente, por processos que me escapam à percepção.

Nos dois acontecimentos narrados nos capítulos anteriores, a interferência do amor produziu alterações profundas no comportamento humano, deslindando aqueles seres amigos das amarras da inferioridade em que se demoravam jungidos.

Nesse campo de interferência superior, desempenha papel preponderante a oração que, certamente, não consegue modificar as Leis Soberanas, mas produz significativas alterações nas ocorrências do cotidiano. Facultando interação entre aquele que ora e o Pai, a quem é dirigida a prece, mudam-se-lhe as disposições interiores, ampliando-lhe a área de entendimento da vida e facultando perceber os mecanismos que não conseguia identificar antes. Aplicando-os, com serenidade e confiança, conseguem-se os resultados superiores que, de outra maneira, não se alcançariam.

Ademais, produzindo vibrações de harmonia no orante, a prece investe-o do equilíbrio que haure na Fonte da Vida, adquirindo resistências morais para os enfrentamentos desafiadores e provacionais.

Aos Espíritos encarregados de executar os Planos Divinos cabe o dever de atender, quanto possível, aqueles indivíduos cujas emanações psíquicas e morais revestem-se de dignidade, facultando-lhes a aproximação e, porque em campos vibratórios relativamente próximos, graças à prece, surgem a comunhão de pensamentos, os estímulos de força, as ações reabilitadoras.

Nada se perde, inclusive, as mínimas expressões de boa vontade, do espírito de serviço, de exteriorização do desejo de praticar o bem. Mesmo quando as circunstâncias se tornam difíceis, gerando impedimentos para alcançar-se as metas, essas ondas mentais criam condições para que se expressem por seu intermédio os meios necessários ao prosseguimento dos ideais abraçados e que se deseja se tornem vivenciados.

As duas Instituições recém-atendidas, em razão do mérito decorrente dos serviços anteriormente realizados, fizeram jus ao apoio superior, embora a falta de descortino dos seus atuais administradores. Atendidas, nos elevados objetivos de melhor servir e mais iluminar consciências, ainda permanecerão sob a assistência da equipe do amoroso José Petitinga, assim como dele próprio, porém, a responsabilidade das realizações pertencerá aos dirigentes encarnados, evitando-se contínua interferência no seu livre-arbítrio, cuja aplicação definirá o seu futuro...

Exultantes, durante aquele período, prosseguimos visitando algumas das sociedades espíritas que careciam de apoio, naquela fase em que estavam estabelecidas as crises em relação ao entendimento fraternal, aos conhecimentos doutrinários e vivência do amor que as perturbavam, distanciando os seus membros dos compromissos que foram assumidos perante a vida e de que teriam que dar contas.

As mais belas florações da amizade nem sempre chegam à frutescência, porque o amor não se entrega totalmente, evitando as censuras e maledicências, os ressentimentos e as competições que caracterizam a maioria dos comportamentos humanos, cujos resultados são as dissensões destrutivas e as amarguras posteriores. Embora esse fenômeno, o amor insiste e persevera, mudando as estruturas do ser e proporcionando a sintonia com o Bem.

O abnegado mentor Petitinga comunicou-me que deveríamos visitar, naquele interregno, uma respeitável Agremiação Espírita que se constituíra abençoado recinto onde se recolhiam trabalhadores de nossa Esfera em atividades no mundo físico, para repouso e planificação de tarefas.

A sua fundadora, na Terra, exercera a mediunidade dignificada e havia granjeado méritos para edificar aquele núcleo respeitável, credor do apoio de venerandos benfeitores do mundo maior.

Durante a sua existência física, em razão dos nobres serviços realizados sob a sua responsabilidade, graças às comunicações espirituais de que era objeto, todos os labores prosseguiram dentro das linhas traçadas no projeto inicial. Posteriormente, na última vintena de anos do século passado, em face de ter havido uma irrupção de obras assistenciais espíritas no país, alguns conselheiros, sensíveis e devotados, tiveram a ideia de ampliar os serviços com a criação de um lar para a infância abandonada ou esquecida na orfandade. Nada de mais meritório nesse empreendimento. Faltava, no entanto, a infraestrutura, sob vários aspectos considerada para um cometimento desse porte. Entusiasmados, porém, os corações afetuosos deram início a campanhas de promoção do ideal e lograram construir um lar para meninas, o que foi relativamente fácil...

Tudo marchava bem, enquanto as crianças eram pequenas, de fácil controle e sob orientação pedagógica bem estruturada. À medida, porém, que foram atingindo a adolescência e os impulsos do passado vieram à tona, começaram a surgir situações desagradáveis. Nesse período, especialmente, escassearam os voluntários e abnegados servidores dedicados, havendo sido substituídos por pessoas remuneradas, com o caráter de emergência, que não correspondiam aos objetivos da obra... Meninas adolescentes, aturdidas pelo mundo moderno, vítimas dos excessos de toda ordem em existências passadas, retornaram às paixões inferiores do pretérito e desbordaram em condutas extravagantes, fugindo umas do Lar, entregando-se outras a injustas revoltas, exigindo atitudes severas, que não foram tomadas...

Simultaneamente, os gastos aumentaram na razão direta em que os recursos escassearam, ocorrendo a injunção abominável... A Sociedade, que fora criada para divulgar o Espiritismo e orientar as vidas, passou a dedicar todos os seus esforços em favor da assistência social, criando mecanismos antidoutrinários para recolher donativos, e utilizando-se da *onda de curas*, adotando uma das muitas terapias complementares, então denominadas alternativas, para atrair público e, por consequência, conseguir moedas para a *caridade* que se pretendia realizar...

O clímax aconteceu, quando, para auferir-se benefícios materiais da decantada terapia, passou-se a exigir que o paciente se tornasse sócio da Entidade, o que, sem qualquer dúvida, era um disfarce para a simonia, para a venda do produto exposto, porquanto as pessoas eram constrangidas a fazê-lo, embora nunca mais voltassem...

As reuniões doutrinárias perderam o encanto e o conteúdo, porque os clientes sentavam-se à sala, ouvindo os expositores pouco motivados, aguardando a transferência para outro recinto onde eram realizados os atribuídos benefícios energéticos.

Toda uma parafernália de instrumentos foi colocada nas respectivas salas, dando-lhes um falso aspecto de laboratórios terapêuticos, mais voltados para a sugestão e a autoindução, do que portadores de efeitos salutares.

Os passes, a água fluidificada, a psicoterapia pelas orientações doutrinárias, as propostas de reforma íntima, os labores desobsessivos, lentamente passaram a plano secundário, ante o fantástico fenômeno em voga.

Naquela ocasião, a Sociedade Espírita, em consequência de tal comportamento, era somente um simulacro da veneranda Entidade do passado.

Foi nessa condição, que a irmã Clarinda, sua fundadora, recorreu aos préstimos do nosso benfeitor, porque, por outro lado, as discórdias, as lutas de poder também lá se instalaram, como não podia deixar de acontecer, em razão da penetração das Trevas organizadas, que trabalham pela desmoralização do Espiritismo, assim como da mediunidade, ali colocada a soldo da indignidade.

Em a noite aprazada, o gentil amigo convocou-nos a nós e a outros companheiros da sua equipe de ação, para rumarmos à grande urbe onde se sediava a Sociedade Espírita, com quatro horas aproximadamente antes do início dos trabalhos.

Em lá chegando, fomos surpreendidos com uma fila de vinte pessoas à porta fechada, na expetativa de receberem o mágico recurso terapêutico propalado, como sucede em outros locais, desprotegidas do respeito que se deve ter pelo ser humano em qualquer situação...

Tratava-se de um grupo heterogêneo, com problemas, os mais diversos imagináveis, em animada conversação, desde a mais fútil, à vulgar e acusatória, com a raríssima exceção de um casal enfermo que se concentrava no objetivo da recuperação, pensando em Jesus e nos seus milagres.

Uma hora antes de iniciar-se o labor, a porta foi aberta, e a movimentação, agora muito mais expressiva de clientes fez-se com algum alvoroço. À entrada, alguém da Casa solicitava uma ficha representativa do pagamento de sócio, e aqueles que não na tinham, eram encaminhados à Tesouraria, ao lado, solucionando-se a questão.

A sala comportava umas quatrocentas pessoas e ficou repleta antes do horário convencionado para a reunião.

A palestra da noite deveria ser proferida por um convidado especial, dedicado ao estudo e à vivência da Mensagem Espírita. Estava aguardado, mais por curiosidade do que por interesse de aprendizagem por grande parte dos diretores da Casa. No momento da chegada, foi recebido com certa indiferença, por um dos membros, justificando a ausência do presidente, que o convidara e assinalara a data para o cometimento doutrinário, porque o mesmo encontrava-se noutro recinto, organizando os atendimentos terapêuticos para o público, pelo que solicitava escusas.

Surpreendido ante o inusitado, o visitante aguardou as próximas ocorrências, que não demoraram. Já à mesa dos trabalhos, recebeu um bilhete do seu dirigente solicitando-lhe que abordasse o tema em tom baixo de voz, a fim de não interferir nos processos de *cura* ao lado. Ignorando o de que se tratava, o expositor perguntou se em assim comportando-se, todos os presentes na sala teriam como ouvi-lo, recebendo uma inesperada resposta, que o intranquilizou de forma significativa:

– *A palestra tem por finalidade entreter os presentes* – elucidou o diretor da reunião –, *enquanto aguardam o momento de serem direcionados para o outro recinto, onde se dão as operações curativas.*

O moço ficou aturdido ao verificar que o Espiritismo e sua mensagem ali eram somente um entretenimento, que precedia aos *milagres terapêuticos*.

Sem alternativa, submeteu-se ao absurdo, e quando pôde proferir a palestra, deu à mensagem um toque de conversação edificante, sem profundas reflexões, enquanto as filas movimentavam-se nos bancos que se esvaziavam com o afastamento dos seus ocupantes, dirigindo-se para o outro ambiente, até quando, praticamente, a sala esvaziou-se, não totalmente, porque alguns interessados preferiram ficar aguardando a conclusão do tema que lhes pareceu oportuno e interessante...

Todos, porém, haviam *contribuído* para a *caridade*, a manutenção das obras assistenciais, olvidando-se, porém, da caridade para com a Doutrina Espírita, de superior importância, pelo que se reveste de grandiosa, no seu programa de erradicar as raízes do mal, antes que tratá-lo superficialmente, de iluminar as consciências, a fim de facultar a conquista da saúde integral, de desenvolver-se os sentimentos do amor, da fraternidade, do perdão, da verdadeira ação da virtude máxima, que é doar generosamente, sem nada receber em retribuição...

Terminada a estranha e tormentosa atividade, o expositor foi convidado a visitar o recinto terapêutico, onde o aguardava, risonho e frívolo, o seu dirigente, que logo esclareceu:

– *Nosso objetivo aqui vem sendo cumprido à risca. Todos os enfermos são atendidos dentro da programação. Como vê, estamos equipados para bem servir.*

Sinceramente compungido, o expositor, igualmente médium ostensivo, serviu de instrumento para que Petitinga, por seu intermédio, dialogasse com o deslumbrado curador leviano.

– *Não será* – indagou, por seu turno – *o objetivo do Espiritismo curar o ser interno ao invés da roupagem que o reveste? Não tem por objetivo a reencarnação, a necessidade reparadora e a aquisição de novos conhecimentos para não mais se incidir no erro? Observei que os clientes, de maneira alguma se interessaram pelas informações espíritas, que são as respostas dos Céus a todos os questionamentos e problemas humanos. A preocupação generalizada era a de receber o tratamento que aqui deveriam fazer e fugir do ambiente quanto antes, como quem desejasse o direito de não assumir qualquer tipo de compromisso...*

– *Sim* – respondeu o insensato, inspirado por um hábil mistificador, que se fizera responsável pelas mudanças ocorridas na Sociedade –, *essa é a função do Espiritismo, sem dúvida, mas nunca deveremos esquecer-nos da caridade imediata, conforme Jesus a fazia.*

– *O Mestre, porém* – respondeu o convidado –, *quando atendia os enfermos do corpo e da alma, sempre lhes perguntava se desejavam que Ele os curasse, e após atendê-los, recomendava com ênfase que* não voltassem a pecar *(a comprometer-se moralmente),* a fim de que não lhes acontecesse nada pior. *Não desejo desconsiderar a terapêutica aplicada que confesso desconhecer os benefícios que propicia, embora a respeite, mas penso que, o Centro Espírita não pode ser transformado em uma clínica de terapias* alternativas, *competindo com aquelas especialmente programadas para esse fim. O nosso compromisso é com o ser integral, a partir do Espírito, e não apenas com uma parte dele, como seja, o problema que cada um expressa no momento.*

Perturbando-se, o dirigente, com o humor alterado, irritando-se com as descargas de fluidos deletérios que lhe eram aplicadas pelo símile desencarnado, foi rude:

– *Você não foi convidado para vir ensinar-me o que devo fazer na minha Casa...*

– *Sem dúvida* – redarguiu, tranquilo, o trabalhador espírita – *que não venho ensinar-lhe o que o senhor deve saber, já que se investiu na condição de orientador de vidas. Apenas respondo-lhe às informações com as explicações espíritas, que o senhor, por certo conhece, embora não as aplique na prática.*

Transformar uma Entidade Espírita em uma clínica desse porte não apenas é um desrespeito à Doutrina, que não se deve encarregar desse mister, como também é um atentado à saúde pública, porquanto as autoridades sanitárias não lhe concederam permissão para essa função, nem aqueles que aplicam esses recursos estão credenciados com o conhecimento acadêmico para exercer a atividade terapêutica, que executam, sem real habilidade para tanto, em face de serem todos autodidatas...

Ademais, desde Jesus, quando atendia aos necessitados de todo jaez, que aprendemos com Ele, que nada se deve receber em volta quando se pretende dar algo, especialmente na área da recuperação da saúde, porque os benefícios procedem do Pai e d'Ele, através dos seus mensageiros, que nada recebem em retribuição. Trata-se do dar de graça, *meu caro amigo, que não podemos esquecer.*

Confesso-lhe que me sinto impulsionado a dizer-lhe isso por amigos espirituais que nos amam, sem qualquer censura de minha parte, mas por dever de honestidade para comigo mesmo que repudio esse tipo de caridade *enganosa e por amor à Doutrina que nos irmana e deve ser preservada com dignidade.*

Reconheço que isso o desagrada, mas foi o amigo quem me convidou com insistência a vir aqui para expor a Doutrina, e eu não poderia ter outro comportamento, senão o de lealdade...

O clima psíquico ficara pesado, mesmo porque outros membros da sociedade acompanharam o visitante e ouviram o diálogo franco, ficando, algo surpreendidos, pois que nunca se haviam preocupado em pensar na aplicação digna dos objetivos da Doutrina Espírita, deixando-se arrastar pelo entusiasmo sem sentido.

Confunde-se muito, normalmente, humildade com covardia moral, através da qual o espírita, o cristão, deve concordar com tudo que lhe dizem e lhe apresentam, para não desagradar a ninguém. Além de absurda essa proposta, a mesma fere a Lógica e a Ética, porque silenciar ante o erro é estimulá-lo, concedendo-lhe validade, e calar a verdade quando se é indagado sobre ela, significa pusilanimidade... Não desgostando aquele que atua equivocadamente, dever-se-á conspurcar o que é digno, a exemplo do Espiritismo?

Jesus jamais assumiu essa postura de anuência com o erro, o delito, a indignidade, fazendo proselitismo de arrastamento. Kardec, da mesma forma, na sua condição de missionário da Era nova, sempre manteve o padrão da verdade acima das conveniências em relação aos indivíduos e aos grupos humanos... Ambos preferiram ser menos simpáticos aos dilapidadores da verdade, do que infiéis às tarefas de que se encontravam revestidos.

O Espírito perverso que assessorava o presidente, estorcegava na raiva e transmitia-a ao seu parceiro emocional que, assumindo a presunçosa condição de dono da Casa, encerrou o encontro, rispidamente:

– *Penso que nada mais temos a comentar. Assim, considero dispensável a sua presença nesta Casa que dirijo... Era só o que me faltava aparecer!*

– *Com muito prazer, e sinceramente me sinto feliz por havê-lo advertido pessoalmente, sem qualquer agressão, a respeito da malversação do patrimônio que herdou dos nobres trabalhadores do passado, que lamentam a transformação da veneranda Entidade em um mercado de pseudocuras. Por fim, lembraria ao amigo que a Casa não é sua, nem de ninguém, é recurso material concedido pelos Céus e de que se necessita temporariamente para o atendimento de uma finalidade específica, que não está sendo respeitada, havendo sido erguida com sacrifícios dos seus pioneiros fundadores para a divulgação e a prática da Doutrina Espírita, conforme a recebemos do insigne codificador e dos seus continuadores.*

Agradeço-lhe o convite para que aqui viesse, porque verifico a necessidade que o amigo tem de conhecer o Espiritismo, descendo do trono da arrogância de chefe para a posição de aprendiz, que o somos todos da vida.

Sem demonstrar qualquer mal-estar, caminhou na direção da porta, ante o constrangimento de diversos outros diretores que despertaram, nesse breve diálogo, para a constatação do que já sentiam como errado e não se encorajavam a verbalizar.

Na próxima reunião da diretoria, os membros que acompanharam a conversa enérgica, encorajados pela limpidez do pensamento espírita, censuraram o comportamento do presidente, que se indispôs, praticamente, com os mesmos, tomado de ira.

Havia sido criado o ambiente para futuros estudos em torno do assunto, que resultariam, bem mais tarde, com o retorno às lides espíritas, a supressão da terapia que se encontrava em lugar indevido e a transformação do Lar, de internamento para uma creche-escola de resultados muito mais positivos, dentro dos padrões da caridade que ilumina e que liberta da ignorância, assim como das paixões inferiores.

Todo esse labor, no entanto, foi realizado através das comunicações que passaram a ser apresentadas pela fundadora, pelo amigo e benfeitor Petitinga, assim como da contínua assistência que todo o grupo passou a oferecer à Entidade, afastando, a pouco e pouco, os assaltantes espirituais que a haviam tomado de improviso.

A Doutrina Espírita não é conivente com artimanhas de qualquer natureza, disfarçadas de caridade ou portadoras de alterações dos seus postulados e paradigmas procedentes do mundo das causas pelos emissários do Senhor.

É indispensável, portanto, que os seus adeptos, sem fugir aos princípios da humildade e da ação caridosa, sejam leais, firmes nos propósitos honoráveis e devotados ao bem, sem submissão indevida aos poderosos do mundo ou àqueles que assim se acreditam.

Quem se ilumina com o conhecimento libertador, não pode mais permanecer na penumbra dos interesses inferiores.

O presidente, rancoroso e desacreditado, associou-se a outros descontentes, passando a atacar o instrumento dos Espíritos que o orientaram à boa conduta, à sã Doutrina, conforme afirmava o apóstolo Paulo, quando enunciou: – *Porque virá tempo em que não suportarão a sã doutrina* (II Timóteo, 4: 3).

Compreensivelmente, as lutas que ali se estabeleceram foram múltiplas.

Amparados pelos numes tutelares, os espíritas sinceros que mourejavam na Casa, permaneceram firmes na vivência legítima dos conteúdos doutrinários, não se dobrando ante as ameaças infantis que surgiram, nem aceitando interferências piegas de intermediários que se denominavam conciliadores. Como o labor era de natureza idealista, nada justificava a aceitação de sentimentos perversos, doentios, separando amigos. Pelo contrário, dos diálogos contínuos, examinados à luz da Codificação, saíram as diretrizes seguras para a continuação do ministério abraçado.

A irmã Clarinda, ao longo do tempo, utilizando-se de alguns dos médiuns, que se encontravam desviados das tarefas de amor para com os desencarnados, e que foram trazidos carinhosamente de volta para exercer os deveres habituais assumidos perante a consciência, prosseguiu insistindo para que se modificassem as disposições do trabalho, mantendo-se os serviços socorristas aos sofredores, mas não constrangendo as pessoas a qualquer tipo de contribuição em forma de pagamento pelos benefícios recebidos.

O domínio do mal que é sempre transitório e se encontra sempre exposto através de muitas brechas, começou a ceder, sendo, algum tempo depois, suspensos os labores da denominada terapia alternativa salvadora, transformando as salas em recintos para a evangelização espírita infantojuvenil que ali não se realizava há vários anos...

Por ocasião da reunião ordinária de diretoria, um novo grupo assumiu as responsabilidades administrativas, com o afastamento do irmão renitente e agressivo, alterando-se os estatutos e modificando-se a estrutura do lar.

As crianças residentes que não tinham familiares continuaram até o momento da maioridade, sem renovação de candidatos, enquanto se iniciavam os serviços da creche-escola para as mais necessitadas do bairro, especialmente aquelas cujas mães trabalhavam e não tinham com quem deixar os filhinhos, mais se dignificando.

É meritório auxiliar, porém, é mais importante transformar o auxílio em salário, elevar o necessitado à condição de adquirente dos recursos indispensáveis à condução da própria existência.

Por isso, a *Lei do Trabalho* é de relevância, porquanto, ademais dos recursos que propicia a quem labora, eleva o indivíduo e, por extensão, a sociedade a patamares dignificadores.

Desse modo, o labor com Jesus, sem qualquer balbúrdia, reconquistou os espaços naquela agremiação, que a imprevidência de alguns amigos permitira perder-se.

18

ATIVIDADES INCESSANTES

Por hábito, sempre busquei meditar em torno das atividades desenvolvidas, procurando retirar das experiências o mais fecundo manancial de conhecimentos favoráveis à autoiluminação.

Em todos os empreendimentos nos quais estive participando, o enriquecimento interior proporcionado pela ação e, depois, pela reflexão ensejou-me melhor compreender o mecanismo das Soberanas Leis da Vida, constatando-lhes a justeza e a oportunidade com que sempre se manifestam. Em consequência, o sentimento de amor tem sido amparado com energias vigorosas que me facultam bem entender as ocorrências humanas, mesmo aquelas que se apresentam em expressões de tragédia ou denominadas desgraças.

Sempre existem, em tudo quanto sucede, razões ponderáveis que respondem pelos acontecimentos, dos quais, sabendo-se extrair o benefício oculto, os resultados apresentam-se surpreendentes, favoráveis ao crescimento espiritual das criaturas envolvidas.

Considerando-se a realidade da vida, examinada do lado espiritual para o terreno, modificam-se, por completo, os quadros de compreensão das ocorrências, porquanto, na relatividade do trânsito carnal, todas as conquistas têm efêmera duração, sendo que, aquelas de caráter enobrecedor prosseguem além da sepultura, enquanto as outras, imediatistas, frívolas, enganosas, perdem totalmente o sentido, quando se apresentam os denominados infortúnios, que são fenômenos pertinentes ao processo evolutivo.

Sempre me recordo de uma experiência vivenciada, quando no corpo físico, e que muito me comovera.

Dizia respeito a uma dama ultramilionária, que desfrutava de grande destaque na sociedade europeia, residindo em faustoso palácio, que se dedicava a colecionar joias, tapetes e cristais raros, ao lado de quadros famosos e estatuetas de altíssimo preço.

Amiga de reis e príncipes, de estadistas e da melhor sociedade existente, as suas recepções e festas eram disputadas e conhecidas pelo esbanjar do dinheiro, dos acepipes, das bebidas...

Aos sessenta anos de idade foi acometida por um câncer de pulmão, que não identificado em tempo, espraiou-se em cruel metástase, levando-a a duas cirurgias de longo porte e a tratamentos dolorosos, na época, sem a mínima esperança de recuperação.

Viúva e mãe de uma única filha, que lhe continuava a trajetória, casada com destacado diplomata, logo o estado da senhora complicou-se, correu a assisti-la no leito de demorada agonia, amparada por dignos representantes da Medicina e amigos sinceros que lhe ofereciam conforto e afeição.

Num dos seus últimos diálogos com a herdeira em sofrimento, afirmou-lhe:

– *Concluo, tardiamente, que a vida vale os sentimentos de amor e de caridade que podemos realizar em favor do próximo. A minha foi uma existência vazia... Todas as festas e exibições, as compras exorbitantes e a paixão pela aquisição de obras de arte, eram mais um reflexo da inquietação interna, da solidão interior, uma fuga do autoenfrentamento, do que mesmo um prazer...*

Após alguns breves segundos de pausa para melhor respirar, concluiu, entre lágrimas:

– *Depois da minha morte, se lhe for possível, venda tudo quanto lhe pareça secundário para a felicidade e distribua em minha memória, eu que nada fiz em favor do meu próximo, de quem me dou conta, neste momento final...*

Havia amargura e desencanto na voz e na expressão da face macerada, vencida pelo câncer implacável.

Desencarnou, pouco depois, em estado de tormentosas aflições que foram atenuadas por medicação forte que a adormeceu, sem que lhe impedisse os estertores e a decomposição física ainda em vida, exalando odores insuportáveis...

Posteriormente, a filha, ainda emocionada, escreveu sobre os últimos momentos da genitora, que foi publicado pela imprensa da época, ornado o texto com as fotografias de ambas, no auge da glória terrena e ilusória...

Segundo a narração, a herdeira agiu conforme lhe solicitara a mãezinha em estado agônico, informando o bem-estar que experimentava ao transformar tesouros mortos em oportunidade de vida para muitos que foram beneficiados pela Fundação de amparo aos desvalidos que criara em homenagem à sua memória e que seria mantida pelos bens que ficaram...

Impactou-me essa história da vida real, e, após a minha desencarnação, recordando-me, vez que outra, da nobre senhora, busquei-a, a fim de ouvi-la, e tive oportunidade de encontrá-la, quase duas dezenas de anos depois da sua desencarnação, recolhida em uma Comunidade de Além-túmulo, onde se refazia das ulcerações morais defluentes da ociosidade e do mau emprego dos tesouros que lhe foram confiados para o bem geral e ficaram encarcerados no egoísmo e na vã cultura. Entretanto, o seu despertar antes de libertar-se do corpo, sua sugestão de correta aplicação dos bens materiais diminuíram a sua carga de aflições.

Todos os bens que a Terra confere são coletivos e devem ser aplicados em benefício geral. Ninguém pode deter o que lhe é emprestado pela vida, porque é obrigado a dar conta da sua administração, de como aplicou os recursos que se demoraram em seu momentâneo poder.

Ninguém consegue fugir à realidade, escamotear a consciência, depositária da *Lei de Deus*.

A anestesia da ilusão e do prazer passa, sendo inevitável o enfrentamento da criatura com a verdade que se lhe encontra insculpida no íntimo, em forma do seu *deus interno*.

Felizes, portanto, todos aqueles que compreendem o significado transitório da reencarnação e os resultados decorrentes das ações praticadas.

O poder, a fortuna, a beleza, a fama, o destaque são apanágios do corpo, que se modificam à medida que o tempo transcorre. Utilizados em benefício do Espírito imortal, ensejam campo para realizações edificantes, relacionamentos felizes, afeições duradouras. Todavia, quando utilizados para o jogo do prazer e para a sustentação de interesses mesquinhos, quando não doentios, facilmente desaparecem ou se modificam, deixando terríveis laivos no sentimento amargurado.

Quando o indivíduo se encontra em situação privilegiada, raramente olha para aqueles que carecem de socorro, empolgados e embriagados pelos vapores tóxicos da bajulação de outros enfermos, normalmente complicando a situação moral e espiritual em que transitam.

Desse modo, merece considerarmos como uma provação de difícil manejo a fortuna, assim como tudo quanto exalta o indivíduo, que tem o dever de servir, de repartir, de amparar e não apenas de fruir egoisticamente.

Quem tem oportunidades de auxiliar o próximo e não o faz, encarcera-se em lamentável solidão, porquanto, aqueles que o cercam, raramente o amam, aproveitando-se-lhe da fama, do poder, do dinheiro, e invejando-o.

Envolver-se, emocionalmente, qual aconteceu ao samaritano da Parábola narrada por Jesus ao sacerdote venal, constitui atitude de sabedoria, de amadurecimento moral e espiritual, porque o nosso próximo somos nós em outra pessoa.

Reflexionava em torno das atividades socorristas a alguns companheiros espiritistas e suas sociedades, quando José Petitinga me convidou a uma visita especial. Tratava-se de um Núcleo Espírita respeitável, que se mantinha fiel à Codificação, onde o amor e a caridade se davam reciprocamente, utilizando-se da iluminação interior e do socorro externo, de modo que todos quantos o buscavam sempre recebiam respostas afetivas e ajuda especial, porque, na Casa em que Jesus opera, sempre existe fartura, embora, às vezes, escasseiem recursos amoedados.

A invitação favorecia-me com nova oportunidade de aprendizado junto ao querido amigo e benfeitor espiritual.

Ao entardecer, chegamos à Agremiação, algumas horas antes do início das atividades doutrinárias e de acolhimento moral e espiritual aos necessitados.

De regular distância, eu podia ver que o edifício de amplas proporções estava tomado por uma especial luminosidade que dele se exteriorizava.

Percebendo-me a indagação silenciosa, o amigo espiritual esclareceu-me:

– *As ações de benemerência e a prática do Espiritismo dentro dos seus paradigmas, conforme estatuídos na Codificação, aí encontram o devido respeito e consideração. A seriedade com que são tratados os problemas e discutidas as responsabilidades, têm no Evangelho de Jesus as diretrizes de segurança, de forma que a concórdia e a caridade aí gozam de primazia.*

Desde a sua fundação, que teve lugar durante a ditadura getulista, num momento de muitas dificuldades políticas para o Brasil, que a equipe de trabalhadores compreendeu a magnitude e a responsabilidade de um empreendimento de tal porte, tudo aplicando em favor da correta divulgação da Doutrina Espírita. Desencarnados, alguns dos pioneiros, ei-los que continuam ativos do nosso lado, dando prosseguimento ao ministério iniciado no transcurso da existência física.

O bem, o dever e a responsabilidade na prática da caridade geram energias poderosas que defendem o recinto onde são vivenciados, protegendo todos aqueles que se empenham pelo realizar.

Observei que a movimentação de Entidades desencarnadas, portadoras de elevado padrão moral, assim como de sofredores necessitados de amparo, era expressiva, embora ainda não fosse a hora de atendimento.

– *Onde se realiza o culto dos deveres nobres* – acudiu-me o amigo gentil – *não existem horas determinadas, porquanto em todos os momentos revezam-se as equipes de servidores atentos aos compromissos. As atividades dedicadas aos encarnados não interferem naquelas normais em nosso plano, complementando-se em harmoniosa identificação de propósitos e de finalidades.*

Também notei, quando chegamos à entrada, que o edifício era defendido por uma verdadeira muralha fluídica, em torno da qual diversos Espíritos, que pertenceram a algumas etnias no país, montavam guarda, joviais e diligentes.

Novamente, Petitinga, sempre atento, informou-me:

– *Como não ignoramos, as obras do Senhor são credoras de afeto e de proteção, normalmente recebendo voluntários desencarnados que se oferecem para servir dentro das suas possibilidades, nas mais diferentes funções, especialmente como vigilantes e visitadores.*

O Senhor a todos nos concede a oportunidade de crescimento e aceita qualquer tipo de cooperação, mediante a qual crescemos interiormente.

Adentramo-nos no recinto que rescendia perfume e encontrava-se iluminado por peregrina e diáfana claridade.

Mais uma vez, o gentil benfeitor auxiliou-me:

– *A prece, ungida de amor, gratulatória, intercessora, suplicante, seja qual for a sua expressão, produz vibrações perfumadas no ambiente onde é proferida, produzindo uma psicosfera de paz e de renovação de forças, quando sistematicamente preservada. O simples ato de se estar presente em recinto desta natureza, já nos favorece, a todos, de ambos os planos, com recursos benéficos, dependendo da capacidade de cada um em absorver os seus eflúvios em expansão. A oração é sempre o vigoroso tônico de que o Espírito necessita para poder servir e esclarecer-se, a fim de alcançar a iluminação. Quando se ora, comunga-se com Deus.*

Atravessamos o corredor e, ao chegarmos ao auditório, ei-lo repleto de desencarnados e de alguns poucos companheiros no corpo físico, lendo e meditando, enquanto aguardavam o início da reunião programada para as 20h.

Naquele comenos, realizava-se um serviço espiritual de conforto aos Espíritos sofredores, promovido pelo fundador da Agremiação, logo seguido pelo atendimento com passes ministrados por dedicada equipe de desencarnados.

Acompanhamos a etapa final do trabalho, após o que, nosso irmão Felipe, o venerando guia espiritual, acercou-se-nos com júbilo indisfarçável e, após saudar-nos, quando fomos apresentados, manteve com o amigo Petitinga uma conversação, na qual explicitou a razão do convite que nos fora feito.

Tratava-se de uma paciente que deveria vir ao atendimento fraterno, em busca de orientação espiritual para uma grave decisão que seria tomada.

– *Sabendo que o nosso amigo e irmão Miranda envia mensagens à Terra* – explicou, afável –, *abordando questões de importância, analisadas em nossa Esfera de ação, e conhecendo o drama que perturba a nossa irmã, recordei-me de convidá-los a participar da entrevista, que iremos acompanhar, bem como do seu desdobramento a seguir.*

Enquanto não chegava o momento, o novo amigo convidou-nos a visitar a Casa e os seus vários departamentos de amor, nos quais a caridade exercia papel preponderante ao lado da preocupação de libertar as consciências da ignorância em torno da existência e das suas complexidades, em face da imortalidade do Espírito.

Em toda parte havia ordem e se primava pelo equilíbrio. Os membros encarnados eram conscientes da magnitude do trabalho que desenvolviam, realizando-o com alegria e seriedade, evitando a bulha e a vulgaridade do anedotário chulo, destacando-se as conversações edificantes fundadas nos postulados da Doutrina.

Encontrava-me edificado com o comportamento de todos, demonstrando a gravidade com que encaravam a oportunidade de crescimento espiritual.

Às 20h, conforme estabelecido, retornamos ao salão principal, onde deveria acontecer o estudo de *O Livro dos Espíritos*, de Allan Kardec, para um número expressivo de interessados.

Em outra sala, de menor proporção, encontravam-se *os atendentes fraternos*, cada qual sentado ao lado de pequena mesa com uma cadeira em frente, onde se acomodaria o visitante.

Destacando uma senhora simpática e jovial, que se encontrava concentrada, aureolada por suave luz em tonalidade azul, assessorada por atento benfeitor espiritual, informou-nos que a paciente lhe seria encaminhada, em razão da sua sensibilidade mediúnica. Por enquanto, estava na sala de espera, aguardando ser chamada.

Logo vimos adentrar-se uma jovem de mais ou menos 25 anos, que se fizera acompanhar da genitora, que ficara esperando-a.

De imediato percebemos-lhe a contensão de angústia exteriorizando-se em ondas compactas que a envolviam em sombras, produzindo uma psicosfera asfixiante que a inquietava. Acompanhando-a, destacou-se um Espírito de catadura cruel, que lhe direcionava pensamentos odiosos.

Emocionada, algo trêmula, sentou-se, e atendida cordialmente, teve dificuldade em expressar o sofrimento que a constringia.

Acostumada a situações de tal porte, a atendente gentil estimulou-a, informando:

– *Esta é a Casa de Jesus, onde todos nos encontramos em processo de transformação para melhor. Caso lhe possa ser útil, estou inteiramente às ordens. Qual é o seu problema?*

– *É mais do que um simples problema* – respondeu, vagarosamente. – *Trata-se de um drama cujo desfecho temo será terrível...*

– *Não receie o que ainda não aconteceu* – estimulou-a a ouvinte, irradiando empatia e bondade. – *Sempre há tempo de transformarmos tragédias em experiências abençoadas.*

– *No meu caso* – elucidou, com certo pessimismo –, *não vejo como.*

Após um momento de silêncio oportuno, continuou:

– *Fui ludibriada nos meus sentimentos de mulher.*

As lágrimas represadas no coração começaram a fluir pela comporta dos olhos.

– *Amei* – enunciou com dificuldade – *e fui miseravelmente traída, após entregar-me a um verdadeiro chacal. Usou-me em nome do meu afeto de mulher inexperiente por largo tempo, dando-me a impressão de ser o companheiro anelado para a existência... Enquanto não engravidei, tudo parecia correr bem.*

Minha mãe, viúva, que não concordou, a princípio, com a minha decisão de estabelecer um lar com aquele escolhido, embora mantido por mim, graças ao trabalho de secretária que exerço em uma firma estrangeira, terminou por aceitar a situação que lhe constrangia, pensando na minha e na felicidade de nós ambos...

Quando ocorreu a fecundação e pude confirmá-la com exames específicos, e lhe dei a notícia, ele transfigurou-se, informando-me que não desejava ser pai, que isso não estava nos seus planos futuros... A única solução seria o aborto.

A minha formação moral e religiosa, no entanto, não me permite aceitar a prática desse vergonhoso crime, e recusei-me com decisão.

As discussões surgiram, cresceram e, num momento de agressão verbal, o canalha saiu de casa para não mais voltar...

Respirando com dificuldade, em face da emoção e do estado avançado de gestação, foi atendida por meio de passes aplicados pelo mentor da atendente, que afastou o Espírito hostil que a acompanhava, sem que o mesmo se apercebesse, acalmando-a um pouco.

A seguir, recuperando o equilíbrio, ela prosseguiu:

– *O pior aconteceu-me há poucos dias... Fazendo uma ultrassonografia com receio de que os choques emocionais pudessem haver prejudicado o bebê, recebi o diagnóstico terrível: trata-se de um anencéfalo...*

Não poderei tê-lo. Ele irá destruir a minha existência. Não suporto imaginar o que me acontecerá até o momento do parto, conduzindo um monstro no meu ventre. Parece ser maldição da Divindade, essa herança infeliz. O médico propõe-me o aborto, com o que minha mãe concorda plenamente, e estou inclinada a fazê-lo, embora isso me violente.

Algo, porém, grita-me, nos refolhos da alma, suplicando ajuda, enquanto uma estranha força maléfica se vem apossando das minhas resistências, gerando um sentimento de antipatia que se vai convertendo em ódio contra esse ser que me pode matar...

O pranto aumentou, e novamente foi socorrida com assistência fluídica de reequilíbrio.

Inspirada e tocada no cerne do ser, a recepcionista explicou-lhe:

– É realmente doloroso constatarmos a indiferença de certos indivíduos em relação à progenitura. Desejam fruir as satisfações do sexo, mas não corresponder-lhe às consequências naturais que do ato se derivam. Desde que não se deseja a paternidade é muito fácil recorrer-se aos contributos impeditivos à fecundação, ao alcance de quem os queira utilizar. Todas as ocorrências obedecem a um esquema de causa e de efeito como é inevitável. Não se aplicando os mecanismos restritivos à procriação, não se tem direito a decidir de maneira infame contra a vida que foi gerada por ato espontâneo e normal. A fuga a essa responsabilidade é um gravame muito sério na economia moral do ser humano.

Embora a covardia moral que caracteriza o desertor, você não tem, por sua vez, o direito de descarregar a mágoa, a decepção, no ser que Deus lhe empresta, por algum tempo, a fim de evoluir, cometendo mais grave erro do que o genitor insensível...

– ...Mas é um monstro, que nem sequer terá vida após o nascimento – interrompeu-a, abruptamente.

Nesse momento, em face do ressentimento que a dominava, atraiu o perverso assistente espiritual, que se lhe acercou, aumentando a cólera contra o filhinho indefeso.

Sem abalar-se, e preservando a serenidade, no mesmo tom de voz a atendente esclareceu, visivelmente inspirada pelo seu benfeitor espiritual:

– A vida, seja em que forma se expresse, é dom de Deus, que no-la confere e a retira, somente Ele, quando Lhe apraz. Desde que a vida do filhinho será breve, por que não lhe permitir o ensejo de avançar no rumo da felicidade? Interromper uma gestação, sob qualquer alegação, mesmo essa que se esconde sob o eufemismo de aborto terapêutico, é crime vergonhoso e um perigo perfeitamente evitável.

Ninguém renasce com limitações e teratologias desse porte, sem motivos ponderáveis perante as Leis que governam a vida. Esse Espírito, que renasce em situação penosa, lhe está vinculado por laços fortes de afetividade especial, necessitando agora, nessas circunstâncias aflitivas, do seu concurso de mãe para sublimar-se.

– Não posso esperar mais. Desde que tive a notícia da sua degenerescência que sou acometida por pesadelos terríveis, vivendo cenas de horror e de sangue, que me estão extenuando e quase me levando à depressão ou à loucura.

Venho em busca de socorro, pelo Amor de Deus!

Acostumada aos gritos do sofrimento interior daqueles que por ali passavam, a nobre senhora umedeceu os olhos, e respondeu com dúlcida vibração de ternura:

– Conceda ao filhinho infeliz o que você espera receber de Deus: a vida! Desde que você tem sido assaltada por sonhos terríveis, o seu inconsciente está exteriorizando ocorrências infames de ontem, nele gravadas, que se podem repetir hoje, mais complicando o seu historial humano. Esta é a sua vez de usar de misericórdia, você que muito a tem desejado. Oferte-a, embora necessitando, porque é, dessa maneira, que se consegue aquilo que se anela. Irei encaminhá-la à câmara de passes, para ser revitalizada, poder pensar com calma e decidir-se pela vida, antes que pela morte.

Percebo que duas forças se entrechocam no seu mundo íntimo: o sentimento materno, frustrado e dolorido, mas inspirado para preservá-lo pelo seu guia espiritual e o orgulho ferido, fustigado por algum inimigo desencarnado, que participa da expiação a que o reencarnante se encontra submetido.

Acalme-se e ore. Desde que aqui veio em busca de auxílio, seja humilde, aceitando nossa ponderação e espere um pouco mais, porque ninguém está esquecido pela Misericórdia de Deus.

Posso afiançar-lhe que, ainda esta noite, os Céus lhe concederão a lucidez para a decisão feliz.

E volte, quando lhe aprouver. Estaremos sempre de braços abertos, aguardando-a com carinho e alegria de servi-la.

Chamou um dos auxiliares e pediu-lhe que encaminhasse a paciente ao concurso benéfico dos passes, em outra dependência ao lado.

Acompanhamo-la, enquanto o irmão Felipe propunha-me:

– Como a questão do aborto do anencéfalo encontra-se em acalorada discussão, na Terra, neste momento, seria de bom alvitre que pudéssemos contar com a contribuição do nosso amigo Miranda, narrando, posteriormente, esta muito complexa experiência aos viandantes do carro orgânico.

Notei que o Espírito obsessor não pôde acompanhá-la, vencendo as naturais barreiras da sala de fluidoterapia, ficando detido no local de atendimento.

O ambiente onde se operavam os socorros espirituais encontrava-se saturado de energias superiores. Os médiuns, a postos, em diferentes lugares, aguardavam que os pacientes se sentassem, aplicando-lhes, em silêncio, discrição e unção, a bioenergia que, invariavelmente, era assimilada pelos pacientes expectantes e interessados.

Ao terminar a operação de auxílio, a jovem apresentava-se mais calma, o feto fora beneficiado por fluidos vitalizadores e, amparada pelas energias balsâmicas, estaria defendida da interferência do verdugo por algum tempo.

Ato contínuo, o mentor Felipe sugeriu-nos o acercamento à genitora, a fim de prepará-la para as notícias, de forma que, tomada de espanto, não investisse em favor do aborto cruel, desfazendo todo o trabalho executado.

Obedecendo a instruções mentais do diretor da Casa, um Espírito que desencarnara em plena juventude aproximou-se da senhora que aguardava a filha e inspirou-a à oração, sendo logo atendido, em face da expectativa em que ela se encontrava, após o que lhe aplicou o socorro fluídico.

Quando ambas se afastaram, o amigo Felipe informou-nos que, naquela mesma noite seria programada uma atividade mediúnica em nosso plano, a fim de esclarecer a ocorrência e contava conosco para o desiderato.

Tomado pelo júbilo natural de estar em atividade em favor da vida, fui informado pelo nobre amigo que, antes da sua desencarnação, tivera ocasião de ler algumas das obras mediúnicas por nós firmadas, ademais, de haver aprofundado estudos em outras tantas valiosas além da Codificação, melhor identificando-se com o mundo espiritual, o que muito lhe houvera contribuído para uma rápida adaptação no Grande Lar.

Em face da questão palpitante, o aborto do anencéfalo, ele esperava que pudéssemos cooperar, transcrevendo as ocorrências ocultas ou desconhecidas a alguns encarnados, geradoras da problemática, assim como os melhores meios de conduzir as providências edificantes.

Quando o comportamento materialista-utilitarista toma conta da cultura, sempre surgem motivos para justificar-se qualquer tipo de crime, desde que o prazer enganoso preencha o vazio existencial do ser humano.

Enquanto as Soberanas Leis facultam, por misericórdia, mecanismos libertadores para a consciência e a emoção dos calcetas, propiciando ao Espírito reencarnado enfermidades de curso longo, testemunhos sublimadores, sofrimentos indispensáveis à autolapidação moral, os aficionados do gozo procuram utilizar-se de instrumentos perversos para fugirem aos resgates, falseando os sentimentos. Informam que a eutanásia, por exemplo, dá dignidade à morte, permite ao paciente uma compostura humana para o momento final, que o suicídio, por sua vez, é também o grande solucionador de problemas, sem que se apercebam do paradoxo dessas colocações.

Matar, sob qualquer pretexto, é violação dos Códigos da Vida, que ninguém tem o direito de recomendar.

Quando o paciente solicita a eutanásia, o ato converte-se em suicídio covarde, e quando é aplicada sem o seu conhecimento, por encontrar-se sem possibilidade de decisão, torna-se um homicídio vergonhoso. A função da Medicina é sempre de atenuar a dor, de prolongar a vida, enquanto se aguardam novas conquistas em benefício do ser humano, jamais decidir pela condenação à morte.

Desse modo, todos os contributos do Espiritualismo em geral e do Espiritismo em particular, oferecidos aos trânsfugas do dever, antes que compliquem as existências, são de relevante significado.

19

Criminosa trama oculta

Uma Sociedade Espírita, que permanece fiel aos postulados da Codificação, é uma colmeia de bênçãos de valor incalculável, em razão dos benefícios que esparze em nome do Amor.

Tornando-se um fulcro central para onde convergem muitos pensamentos e expectativas de encarnados e de desencarnados, transforma-se num dínamo de alta potência que emite ondas de vibrações saudáveis em favor da comunidade onde se encontra instalada.

Além dos socorros distendidos pelas mãos da caridade material, os benefícios morais e espirituais são incontáveis, porque as atividades são ininterruptas.

Tornando-se um santuário no qual se homenageia o Criador, cultivando-se a Mensagem sublime de Jesus, que passa a ser Hóspede sublime em suas dependências, através dos seus sábios ministros, é um reduto de paz, um oásis na aspereza desértica dos comportamentos, uma ilha de repouso no *oceano* tumultuado das paixões, um doce recanto de prece no turbilhão da algazarra e da volúpia dos prazeres...

Muitos desencarnados, desejosos de crescer emocionalmente, rogam aos mentores de instituições dessa, como de outra natureza, desde que dignas, para vincular-se às atividades que se desdobram na sua intimidade, desenvolvendo os valores da solidariedade, da compaixão e da caridade, que lhes dormem latentes.

À medida que aprendem as técnicas do serviço fraternal e crescem em experiência, mais se vinculam por gratidão e pelas possibilidades de poderem apurar as conquistas íntimas, preparando-se para os cometimentos futuros na Terra.

A movimentação, portanto, naquele núcleo, onde nos encontrávamos, era expressiva e incessante. As reuniões especiais para desencarnados multiplicavam-se, ao lado de socorros variados, não somente para esses, como também para os deambulantes da caminhada física.

Um dos setores encarregava-se de registrar os apelos mentais de alguns dos frequentadores, assim como de outros que recebiam informações dos benefícios ali distribuídos, de maneira a serem atendidos, na medida do possível.

Treinando sempre novos cooperadores desencarnados, à medida que chegavam os pedidos, eram destacados voluntários para visitarem o apelante, passando, a partir desse momento, a auxiliá-lo, inspirando-o, conforme a gênese da sua necessidade.

Desse modo, chegou a súplica da jovem mãe, que ouvira falar das elevadas mercês que ali eram ofertadas, havendo recebido uma visita e logo anotada para receber ajuda especializada.

Aquela oração referta de amor e esperança desencadeara a conveniente resposta do Senhor, em forma de auxílio imediato, ampliando-se em outros socorros que teriam lugar logo mais, em momento próprio.

Observando o semblante de alguns dos participantes da reunião de estudos, quando fomos participar da entrevista da irmã inquieta, ao retornar, verificamos as transformações que se lhes operaram, em decorrência das reflexões e dos pensamentos que lhes facultaram entendimento das razões desencadeadoras dos sofrimentos, ao mesmo tempo que, o aceno da esperança de melhores dias, sem utopismo nem veleidades, ensejava-lhes real alegria de viver e forças para enfrentar as ocorrências do cotidiano.

Já passava da meia-noite quando o irmão Felipe informou-nos do labor mediúnico então programado.

Dirigindo-nos à sala dedicada especificamente a esse mister, encontramos diversos membros dos serviços normais presentes, incluindo a atendente fraterna que se encarregara de esclarecer a cliente aflita.

Logo depois, trazida em Espírito por dois cooperadores que se encarregaram de desdobrá-la durante o sono fisiológico, a irmãzinha, que se apresentava calma, foi acomodada, semidesperta em um lugar especial na primeira fila onde estavam os assistentes.

Minutos depois, adentrou-se, telementalizado pelo diretor espiritual, o verdugo, que se debatia, desejando libertar-se das energias que o coarctavam, mantendo-o presente.

Iniciado o labor santificante, o diretor espiritual da Casa explicou a finalidade da reunião, informando que se tratava de um auxílio direcionado especificamente à jovem e ao seu filhinho, bem como ao adversário que tramava a tragédia prestes a consumar-se.

Petitinga e nós, convidados a participar do ministério, sentamo-nos junto à mesa onde se encontravam o orientador, dois médiuns, dois passistas e mais um servidor atento.

Imediatamente, acompanhamos a comunicação do Espírito em processo de reencarnação, atormentado, apresentando-se em estado de *ansiosidade*, e demonstrando inusitada emoção, suplicou à mãezinha que o não matasse.

– *A reencarnação em curso* – disse, com especial tonalidade de emoção – *é decisiva para o meu progresso... Eu sei que as circunstâncias dolorosas do processo representam o resultado da experiência malograda, há menos de sessenta anos, quando optei por suicídio nefando, através de arma de fogo disparada na cabeça.*

Perturbando-se com a evocação do suicídio, e amparado pelo irmão Felipe, continuou, tartamudeando:

– *Além desse gesto de tresvario, outro há que se soma como responsável pelo atual retorno, assinalado pela ausência do cérebro... É certo, que o sofrimento será por breve tempo enquanto dure a estada no corpo...*

E estertorando, continuou:

– *Sofro muito, sentindo-me em um pântano de sangue e cadáveres... Necessito sair dele... Rogo socorro e compaixão, que reconheço não merecer, mas de que necessito com urgência, a fim de poder recomeçar, mais tarde, em condições normais... Sei que sou responsável pelo crime que pratiquei, por isso que me submeto às Leis de Deus que me impõem o sofrimento desde agora, ampliado pelo temor de não chegar ao fim a expiação que me está depurando.*

A jovem, algo assustada, por não compreender o que se estava passando, foi tomada por um sentimento de piedade que a emocionou, levando-a a expressar-se de maneira objetiva e direta:

– *Tenho medo desta gravidez. Todos me dizem que o melhor é libertar-me dela, antes que se complique. O ser que está para nascer é um monstro amaldiçoado por Deus...*

O irmão Felipe solicitou ao amigo Petitinga atendesse a irmã receosa.

Concentrando-se, tomado de compaixão, o nobre doutrinador começou a exteriorizar uma delicada luminosidade que lhe saía do *chakra* cardíaco, enquanto, acercando-se da mãezinha aflita, lhe disse:

– *A maior monstruosidade é o ódio que leva o indivíduo à prática dos crimes geradores de sofrimentos inesperados. Filho dileto do egoísmo, esse outro monstro que remanesce da nossa animalidade primitiva, tem que ser enfrentado com as bênçãos do amor, a fim de ceder lugar à misericórdia e à compaixão em favor daqueles que recomeçam a existência física limitados ou dependentes. O filhinho que se encontra no seu ventre e roga oportunidade, não é por Deus amaldiçoado, porquanto está sendo honrado pela sua mercê para renascer na carne, aprender a respeitá-la e preparar-se para futuros cometimentos.*

A deformidade física pode não ser bela aos olhos daqueles que não entendem a grandeza do Espírito, mas, em alguns casos, reveste Espíritos nobres que assim se apresentam para melhor servir à Humanidade. Outros a tomam por defesa, a fim de esconder-se dos inimigos pertinazes que os não perdoaram. No caso do nosso querido irmão, é um divino favor em benefício dele, e certamente da irmãzinha também.

Além da casca dura de muitos frutos, na sua intimidade estão a polpa, as sementes, a vida alimentícia e a estuante, que lhes perpetua a espécie, não sendo impedimento para a beleza interior nem para a fertilidade, antes se constituindo apanágio de preservação e defesa.

Enquanto o necessitado lhe suplica amor, a irmãzinha revida com animosidade, por seu turno solicitando o Amor Divino... Não lhe parece paradoxal, querer para si o de que, dispondo, não deseja doar? Somente temos o que oferecemos, assim, tudo quanto desejamos em nosso benefício, deveremos fazer em favor do nosso próximo.

Olvide a aparência dele, que não será sequer percebida na forma, e receba o filho de Deus com ternura e gratidão. Será esse gesto que irá contribuir para diminuir-lhe a carga de aflições que vem padecendo.

O amor é o antídoto para todos os males. Em qualquer situação é sempre o amor o definidor de rumos.

Ao fazer oportuno silêncio, a irmãzinha rendeu-se, rogando:

– *Anjo de luz, mensageiro de Deus, tenha piedade de mim e ajude-me nos meus receios.*

As lágrimas coroaram-lhe as palavras nascidas nas fontes augustas do coração.

O amoroso amigo, igualmente comovido, retrucou-lhe:

– *Sou somente seu irmão mais amadurecido nas experiências do sofrimento, mensageiro de Deus, como também você o é, neste momento incumbido de falar-lhe ao coração dorido, mas rico de belezas não exploradas e de amor não vivenciado. Entregue-se a Deus e Ele fará o que será de melhor para todos nós.*

Abraçou-a, ternamente, enquanto o comunicante agradecia, quase sem poder expressar os sentimentos.

Logo depois, outro médium em transe deu lugar à comunicação do verdugo iracundo, que gritou:

– *E como eu fico nessa história piegas de amor, de perdão, de misericórdia, que ninguém nunca teve para comigo?*

Ante a anuência do diretor da reunião, Petitinga prosseguiu atendendo o desventurado:

– *Todos sempre estamos onde elegemos através dos nossos interesses. Enquanto o amigo se mantiver na atitude infeliz de perseguição àqueles que considera como inimigos, não se encontrará em lugar algum, senão o da violência e da insegurança.*

– *Não posso acreditar no que ouço* – bradou o calceta. – *Vítima de miseráveis e ordinários, ainda sou considerado como vingador. Afinal, que julgador é esse, que nem sequer escuta a narrativa daquele que foi espoliado em todos os seus bens e, inclusive, no da vida física?!*

Sem apresentar qualquer mal-estar, o benfeitor elucidou:

– *Não o julgamos, antes respondemos à sua pergunta. Compreendo mesmo que haja sofrido injustiça, traição, e outras infâmias, como o homicídio... Entretanto, que tem feito, em todo esse tempo, senão amaldiçoar, perseguir, aguardar oportunidade para desforçar-se daqueles que o tornaram desventurado? Como se pode atribuir o direito de fazer justiça dentro dos padrões do raciocínio açodado pelo ódio e pelo desejo de vingança? Não ignora, o amigo, que nada fica impune ante os Divinos Códigos da Vida?*

Reconheço que você possui motivos que considera de alta monta para manter-se na atitude que vem sustentando, há algumas dezenas de anos. Pensando no ressarcimento, não se dá conta do tempo que perde, das excelentes oportunidades de ser feliz. Na vingança, logo que o indivíduo sente-a concluída, perde a motivação para a luta. Que fazer, após o desforço covarde e cruel? Será que não lhe passa pela mente, que tudo quanto existe encontra-se sob superior governança? Ou acredita no caos, esse abismo que não o devorou, mantendo-o lúcido e vivo?

– *Fui traído enquanto amei* – explodiu em lágrimas de ira –, *perseguido sendo inocente, assassinado por ser fiel ao compromisso matrimonial. Não terei direito de desforra, vendo os infames renascidos, desfrutando de tudo quanto não me é permitido auferir? Onde, então, a Justiça, que não fez a sua parte?*

Pacientemente, Petitinga esclareceu-o:

– A Justiça, em relação a seus delitos anteriores, alcançou-o, quando você foi azorragado e de maneira infame teve a existência física interrompida... É claro que a vida não necessita de cobradores para manifestar os seus impositivos libertadores. Os irresponsáveis, que se tornaram o braço da Lei, *comprometeram-se, enquanto você teve a oportunidade de reabilitação.*

Não incida em erro equivalente, porquanto ninguém foge da consciência e das Divinas Leis nela gravadas. Rememore com calma as ocorrências e compreenda melhor o infausto acontecimento que o magoou.

O Espírito, que praticamente nada assimilou das respostas, em face do monoideísmo da vingança, redarguiu:

– Eu era bom esposo e pai... Infelizmente, após alguns anos de matrimônio fiquei impossibilitado de prosseguir com o meu compromisso de esposo... E a desleal, em vez de amparar-me com afeto, doando-me fidelidade, eu que lhe concedia tudo, uniu-se ao depravado que agora se apresenta na condição de filho desventurado, levando-me à loucura... Dizia-se meu amigo, frequentava o meu lar e usou o meu leito, enquanto eu me encontrava em viagem, para o adultério infame.

Informado da sua traição, enfrentei-o, humilhado, tentando limpar a honra maculada, quando, por inspiração da concubina, ele desfechou-me um tiro mortal...

Preso, logo após o ato, foi encarcerado, ficando à espera de julgamento... A tresloucada, no entanto, poucos meses depois, deixou-se arrastar por outro sedutor de igual quilate moral... Abandonou o nosso filho com os avós e fugiu com o novo amante... Desditoso e igualmente humilhado, o assassino, quando foi levado à Corte, para julgamento, num momento de distração da guarda que o conduzia, tomou o revólver de um miliciano e suicidou-se, com certeira bala no cérebro...

Não tenho razões múltiplas para odiar a traidora e criminosa vulgar, que somente encontrei muitos anos depois, vestida em novo corpo... Que lhe sucede? Reencontra o filho e o aceita como amante, mantendo o vício de antes, dá acesso ao homicida-suicida para que renasça, e a mim, que me cabe, senão aproveitar as circunstâncias e vingar-me de todos? Abandonada por aquele a quem antes desprezara, desejo também que experimente a morte, durante o processo abortivo do monstro...

À medida que narrava a tragédia, compreendíamos melhor a trama infeliz que tinha raízes em comportamentos levianos, senão cruéis, no passado. Tudo se ajustava ao programa de reparação, no qual o amor teria um papel fundamental.

Os tecidos dos sentimentos estavam esgarçados, senão rasgados pela insensatez de conduta dos seus responsáveis. No entanto, a Divindade estabelecera o método restabelecedor de fácil aplicação.

Petitinga, anuindo, em parte, com os esclarecimentos, prosseguiu:

– *A sua narração explica-nos o que lhe sucedeu, do seu ponto de vista. É compreensível que você não seja responsável pela impossibilidade de dar prosseguimento à união no tálamo conjugal, naquela oportunidade. O impedimento deveria ter-lhe constituído motivo para sublimação das energias genésicas e, nessa questão, a esposa poderia ampliar o sentimento do amor, transformando-o em fraternidade, em companheirismo, em amizade superior, especialmente considerando o filhinho necessitado de família...*

Moralmente debilitada, procurou, egoisticamente, com despudor, o prazer vil através do ato indecoroso da traição. Não lhe cabia, dentro da dignidade em que você se diz apoiar, buscar o companheiro desleal para explicações, antes deveria afastar-se dos infelizes, deixando-os por conta de si mesmos. Firmado em conceitos materialistas de honra e de valor, expôs-se ao vândalo que já desejava eliminá-lo, para assenhorear-se dos bens que ficariam para a concubina, a quem, por certo, não amava, mas ao lado de quem os desfrutaria, facultando-lhe a oportunidade de afastá-lo do caminho, sob pretexto de que fora desacatada e ameaçada...

A Divindade estabeleceu códigos de harmonia que trabalham pela Justiça e pela ordem, ensejando o recomeço de todos aqueles que se encontram comprometidos no mesmo drama, a fim de que se recuperem.

Abandonada, atualmente, pelo genitor do filhinho necessitado, você não se poderá comprometer, interrompendo-lhe a existência breve e necessária à reparação do autocídio, bem como do homicídio execrando... A expiação a que está sendo submetido é-lhe de valor incalculável. A sua perseguição, transformada em crime de morte, inspirando-a a matá-lo, pensando, também, em matá-la, por alguma consequência do abortamento, somente irá complicar-lhe o futuro...

Esta é a sua oportunidade de fazer algo, que muito gostaria que lhe tivessem feito esses infelizes anteriormente: conceder-lhes o direito, que certamente não merecem, por enquanto, de resgatarem o mal conforme as deliberações superiores...

Ante o silêncio do sofredor, adiu, generoso:

– Aproveite este momento para iniciar uma nova página da sua vida, renovando-se para o Bem e começando a propiciá-lo a quem o necessita, igualmente a si mesmo. Quem de nós, que se encontra em condição de dispensá-lo? O círculo vicioso do mal é sempre rompido por expiações terríveis. Considere a condição

do seu algoz, próximo ao renascimento, as circunstâncias que o excruciam, e pense na possibilidade de algo parecido, que se prolongue por largo período de reparação... Certamente, optará pela felicidade que lhe está ao alcance, apenas mudando de atitude mental e buscando a renovação interior...

– E que lhes acontecerá, especialmente à execrável agente de todos os males que nos vitimaram? – indagou, magoado.

– Deus a tudo provê – respondeu o psicoterapeuta espiritual – *sem atender aos nossos caprichos de vingança. O certo é, que ninguém fica impune após qualquer crime cometido, embora nem sequer se dê conta daquilo que lhe está ocorrendo.*

A sua preocupação inicial deve ser com a conquista da própria paz, que precisa alcançar, desfrutando da oportunidade ditosa no Grande Lar, aprendendo para servir e crescendo moralmente para conseguir o bem-estar pleno.

Nesse momento, o mentor aproximou-se do comunicante e aplicou-lhe vigorosas energias de encorajamento e de ternura, que passaram a ser assimiladas, funcionando como suave entorpecente que o confortou.

– Não sei o que dizer – confessou –, *sinto-me confuso e parece que irei perder o raciocínio, subjugado por um sono dominador.*

– Pois, durma, meu irmão – confortou-o Petitinga –, *e durante esse sono de paz, que lhe tem feito muita falta, você recuperará a lucidez espiritual, compreenderá as bênçãos da vida, sentirá coragem para oferecer o perdão e avançar no rumo da Grande Luz.*

Enquanto o Espírito adormecia, assistentes espirituais do trabalho removeram-no do médium e colocaram-no em maca especial, para posterior transferência para local específico para a convalescença.

O Espírito reencarnante, que ouvira a comunicação, chorava convulsivamente, exteriorizando o arrependimento que o dominava, embora não tivesse lucidez para penetrar no diálogo elucidativo, o que não era importante. À medida, porém, que eram narrados alguns passos da trama desventurada, a memória perispiritual trazia-lhe de volta as imagens infelizes que ficaram gravadas a fogo no inconsciente...

A jovem mãe, igualmente perplexa, participou das reminiscências, sentindo a brasa viva da culpa decorrente da leviandade e ficando com arquivos novos para compreender as futuras provações que iria experimentar no curso da existência rica de oportunidades reparadoras.

Naquele interregno, o irmão Felipe expressou gratidão ao amigo Petitinga e solicitou-nos proferir a oração de encerramento do trabalho, o que fizemos exultantes, embora não tivéssemos como expressar ao Injustiçado sem culpa, as emoções que a todos nos dominavam naquele momento.

Terminado o labor, foram tomadas as providências para conduzir os Espíritos presentes aos seus respectivos domicílios, afastando-nos, por nossa vez, em profundas reflexões.

20

DE RETORNO À CLÍNICA PSIQUIÁTRICA

Graças às bênçãos do trabalho, os dias passaram formosos, e logo havia transcorrido o período reservado às experiências dos companheiros na clínica psiquiátrica.

Vinte e oito dias após havermos retornado à nossa Esfera de ação, nosso amigo Dr. Ignácio Ferreira convocou-nos a todos os membros do grupo, para um reencontro de avaliação dos labores desobsessivos, conforme ficara estabelecido.

Às 18h do dia aprazado, estávamos reunidos na sala dedicada ao mister espiritual socorrista, abraçando-nos e agradecendo a Deus a bênção do recomeço.

Dr. Ignácio, sempre jovial, demonstrava contentamento compreensível em razão dos excelentes resultados obtidos pelos trabalhadores encarnados, como pudemos constatar depois.

Em clima de renovação, após sermos recepcionados pelos pioneiros que nos aguardavam alegres, Jacques Verner traduziu os sentimentos dos demais através da amabilidade que lhe era habitual:

– *Temos a imensa alegria de confessar* – começou ele, bem-disposto – *que os cooperadores encarnados sob a orientação sábia do Dr. Norberto souberam corresponder à confiança e à responsabilidade que lhes foram delegadas.*

As reuniões sempre transcorreram em clima de harmonia, com atendimentos cuidadosos e resultados surpreendentes em alguns dos pacientes beneficiados com o esclarecimento dos seus adversários desencarnados. Certamente que, se encontrando com lucidez suficiente para avaliar os benefícios recebidos e com as orientações que lhes foram ministradas durante as palestras doutrinárias e os respectivos comentários, poderão firmar-se na saúde, completando o resgate dos seus débitos sem a necessidade da alienação mental.

O amor sempre dispõe de recursos terapêuticos e educativos que nos escapam.

Em nossa última reunião, recebemos comovedora mensagem do mentor de nossa clínica, confirmando-nos, inclusive, o vosso retorno previsto para hoje. Todos, sem dúvida, nos encontramos expectantes e agradecidos pela renovação do ensejo de crescimento espiritual.

Concluída a sua exposição, Dr. Ignácio agradeceu a presença dos seareiros das primeiras horas, especialmente do casal Antonelli, assim como dos demais.

Como o tempo nos permitia, formamos pequenos grupos sintonizados por interesses comuns e entretivemos conversações edificantes, prazenteiras.

Às 19h, pusemo-nos em atividade preparatória, colaborando com os responsáveis habituais, enquanto aguardávamos a chegada dos membros encarnados, que não se fizeram esperar. Chegando com antecedência, demonstravam incomum satisfação como resultada da alegria pelo serviço iluminativo que realizavam, mantendo-se em silêncio e meditação na sala. Alguns se puseram a ler as belas páginas dos livros da Doutrina que se encontravam em prateleira presa à parede, assim como algumas mensagens mediúnicas de conforto e de orientação.

Logo depois, o Dr. Norberto e o administrador da clínica deram entrada no recinto, ocupando os seus respectivos lugares, sem qualquer ritual, mas também sem nenhuma vulgaridade.

Suave melodia exteriorizava-se de um aparelho de som, especialmente escolhida para auxiliar no relaxamento e na meditação.

À hora prevista, foi lida uma página de *O Evangelho segundo o Espiritismo*, de Allan Kardec, feito um brevíssimo comentário, tendo lugar o momento da oração de abertura, proferida pelo diretor da atividade.

Pairava no ambiente uma psicosfera de harmonia e de amor que a todos mais nos unia nos objetivos abraçados.

A primeira comunicação através de Licínia foi do nosso Dr. Ignácio, que se referiu ao significado terapêutico das reuniões que ali se realizavam.

Depois de algumas considerações gerais, referiu-se:

– *O cumprimento do dever constitui-nos bênção de incontestável significado, por caracterizar-nos a fase de maturidade psicológica e de responsabilidade moral de que já desfrutamos. Quando alguém se empenha por desincumbir-se com gravidade de qualquer compromisso, usufrui de consciência do dever. Relevante, portanto, todo labor executado com seriedade.*

O dever torna-se virtude, quando objetiva o cumprimento de uma responsabilidade que beneficia outrem ou um grupo social.

Com Jesus aprendemos os deveres solidários, descobrindo que a felicidade do nosso próximo é de alta importância, por transformar-se em nosso bem-estar pessoal, participando das atividades que podem contribuir favoravelmente para o seu progresso e harmonia.

Ao assumirmos obrigações espirituais, abrem-se-nos perspectivas de grande valor para o desenvolvimento moral, cujos efeitos defluentes da maneira de executá-las nos definirão o porvir pessoal. Somente através da conscientização íntima é que podemos compreender os deveres para com nós mesmos, para com a sociedade e para com a vida.

Os amigos têm sido fiéis na condução do dever assumido espontaneamente, o que dá um significado mais eloquente ao que estão realizando na condição de cooperadores da psicoterapia espiritual para com os desencarnados em sofrimento, especialmente quando voltados para o mal, demonstrando maior gravidade em relação à enfermidade que os vitima.

Treinando-se para ações mais expressivas, trabalham em favor da edificação do santuário hospitalar que foi desenhado para funcionar em nossa clínica.

Congratulamo-nos com os seus esforços, rogando ao Senhor de bênçãos que nos conceda mais capacidade de discernimento e forças para empregá-las no desiderato.

Prossigamos, desse modo, a serviço do bem sem limites.

Silenciando, jovem médium masculino, devotado ao labor dos passes, entrou em transe, e vimos o belo fenômeno da psicofonia atormentada de um Espírito conduzido à comunicação.

Tratava-se de inimigo furibundo de um paciente alcoólico, que já fora internado diversas vezes e sempre era vencido pela recidiva.

Carinhosamente orientado, narrou o drama que o infelicitara, recorrendo às lembranças dolorosas do passado, quando fora vítima indefesa daquele a quem ora perseguia, comprazendo-se em vê-lo no abismo da miséria moral, naquela situação deplorável.

Atendido com ternura e lucidez pelo Dr. Norberto, rendeu-se, confessando o cansaço de que se encontrava possuído, após alguns anos de luta renhida, em que também se degradava, absorvendo os vapores tóxicos da bebida devastadora que o cômpar ingeria sob seu controle emocional...

Recolhido pelos devotados auxiliares para ser recambiado a local apropriado, onde ficaria submetido a tratamento específico, após o encerramento da atividade, lá recomeçaria as experiências iluminativas, graças ao perdão e ao despertamento para a consciência de si mesmo.

Nesse comenos, o *justiceiro*, acompanhado por alguns membros da sua corte ridícula, adentrou-se na sala, acreditando haver rompido as barreiras defensivas, sem dar-se conta de que tudo se encontrava planejado para recebê-lo, e, arrogante, incorporou veneranda trabalhadora da Casa, sensível e nobre, por cujo intermédio blasonou, descarregou ameaças infantis, arremeteu contra o grupo que dizia detestar, impondo regras de comportamento doentio.

Ouvido, pacientemente, pelo orientador sob inspiração direta do Dr. Ignácio, informou-lhe, sem muita discussão, que o responsável por aquela atividade era Jesus Cristo, a quem se deveria dirigir, permitindo-lhe derramar toda a cólera da alucinação contra Ele... Logo depois, ainda telecomandado, esclareceu-o que a Instituição pertencia ao Amor, e que jamais alguém se levantaria contra a sua benéfica programação, pela impossibilidade de conseguir qualquer tipo de vitória, nesse tipo de batalha inglória...

Revoltado, tentou intimidar os servidores do Evangelho, informando que se afastaria para retornar potencializado pelos resultados nefastos que desabariam sobre eles e a clínica sob seu comando.

O de que não se dera conta é que, à medida que alardeava poderes que não possuía, encharcava-se do *fluido animal* do médium, de muita utilidade para a operação que se encontrava estabelecida para horas mais tarde.

Outras comunicações tiveram lugar sempre sob controle e equilíbrio dos médiuns, transcorrendo o formoso labor mediúnico dentro do clima saudável das reuniões sérias, como devem ser todas, especialmente as de socorro desobsessivo nas Sociedades Espíritas.

Ao término, o irmão Bruno foi destacado para apresentar as palavras gratulatórias e estimulantes ao grupo, sendo encerrado com júbilo o edificante trabalho espiritual.

Os companheiros do plano físico, silenciosamente deixaram a sala, depois rumaram aos seus lares, enquanto ficamos em conversação edificante, a fim de ser realizado um novo encontro, quando aqueles amigos pudessem estar presentes em parcial desdobramento através do sono fisiológico...

Foi o Dr. Juliano quem considerou com lucidez:

– *Como eu poderia imaginar, quando me encontrava na Terra, intoxicado pelos vapores das vaidades acadêmicas, a existência deste mundo grandioso de ações fora dos limites orgânicos! Todas as teses que me eram apresentadas, tudo quanto se havia investigado sobre os estudos dos transtornos psicológicos e das psicopatologias examinadas, embora resultassem de pesquisas contínuas e honestas, atinham-se apenas em relação ao corpo e somente a ele, que seria a fonte da vida... Ante, porém, os painéis preciosos que descobri desde o retorno à vida exultante, e particularmente, graças aos estudos empreendidos ao largo dos anos, culminando com as experiências vivas deste período, compreendo as ocorrências que me permaneciam em interrogações sem respostas ou preencho as lacunas que ficaram após a defesa dos argumentos frágeis, mas que se me afiguravam verdadeiros.*

No caso do alcoolismo, por exemplo, os fatores predisponentes pareciam-me tão claros, como aqueles que desencadeiam a alcoolofilia e a alcoolomania, resultantes dos fenômenos socioculturais, socioeconômicos, sociológicos em geral, resultados também da educação doméstica doentia ou sem ela, das castrações, das proibições e dos transtornos causados pela miséria psicológica *dos pacientes. A sífilis, a tuberculose, a hanseníase, as enfermidades venéreas, no meu conceito, eram responsáveis pelas fugas espetaculares para o álcool, como fatores endógenos preponderantes. Como prever, naqueles já remotos dias, a gênese obsessiva, a presença de Entidades enfermas, perversas e vingadoras, induzindo os pacientes à autodestruição?!*

Certamente, por isso, além de outros fatores psicológicos, mesológicos, da hereditariedade, as recidivas no alcoolismo são lamentáveis. Vemos, por exemplo, no Brasil, em termos estatísticos da atualidade, que existem aproximadamente 11 milhões de alcoólicos e dependentes de drogas químicas e 27,5 milhões de portadores de alienações mentais, esquizofrenia, depressão, ansiedade e fobias de várias denominações... Os gastos em atendimento às questões pertinentes à saúde mental são muito altos, com resultados, muitas vezes, decepcionantes, pela dificuldade de penetrar-se na gênese real dos distúrbios, que estão sempre no Espírito infeliz, endividado.

Analiso, com os dados atuais de que disponho, sobre quantos serão vítimas de induções obsessivas, em processos graves de resgates com as suas vítimas de anteriores existências e não posso ocultar a surpresa que me invade. Tenho certeza de que, no futuro, nos tratados de Epidemiologia, as obsessões terão um destaque muito especial, sendo estudada com seriedade e interesse. O ser humano, nessa óptica, é a soma das suas experiências e realizações anteriores, sempre avançando sobre as conquistas realizadas.

Ouvindo-o com respeito, ao silenciar, Dr. Ignácio acrescentou:

– *Temos vivenciado experiências obsessivas nas áreas psicológica e psiquiátrica, no entanto, em todos os movimentos da existência humana apresentam-se as interferências dos desencarnados sobre os encarnados, assim como destes sobre aqueles... Enfermidades orgânicas de complicada etiologia têm nas suas raízes processos de incidência espiritual muito graves, em decorrência da ingestão de fluidos deletérios pelo paciente ou da sua ação sobre os delicados e complexos mecanismos das redes nervosa, sanguínea, digestiva, respiratória... O intercâmbio entre os semelhantes morais, de um como do outro plano da vida, proporciona efeitos equivalentes nas estruturas de que se revestem.*

Fixações afetivas, de amor e de ódio, de ciúme e de ressentimento produzem ondas mentais que se dirigem àqueles que se lhes fazem receptivos, gerando situações deploráveis, também no organismo físico em razão do seu pestilento conteúdo energético. Estabelecido o primeiro contato, registrada a emissão de forças pela mente, e mais fortes se fazem as conexões, gerando distúrbios pertinentes à sua estrutura. Somos o que cultivamos e vivemos, respirando o ar emocional e espiritual em que nos comprazemos.

A conversação edificante prolongou-se, ensejando-me um aprendizado mais amplo a respeito dos relacionamentos espirituais vigentes no Universo, particularmente no amado planeta, nosso berço e nossa mãe generosa.

À medida que se aproximava a hora da reunião em nosso plano, os trabalhadores convocados para trazer aqueles que iriam participar da mesma, foram-se desincumbindo dos deveres e, no momento próprio, estavam unidas as duas equipes, a da nossa Esfera e a terrena.

Para surpresa de quase todos nós, recebemos a visita do nobre Espírito Barsanulfo, que viera participar do ágape espiritual, produzindo incontido entusiasmo em nossos sentimentos.

Com a modéstia que lhe é peculiar, depois da saudação afetuosa, informou:

– *Em se tratando de um Departamento do Sanatório Esperança, na Terra, não poderia deixar de estar presente nesta oportunidade.*

E sorriu, gentil, com amabilidade.

Constituída a mesa para os trabalhos mediúnicos além do corpo físico, sentaram-se o Dr. Ignácio, que os deveria dirigir, nossos queridos médiuns Matilde e Maria Modesto, Bruno e Licínia, intercalados por especialistas na aplicação dos passes, enquanto os demais permanecemos em torno, formando um semicírculo.

O benfeitor Eurípedes permaneceu com a equipe de assistentes para a condução dos que se viriam comunicar, especialmente o *justiceiro*.

Realizada a prece inicial com verdadeira unção pelo querido diretor espiritual, o mesmo entreteceu breve explicação em torno da oportunidade do trabalho, quando ocorreram comunicações simultâneas: o *justiceiro,* através da nossa irmã Maria Modesto, e os seus dois áulicos por intermédio de Matilde e Licínia, dando a impressão de que iriam gerar perturbação no recinto.

A um apelo mental, Petitinga e nós aproximamo-nos dos dois comunicantes atônitos e perturbados, enquanto o Dr. Ignácio dirigiu-se ao *justiceiro*.

Com ponderação e caridade, procuramos acalmar os irmãos inquietos e desorientados, assegurando-lhes amparo, após a libertação daquele que lhes impunha verdadeiros suplícios morais e sevícias outras, levando-os ao temor, falando-lhes a respeito de Jesus, o amparo e a segurança para todos nós. Não foi muito difícil aclarar-lhes a mente e tranquilizá-los, aplicando-lhes passes de reconforto e renovação, removendo-os para as macas, graças às quais seriam conduzidos, posteriormente, ao conveniente tratamento de recuperação mental e emocional.

Enquanto isso, o diretor dialogava com o arrogante chefe das Entidades perversas da clínica.

– *Tenho direitos que devem ser respeitados* – afirmou, contorcendo-se na médium, que exteriorizava na face o ríctus das angústias e da ira que o dominavam.

Sem nenhuma inquietação, respondeu-lhe o nobre psicoterapeuta de desencarnados:

– *Sempre respeitamos a todos, embora não concordemos com as suas imposições, como é o caso do nosso amigo, com quem dialogamos novamente. Ocorre que nenhum direito existe sem o correspondente dever que caracteriza o ser inteligente. Confesso que não entendo a quais direitos, pois, o amigo se refere.*

– *Aos direitos de governança* – respondeu, ríspido – *que venho mantendo neste lugar. Aqui estou destacado por forças poderosas que administram a Terra e nos orientam os procedimentos em torno da Justiça defraudada. Sou apenas um modesto representante dos nobres comandantes, cujas vontades são-me transmitidas por mensageiros especiais e com frequência.*

– *Entendo, então, que o amigo é fâmulo de outros mais arrogantes* – respondeu o psiquiatra.

Isto, porque somente existe um Governador em nosso planeta, que é Jesus. Aqueles que se obstinam em desacatar-Lhe as orientações e se autopromovem, nada mais fazem do que tornar-se instrumento das Leis da Vida, para finalidades específicas, por tempo limitado. Ignora o amigo, certamente, que a sombra é somente ausência da luz e o que lhe parece a prática da justiça canhestra e vil, significa falta de conhecimento dos Soberanos Códigos? Como pode alguém, que se encontra atormentado e enfermo, governar outros doentes e desequilibrados?

Esta clínica tem comando e diretriz, sem dúvida, que não são as suas. Por misericórdia dos administradores espirituais tem-lhe sido permitido aqui permanecer neste período que se finda, a fim de que se cumpram determinados objetivos que lhe escapam. O amigo pensa que aqui está por vontade pessoal, desconhecendo que nós o trouxemos para este encontro muito significativo para todos nós.

Estertorando em verdadeira crise de ódio, o comunicante explodiu em fúria:

– *Não me provoque mais. Tudo o que está acontecendo, neste momento, está sob a vista dos meus chefes e eles providenciarão para que seja modificado...*

– *É um engano de sua parte e da deles, meu irmão* – afirmou Dr. Ignácio. – *Estamos defendidos pelas forças do bem, pelos propósitos superiores, pela oração e pela ação da caridade aos que têm sido vitimados pelas cruas manifestações obsessivas, de vampirismo, de zoantropia, nas hipnoses perversas aos pacientes defraudadores dos deveres morais...*

Soa o momento da sua libertação, que é inadiável. Conhecemos-lhe a história e sabemos dos muitos anos, para não dizermos mais do que um século no qual o amigo tem sido telecomandado pelos infortunados Espíritos que constituem as Trevas.

– *E quem você pensa que sou?* – indagou, aterrorizado.

– *Não pensamos, sabemos quem o amigo é* – redarguiu o esclarecedor. – *Posso afirmar que o amigo celebrizou-se pela crueldade nos últimos trinta anos do século XVIII, como torturador inquisitorial, que se dizia representante de uma doutrina cristã na qual não se encontrava Jesus Cristo. Portador de uma perversidade insana, utilizava-se da farsa inquisitorial para descarregar os tremendos conflitos que o desnorteavam, naqueles que lhe tombavam em condição de vítima: judeus, mouros, protestantes e cristãos denunciados... Não acreditando em Deus, embora Lhe pronunciasse o nome, saía dos julgamentos-farsa e comprazia-se nos suplícios aplicados aos homens e mulheres que se não dobravam diante da sua selvageria. Aqui estão alguns deles, que ainda se encontram dominados pelo ódio e o buscam, sem o terem encontrado.*

Poderíamos dar-lhes acesso a este proscênio e entregá-lo, a fim de que, também eles o julgassem, apelando para a Justiça, cujo nome você enxovalha, pois que dela muito necessita. Nada obstante, a misericórdia do amor recolhe-o em nosso coração em prece, em nome d'Aquele cuja memória você e outros deslustraram, a fim de oferecer-lhe a ensancha que sempre negou a todos.

Não nos atrevemos a julgar-lhe os atos passados, porque existem razões que a nós nos escapam, considerando aquela conduta infeliz quão imperdoável, e que somente o amor dispõe de recursos para compreender e desculpar.

Desse modo, aqui iniciando uma nova etapa, é justo que lhe ofereçamos a opção de continuar conforme se tem mantido ou alterar o rumo do destino, que está sempre a modificar-se de acordo com o desejo de cada qual.

Fez uma pausa. Algo estarrecido, o infeliz via-se desmascarado, derreando a presunção e perdendo a arrogância, ao mesmo tempo que desejava protestar, sem ter forças para fazê-lo...

Naquele momento, Eurípedes acercou-se do farsante espiritual, e propôs-lhe:

– *Agora, recorde-se... viaje na direção do passado. Estamos num dos porões de Portugal, em Coimbra, no apogeu das perseguições religiosas... Tudo começou, quando D. João III foi autorizado por uma bula assinada pelo papa reinante, em 23 de maio de 1536, a instalar nesse país a nefanda Inquisição, iniciando-se a época das perseguições, em Coimbra, por exemplo, em 1565, no antigo Colégio de Artes... Recorde-se, adentrando-se no imundo recinto, muitas décadas depois. Era o mesmo repugnante ambiente. Reveja-se: o semblante quase cadaverizado, em decorrência da ingestão do ódio e da perversidade, relho na mão direita, o Evangelho na outra, caminhando, soturnamente, resmungando blasfêmias e vivendo a insânia... Veja a cena terrível... Pobre homem, envelhecido e desfigurado, preso ao instrumento infame de suplício, sem forças, semimorto, coberto de feridas nauseantes, ofegante, os olhos baços... Esteve ele, no potro, e agora sofre a tortura da polé. Erguido por cordas que passam por uma roldana ao alto, mãos atadas para trás, subitamente é libertada a corda, o corpo tomba e é detido bruscamente... Diversos músculos rasgam-se e alguns ossos arrebentam-se. Qual o crime que lhe atribui? Apenas deseja espoliá-lo dos haveres, para dividi-los com a coroa, a igreja e você mesmo. Por que o odeia? Ele foi acusado de ser cristão-novo, equivalendo dizer que foi considerado convertido a peso de ouro, mas não o suficiente para a sua cobiça, que pretende tudo o que ele possui...*

Ouça-lhe os gritos... Você está, agora, ao lado dele, exigindo que confesse o crime. Qual crime? O ambiente sórdido, infecto, a fogueira crepitando, algumas sombras em volta que as chamas não devoram enquanto os inditosos biltres que o supliciam, gargalham.

Em nova arremetida, as forças se lhe extinguem e ele morre...

Reveja-se, volte ao passado... E reveja outros momentos finais de mais vítimas da sua loucura, apenas pelo prazer de atormentá-las, por ser infeliz e rancoroso... Recorde-se, porque esses seres que se transformaram em sombras, arrastaram-no a verdadeiros infernos temerários depois da sua morte... Você lá esteve, nessas regiões de horror, onde foi resgatado por outros mais cruéis do que você e que o disciplinaram, submetendo-o a novos tormentos, para fazerem de você instrumento da malfadada sanha de que são possuídos... Aí estão na sua memória todas essas lembranças... Recorde-se...

– *Pare!* – gritou o inditoso. – *Não aguento mais. Socorram-me... As lembranças tomam conta de mim e transformam-se em monstros que me querem devorar com as suas bocas hiantes... Socorro, meu Deus!...*

– *O mesmo Deus* – referiu-se Eurípedes – *que você tanto menosprezou vem, agora, em seu socorro, a fim de libertá-lo da hipnose e da anestesia mental, a fim de que as responsabilidades graves dos crimes cometidos despertem-no para o demorado recomeço.*

No mesmo instante, aplicou-lhe energias saturadas de paz e de compaixão, acalmando o Espírito que enlouquecera de desespero.

Depois de alguns instantes de socorro especializado, ele adormeceu, havendo sido deslocado da médium para a maca na qual seria removido para assistência especializada em local apropriado.

Sentia-se júbilo no ambiente espiritual. Embora as tensões daqueles momentos da doutrinação, todo o recinto logo recuperou a harmonia...

Algumas comunicações de irmãos sofredores e necessitados tiveram lugar em clima de misericórdia, recebendo, cada qual, o alimento espiritual terapêutico para a renovação interior e o recomeço em trajetórias futuras...

Ninguém foge da sua realidade.

Subitamente, uma claridade com variegadas tonalidades suaves e brilhantes invadiu a sala, apresentando-se o nobre Espírito guia da clínica.

De imediato, nossa querida irmã Maria Modesto, em transfiguração facial, irradiando a beleza transcendente do mentor, começou a falar:

– *Irmãos queridos!*

Jesus permaneça conosco, traçando rumos libertadores.

Alcançamos os primeiros resultados do investimento de luz sob o amparo dos Céus.

Nossa clínica avançará na direção do infinito, realizando o ministério para o qual foi erguida, constituindo-se um lugar de reconquista dos valores espirituais perdidos ou abandonados pelos trânsfugas do dever.

Embora a sua história rica de bênçãos, assinalada pelo culto ao dever e de fidelidade ao compromisso inicial de servir de santuário e recinto para a reconquista da saúde mental dos irmãos reencarnados, graças aos muitos méritos dos seus trabalhadores, torna-se, também, mais um posto avançado na Terra, de que se utilizarão os Espíritos para diversos empreendimentos de amor aos companheiros da retaguarda carnal.

Ao mesmo tempo, servirá de reduto de apoio e atendimento àqueles que se encontram excruciados pela loucura do ódio e martirizam os demais ou necessitam de acolhimento e amparo de urgência...

Todas as lutas que foram travadas e as dificuldades que repontaram ao longo do caminho, produzindo agonia e ansiedade nos seus servidores, parecem, agora, bênçãos de experiências que se converteram em dádivas de amor, em face dos benefícios que poderá continuar a oferecer, agora mais ampliados.

Sucede que, para os cristãos, não há tempos de paz, mas sempre de refregas, nas quais adquirem harmonia, conquistando os espaços reservados ao serviço de iluminação de consciências.

Diante da multidão exaltada e desenfreada que se compraz na volúpia do prazer e se consome nos dédalos das paixões, deixando-se arrastar pelas Fúrias *que parecem dominar os arraiais da sociedade, tão volumosa e compacta, imaginamos quão pequenina é a nossa conquista e, aparentemente, inexpressivos são os resultados conseguidos.*

Somos discípulos, porém, do Rei que elegeu modesta manjedoura para vir ter com os seus súditos e de uma cruz para alar-se a Deus...

Com essa inspiração, inicia-se um novo período em nossas atividades aqui.

A madrugada alcança a noite plena, praticamente sem ser notada, e suavemente avança diluindo as sombras até triunfar o dia em luz.

Assim, também, ocorre com o nosso esforço conjugado entre os dois planos.

Nenhuma exaltação de nossa parte, mas a convicção de que a vitória é de Jesus, que vela incessantemente pela Humanidade e tem seus missionários em diversos pontos do globo terrestre, trabalhando em tarefas especiais que objetivam a implantação do Bem e da Verdade.

A conscientização da nossa responsabilidade e a alegria do trabalho em conjunto levam-nos a permanecer unidos no ideal de construção do Reino de Deus em nosso imo, que um dia se instalará por toda a Terra.

Já não são poucos os Espíritos reencarnados, que se encontram atuantes no desdobramento da programação superior, que facultará as grandes mudanças que se vão operando em favor da Era da paz e da felicidade.

Missionários do Amor e da Ciência mergulham continuamente na indumentária carnal, a fim de ampliarem os horizontes do sentimento e do conhecimento em torno da vida e das suas necessidades, contrapondo-se, sem lutas externas, à devastação do planeta, à destruição das diversas formas existentes, como decorrência das insanas ambições dos poderosos enganados de um dia...

A Ecologia, neste momento, adquire cidadania e fascina expressivo número de abnegados defensores da Natureza, de todas as expressões de vida existentes, que não temem qualquer sacrifício na saga da salvação do planeta.

As lições do equilíbrio que vige na cadeia alimentar entre os espécimes animais e a função grandiosa de preservação das florestas, em decorrência da presença de inúmeros deles, vão sendo consideradas e, lentamente, embora ainda as dificuldades existentes, proporcionam a conscientização de respeito e de dever, antes que, de uso abusivo dos seus recursos, que são esgotáveis, se não protegidos.

A água, sempre desperdiçada pela incúria humana, reduz-se, dando lugar ao surgimento de programas que lhe favoreçam a existência...

Em todas as áreas encontram-se os novos apóstolos do Bem, direcionando o pensamento humano para as realizações edificantes e o autodescobrimento, de modo que os tesouros morais e espirituais recebam o respeito e a consideração pela relevância de que se constituem.

À frente, porém, desse exército de paz e de misericórdia, de ação dignificadora e de construção da felicidade, encontra-se Jesus, o Mestre Incorruptível, que nunca nos abandona.

Porfiemos, pois, no setor que nos diz respeito, fazendo o melhor que nos esteja ao alcance, fruindo a felicidade do serviço em Seu nome, cônscios de que podemos fazer muito mais, caso nos empenhemos com o sentimento e a razão.

Exorando a proteção do Psicoterapeuta por excelência para nossa clínica e para todos nós, sempre afetuoso e reconhecido, o servidor dedicado,

Antônio.

Quando silenciou, gotas de luz perfumadas e coloridas caíram sobre todos nós, inclusive, alcançando as outras dependências do edifício no qual nos encontrávamos.

Todos os presentes, dominados por especial emoção, participamos do encerramento da reunião, através da prece proferida pelo Dr. Ignácio Ferreira, que, em breves e sábias palavras, traduziu tudo quanto experimentávamos, considerando concluída a tarefa para a qual fôramos convocados, embora colocando-se e a nós outros sempre às ordens, tantas vezes quantas fossem necessárias.

✶

Exultávamos de saudável contentamento, exteriorizando as inefáveis alegrias que nos dominavam os sentimentos.

Os amigos fundadores da clínica, Jacques Verner, o casal Antonelli, os irmãos Bertollini e diversos outros, ao lado dos devotados atuais servidores, tais: Dr. Norberto, o administrador e senhora, os médiuns e cooperadores, alguns psiquiatras e auxiliares, não ocultavam as bênçãos recebidas, e, por isso mesmo, agradeciam ao encarregado da nossa equipe, efusivamente, enquanto o mesmo, com a modéstia que lhe é habitual, transferia quaisquer méritos Àquele que é a razão única das nossas vidas.

A madrugada avançava suavemente, anunciando a chegada de um novo dia, quando começaram as despedidas carinhosas, feitas de afeto e gratidão.

Dr. Juliano Moreira tinha lágrimas nos olhos, a querida irmã Maria Modesto sorria, iluminada, Eurípedes, discreto e afetuoso, abraçou o Dr. Ignácio e rogou bênçãos aos Céus para ele e nós outros, Ivon Costa, que também estava conosco, entretecia considerações oportunas, e todos, sem mais delongas, retornamos aos nossos labores habituais em nossa Esfera de residência.

Mais um compromisso com a generosa mãe Terra ficara concluído sob os auspícios do Amor que dela cuida.